STEPHEN KING (ur. 1947) uchodzi za najwybitniejszego współczesnego twórcę literatury z gatunku horroru. Zanim został pisarzem pracował jako nauczyciel języka angielskiego. Debiutował pod koniec lat 60. Sławę przyniosła mu pierwsza powieść *Carrie* (1973). Kolejne utwory – m.in. *Lśnienie* (1977), *Misery* (1987), *Sklepik z marzeniami* (1991), *Dolores Claiborne* (1993), *Bezsenność* (1994), *Desperacja* (1996) i *Zielona Mila* (1996) – sprzedano w wielomilionowych nakładach i przetłumaczono na kilkadziesiąt języków. Najnowsze bestsellery to dwa ostatnie tomy cyklu *Mroczna Wieża*, *Pieśń Susannah* (2004) i *Mroczna Wieża* (2004), oraz powieść grozy *Komórka* (2006). Pełny dorobek literacki obejmuje ponad 30 powieści, a także zbiory opowiadań, scenariusze filmowe i sztuki teatralne. Większość powieści została zekranizowana. Do najgłośniejszych adaptacji filmowych należą: *Carrie* Briana de Palmy, *Lśnienie* Stanleya Kubricka, *Christine* Johna Carpentera, *Strefa śmierci* Davida Cronenberga, *Cujo* Lewisa Teague'a, *Misery* Roba Reinera, *Dolores Claiborne* Taylora Hackforda oraz *Skazani na Shawshank* i *Zielona Mila* Franka Darabonta. W 2003 roku Stephen King został uhonorowany najbardziej prestiżową nagrodą literacką w USA – National Book Award.

Stephen King w serii LITERKA

CZTERY PORY ROKU

SKLEPIK Z MARZENIAMI

BEZSENNOŚĆ

DOLORES CLAIBORNE

GRA GERALDA

DESPERACJA

ZIELONA MILA

MARZENIA I KOSZMARY

Wkrótce

REGULATORZY

ROSE MADDER

STEPHEN KING

DOLORES CLAIBORNE

Z angielskiego przełożył

TOMASZ MIRKOWICZ

WARSZAWA 2006

Tytuł oryginału:
DOLORES CLAIBORNE

Redakcja: Ewa Ciszkowska

Ilustracja na okładce: Larry Rostant/Artist Partners Ltd.

Projekt graficzny okładki i serii: Andrzej Kuryłowicz

ISB-13: 978-83-7359-384-8
ISBN-10: 83-7359-384-5

Wyłączny dystrybutor
Firma Księgarska Jacek Olesiejuk
Kolejowa 15/17, 01-217 Warszawa
t./f. (22)-631-4832, (22)-535-0557/0560
www.olesiejuk.pl

Sprzedaż wysyłkowa – księgarnie internetowe
www.merlin.pl
www.ksiazki.wp.pl
www.empik.com

WYDAWNICTWO ALBATROS
ANDRZEJ KURYŁOWICZ
Wiktorii Wiedeńskiej 7/24, 02-954 Warszawa

Wydanie III (kieszonkowe – II)
Druk: B.M. Abedik S.A., Poznań

Mojej matce, Ruth Pillsbury King

Czego pragnie kobieta?
Sigmund Freud

Chcę tylko jednego: SZACUNKU!
Aretha Franklin

O co pytałeś, Andy Bissette?

Czy zrozumiałam, jakie przysługują mi prawa?

Boże, dlaczego faceci są tacy tępi?!

Nie, to ty się nie irytuj — przestań kłapać jadaczką i posłuchaj mnie chwilę. Coś mi się zdaje, że i tak będziesz mnie słuchał przez cały wieczór, więc równie dobrze możesz zacząć już teraz. Pewnie, że wszystko zrozumiałam! A co, czyżbyś myślał, że doszczętnie pomieszało mi się w łepetynie, odkąd spotkałam cię w sklepie? Przecież to było zaledwie w poniedziałek! Pamiętasz, powiedziałam, że żona łeb ci urwie, kiedy pokażesz się w domu z czerstwym bochenkiem chleba — oszczędzasz grosz, a tracisz trzos, jak powiada przysłowie — i założę się, że miałam rację, co?

Jasne, wiem, jakie mam prawa, Andy; matka nie wychowała mnie na idiotkę. Znam także swoje obowiązki, na własne nieszczęście!

Mówisz, że wszystko, co powiem, może zostać użyte przeciwko mnie w sądzie? No, no, to mi dopiero nowość! A ty, Frank Proulx, przestań tak głupio szczerzyć zęby. Może inni uważają cię za cwanego glinę, ale ja pamiętam, jak jeszcze niedawno latałeś z mokrą pieluchą między nogami i tym samym durnym uśmiechem na pysku. Dobrze ci radzę, mój mały:

kiedy masz do czynienia z taką wygadaną babą jak ja, lepiej powściągnij chichotki. Wiem, co tam sobie myślisz: wszystko masz wypisane na gębie, wszystko jest na wierzchu, zupełnie jak na reklamie bielizny w katalogu Searsa.

Dobra, koniec żartów; czas przejść do rzeczy. Zaraz opowiem wam nie lada historię i pewnie wiele z tego, co usłyszycie, można by użyć przeciwko mnie w sądzie, gdyby komuś chciało się rozgrzebywać całą sprawę po latach. Najzabawniejsze jest to, że mieszkańcy wyspy i tak prawie wszystko wiedzą, a mnie przestało już zależeć na ukrywaniu prawdy... zależy mi na tym jak na wczorajszym gównie, jak mawiał stary Neely Robichaud, kiedy mu szumiało w czubie. A szumiało mu bez przerwy, co potwierdzi każdy, kto go znał.

Natomiast obchodzi mnie co innego i dlatego przyszłam tu sama, nie czekając na żadne wezwanie. Nie zabiłam tej wiedźmy Very Donovan i zamierzam cię o tym przekonać, Andy. Pewnie podejrzewasz, że zepchnęłam ją z tych cholernych schodów, ale nawet taka myśl nie postała mi w głowie. Jak zechcesz przymknąć mnie za to, co zrobiłam kiedyś, nie będę mogła mieć do ciebie pretensji, ale naprawdę nie ciąży na mnie krew tej szajbniętej jędzy. Jak usłyszysz całą historię, uwierzysz mi, Andy, co do tego nie mam wątpliwości. Zawsze był z ciebie dobry, uczciwy chłopak i wyrosłeś na porządnego faceta. Ale niech ci moje słowa nie uderzą do głowy; to nie twoja zasługa, tylko twojej matki, która prała ci gacie, wycierała nos i pilnowała, żebyś wyszedł na ludzi.

Jeszcze tylko jedno, zanim na dobre rozpocznę swoją gadkę — znam ciebie, Andy, i znam, oczywiście, Franka, ale kim jest dziewczyna z magnetofonem?

Chryste Panie, Andy, przecież wiem, że to stenotypistka! Chyba mówiłam ci przed chwilą, że matka nie wychowała mnie na idiotkę, co? Fakt, że w listopadzie skończę sześćdziesiąt sześć lat, to jeszcze nie powód, żeby traktować mnie tak, jakby brakowało mi piątej klepki. Wiem, że dziewczyna z magnetofonem i bloczkiem do stenotypii jest stenotypistką.

Przecież oglądam w telewizji wszystkie seriale rozgrywające się w sądzie, nawet „L.A.Law", w którym jeszcze nie zdarzyło się, aby minął kwadrans i nie pokazali golizny.

Jak ci na imię, skarbie?

Aha... a skąd pochodzisz?

Uspokój się, Andy. Co masz dziś lepszego do roboty? Czyżbyś planował urządzić zasadzkę na plaży, w nadziei że uda ci się zdybać paru gości, którzy bez pozwolenia wygrzebują z piachu małże? Jeszcze byś dostał ataku serca z podniecenia, ha, ha!

No właśnie. Teraz jest w porządku. Czyli nazywasz się Nancy Bannister i pochodzisz z Kennebunk, tak? Ja nazywam się Dolores Claiborne i pochodzę stąd, z wyspy Little Tall. Wspomniałam, że zamierzam gadać przez ładne parę godzin, i przekonasz się, że wcale nie bujałam. Więc jeśli będziesz chciała, żebym mówiła albo głośniej, albo wolniej, nie krępuj się, tylko powiedz. Nie masz się co wstydzić. Chcę, żebyś dobrze zapisała i wyraźnie nagrała każde moje słowo, poczynając od tego, co powiem w tej chwili: dwadzieścia dziewięć lat temu, kiedy obecny tu komendant policji Bissette chodził do pierwszej klasy podstawówki i zbierał zdjęcia sławnych baseballistów, zabiłam mojego męża, Joego St. George'a.

Czuję jakiś przeciąg, Andy. Czyżby tak wiało z twojej rozdziawionej gęby? No i co tak szeroko wybałuszasz gały? Przecież wiesz, że zabiłam Joego. Wiedzą o tym wszyscy na wyspie, a także z połowa mieszkańców Jonesport po drugiej stronie przesmyku. Tyle że nikt nie był w stanie nic mi udowodnić. Nie stałabym teraz przed tobą, Frankiem Proulxem i Nancy Bannister z Kennebunk, przyznając się do zabicia Joego, gdyby ta szurnięta prukwa nie wycięła mi na koniec takiego numeru.

No, ale to już ostatni raz, kiedy mi zalazła za skórę. Tym się pocieszam.

Przysuń magnetofon nieco bliżej, złociutka; skoro już nagrywamy, nie chcę żadnej obsuwy. Ale ci Japońce wyrabiają przemyślne cudeńka, nie ma co... Obie chyba wiemy, że przez to, co się nagrywa na taśmie obracającej się wewnątrz, mogę trafić za kratki na resztę życia. Trudno, nie mam wyboru. Jak mi Bóg miły, zawsze wiedziałam, że prędzej czy później Vera zrobi mi koło dupy — wiedziałam o tym, jak tylko ujrzałam ją pierwszy raz. I patrzcie, jak mnie urządziła; patrzcie, jak mnie załatwiła ta stara zołza. Tym razem naprawdę zrobiła mnie na szaro. Ale tacy już są ci bogacze; albo skopią cię tak, że gotów jesteś się przekręcić, albo zaduszą cię na śmierć swoją cholerną miłością.

Co?

Chryste Panie, Andy! Zaraz do tego dojdę, nie poganiaj! Wciąż nie mogę się zdecydować, czy opowiadać wam wszystko po kolei od samiusieńkiego początku, czy lepiej zacząć od końca... A nie macie tu przypadkiem nic na zwilżenie gardła?

E tam, w dupie mam twoją kawę! Wsadź se głęboko cały pieprzony dzbanek. Już wolę szklankę wody, jeśli taki z ciebie sknera, że żałujesz mi łyczka whisky z tej butelki Jima Beama, którą trzymasz w szufladzie biurka. Nie zamierzam...

Jak to, skąd wiem? Jezu, Andy Bissette, gdybym nie znała cię tak długo, gotowa bym sądzić, że coś tam u ciebie nietęgo pod sufitem. Myślisz, że śmierć mojego męża jest jedyną rzeczą, o jakiej plotkują mieszkańcy wyspy? Zresztą, to już przebrzmiała historia. Co innego ty. Każdego aż świerzbi, żeby wziąć cię na język.

Dzięki, Frank. Z ciebie też był zawsze porządny dzieciak, choć mi się niedobrze robiło w kościele na twój widok, dopóki matka nie odzwyczaiła cię wreszcie od dłubania w nosie. Jezu, czasem tak głęboko wpychałeś paluch do środka, że mało brakowało, byś wyciągnął sobie mózg. Coś się tak zaczerwienił, do licha? Przecież wszystkie dzieciaki dłubią, zupełnie jakby nos był kopalnią, a gluty zielonym złotem. Dobrze, że przynajmniej w kościele nie trzymałeś łap w kieszeniach i nie bawiłeś się w bilarda jajami, jak inne chłopaki, które nigdy...

Tak, Andy, tak, już wracam do sprawy. Co się tak wiercisz niecierpliwie, jakby cię mrówki oblazły?

Wiecie co? Pójdę na kompromis. Ani nie będę opowiadać wam wszystkiego od końca, ani od początku, tylko zacznę od środka. Jak masz coś przeciwko temu, Andy Bissette, napisz zażalenie na kartce, wsadź do koperty i wyślij do Pana Boga.

Mieliśmy z Joem troje dzieci; kiedy pochowałam go w lecie sześćdziesiątego trzeciego, Selena miała piętnaście lat, Jim trzynaście, a mały Pete zaledwie dziewięć. Zostałam bez grosza, biedna jak mysz kościelna, nawet dupę musiałam sobie podcierać gazetą...

Usuniesz później moją łacinę, prawda, Nancy? Jestem po prostu starą babą z niewyparzoną gębą i parszywym charakterem, ale tak już jest, kiedy się wiodło pieskie życie.

Aha, o czym to ja mówiłam? Jeszcze nie zaczęłam, a już mi się wszystko poplątało.

A... tak, tak. Dzięki ci, aniołeczku.

Jedyne, co mi Joe pozostawił, to tę walącą się ruderę przy Wschodnim Cyplu i sześć akrów ziemi porośniętych plątaniną jeżyn i chaszczy, których nijak nie daje się wykarczować. I co jeszcze? Niech no się zastanowię. Trzy stare półciężarówki, z których żadna nie była na chodzie, cztery sągi drewna i niezapłacone rachunki w sklepie spożywczym, w sklepie z narzędziami, u dostawcy ropy i w zakładzie pogrzebowym... a jakby tego było mało, to zanim minął tydzień, jak go pochowałam, przylazł ten pijus Harry Doucette, oby go poskręcało, z wekslem na dwadzieścia dolców, które Joe przegrał do niego, zakładając się o jakiś mecz baseballowy!

Może myślicie, że wpadło mi parę groszy z jego polisy ubezpieczeniowej? Ha! Dobre sobie! Joe nigdy się nie ubezpieczył, choć może to i lepiej, zważywszy na jego koniec. Opowiem wam, co się stało, nie bójcie się, ale w tej chwili chcę wam przede wszystkim uświadomić jedno: Joe St. George nie był dla mnie mężem; był cholernym kamieniem młyńskim, który nosiłam u szyi. Prawdę powiedziawszy, wolałabym już kamień od niego, bo przynajmniej by się nie upijał, nie wracał do domu po nocy, cuchnąc piwskiem i nie próbował mnie wyruchać o pierwszej nad ranem. Nie dlatego zabiłam skurwysyna, ale właśnie od tego zacznę swoją historię.

Wierzcie mi, wyspa to najgorsze miejsce na popełnienie morderstwa. Zawsze ktoś się kręci w pobliżu, gotów wetknąć nos w nie swoje sprawy, akurat kiedy najchętniej popędziłoby się go, gdzie pieprz rośnie. Dlatego załatwiłam Joego właśnie wtedy, kiedy to zrobiłam. Niedługo się o wszystkim dowiecie, a na razie powiem wam tylko, że zabiłam go mniej więcej trzy lata po tym, jak mąż Very Donovan zginął w wypadku samochodowym pod Baltimore, gdzie mieszkali cały czas z wyjątkiem wakacji, które spędzali na Little Tall. W tamtych czasach Vera miała jeszcze umysł sprawny jak szwajcarski zegarek.

Po śmierci Joego nie było mi łatwo... wierzcie mi, nikomu nie jest tak ciężko związać koniec z końcem jak samotnej kobiecie z trójką dzieci na karku. Już właściwie postanowiłam, że przeprawię się na drugą stronę przesmyku i poszukam pracy w Jonesport, jako kasjerka w supermarkecie albo kelnerka w knajpie, kiedy nagle ta zołza zdecydowała się mieszkać na wyspie przez okrągły rok. Ludzie myśleli, że babie do reszty odbiło, ale ja się nie zdziwiłam — w tym okresie już i tak spędzała tu większość czasu.

Jej fagas — nie pamiętam, jak się nazywał, ale wiesz, o kogo mi chodzi, Andy, o tego rosłego przygłupa, który pracował u niej jako kierowca i specjalnie nosił obcisłe portki, żeby każda baba od razu widziała, jaką ma wielką pałę — zadzwonił do mnie i oznajmił, że pani właścicielka („pani właścicielka" — zawsze ją tak nazywał, ten jełop) chciałaby wiedzieć, czy jestem gotowa pracować u niej na stałe jako gospodyni. Od pięćdziesiątego pracowałam tam w każde lato, więc było całkiem naturalne, że zadzwonił najpierw do mnie, ale w owym czasie wydało mi się to istnym darem niebios. Zgodziłam się od ręki i pracowałam u Very aż do wczorajszego ranka, kiedy to zwaliła się po schodach i rozbiła sobie ten swój pusty, durny łeb.

Czym się zajmował jej mąż, Andy? Produkował samoloty, tak?

Aha. Ano tak, pewnie o tym słyszałam, ale wiesz, jak jest z plotkami, które się słyszy na wyspie. Jedno, co do czego nie miałam wątpliwości, to że siedzieli na szmalu, na kupie szmalu, i że po jego śmierci wszystko przypadło jej w udziale. Z wyjątkiem tego, co rząd zagarnął w podatkach, oczywiście, lecz nie sądzę, żeby zagarnął więcej niż ułamek swych należności. Michael Donovan był bystrym facetem. I cwanym jak lis. I chociaż nikt, kto znał ją przez ostatnie dziesięć lat, by w to nie uwierzył, Vera była kiedyś nie mniej cwana od niego... aż do dnia jej śmierci zdarzały się okresy, gdy miała piekielnie bystry umysł. Ciekawe, czy wiedziała, w jakie wpakuje mnie tarapaty, jeśli umrze inaczej niż na atak serca w swoim własnym łóżku? Spędziłam dziś większość dnia na Wschodnim Cyplu, siedząc na rozklekotanych schodach i rozmyślając o tym... i o tysiącu innych spraw. Z początku wydawało mi się, że to niemożliwe, że przecież miska owsianki ma więcej rozumu niż Vera Donovan miała pod koniec życia, ale potem przypomniałam sobie te jej numery z odkurzaczem i uznałam, że może jednak... może jednak wiedziała...

Ale teraz to już nieistotne. Ważne jest tylko to, że nagle grunt zaczął mi się usuwać pod nogami. Muszę się ratować, jeśli mam choć cień szansy.

Rozpoczęłam pracę u Very jako gospodyni, ale pod koniec byłam jej opiekunką. Jako gospodyni dawałam Verze sobą pomiatać osiem godzin dziennie, pięć dni w tygodniu. Jako opiekunka byłam jej popychadłem na okrągło.

Pierwszy wylew miała latem tysiąc dziewięćset sześćdziesiątego ósmego roku w trakcie oglądania relacji ze zjazdu demokratów w Chicago, na którym wyłonili swojego kandydata na prezydenta. Był to mały wylew, za który winiła później Huberta Humphreya.

— Jak spojrzałam na tego rozanielonego dupka, po prostu

krew mnie zalała i pękło mi jakieś naczynie — powtarzała. — Mówi się trudno; równie dobrze mógł to spowodować Nixon.

Kolejny, znacznie poważniejszy wylew nastąpił siedem lat później; tym razem nie mogła zrzucić winy na żadnych polityków. Doktor Freneau przestrzegał ją, kazał jej rzucić palenie i picie, ale niepotrzebnie strzępił sobie język — taka elegancka dama jak Vera Całuj-Mnie-W-Tyłek nie zamierzała słuchać byle wiejskiego lekarza.

— Jeszcze go przeżyję — twierdziła. — Wypiję szklankę whisky z lodem, siedząc na jego grobie.

Przez pewien czas zdawało się, że może rzeczywiście tak się stanie; Chip Freneau wciąż ją beształ, a ona nic sobie z tego nie robiła, tylko pruła naprzód pełną parą, dokładnie jak „Queen Mary". Ale w osiemdziesiątym pierwszym miała naprawdę potężny wylew, a następnego roku jej fagas zabił się w wypadku na lądzie. Właśnie wtedy się do niej wprowadziłam — w październiku tysiąc dziewięćset osiemdziesiątego drugiego roku.

Czy musiałam? Sama nie wiem, chyba nie. Dostawałam rentę, a renta nie mięta, jak mawiała stara Hattie McLeod. Nie było tego wiele, ale dzieciaki już dawno wyniosły się z domu — mały Pete to aż na tamten świat, biedaczek — zdołałam też odłożyć trochę grosza. Życie na wyspie zawsze było tanie i choć bardzo podrożało, wciąż jest o niebo tańsze niż na lądzie. Więc nie, nie musiałam wprowadzać się do Very.

Jednakże przez te wszystkie lata przywykłyśmy do siebie. Trudno to wyjaśnić facetowi. Myślę, że Nancy ze swoimi bloczkami, długopisami i magnetofonem rozumie mnie doskonale, ale ona pewnie ma pisać, a nie potakiwać. Przywykłyśmy jak dwa stare nietoperze, które latami wiszą obok siebie do góry nogami w pieczarze, choć wcale nie stałyśmy się przyjaciółkami. Zresztą przeprowadzka do Very niewiele zmieniła w moim życiu — tyle że chowałam teraz swoje wyjściowe sukienki do tej samej szafy co robocze — bo przed jesienią osiemdziesiątego drugiego i tak spędzałam u niej nie tylko całe dni, ale i większość nocy. Kiedy się wprowadziłam, zaczęłam zarabiać nieco lepiej, ale nie aż tak dużo, żebym mogła kupić sobie na raty pierwszego w życiu cadillaca, ha, ha!

Chyba zdecydowałam się zostać opiekunką Very głównie dlatego, że nie było innych chętnych. W Nowym Jorku jej interesy prowadził niejaki Greenbush, ale przecież nie zamierzał się przenieść na Little Tall, żeby Vera mogła wydzierać się do niego z okna sypialni, by na pewno przypiął każde prześcieradło sześcioma, a nie czterema spinaczami. Nie zamierzał wprowadzić się do pokoju gościnnego, zmieniać Verze pieluch, myć jej zafajdanego starego dupska, słuchać oskarżeń, że rąbnął jej kilka dziesięciocentówek z cholernej porcelanowej świnki i ona już dopilnuje, żeby go zamknęli do mamra. Greenbush prowadził interesy Very, ja myłam ją z gówna i słuchałam jej bzdetów o prześcieradłach, kotach kurzu i cholernej porcelanowej śwince.

I co z tego? Nie uważam, że należy mi się złoty krzyż czy choćby skromny medal. Wytarłam w swoim życiu niejeden tyłek, nasłuchałam się wiele bzdetów (w końcu było się żoną Joego St. George'a przez szesnaście lat) i korona mi z głowy nie spadła. Myślę, że zgodziłam się nią zająć, bo nie miała nikogo innego; wybór był taki, że albo ja, albo dom starców. Dzieci nigdy jej nie odwiedzały i z tego powodu było mi Very szczerze żal. Nie oczekiwałam, że rzucą wszystko i zaczną się nią same zajmować na okrągło, bez przesady, ale — choć nie wiedziałam, o co im poszło — nie potrafiłam zrozumieć, dlaczego się z nią wreszcie nie pogodzą. Mogliby co jakiś czas wpaść na weekend albo od biedy na jeden dzień. Była jędzą, co do tego nie ma dwóch zdań, ale przecież była ich matką! A w dodatku starą kobietą. Oczywiście, teraz wiem znacznie więcej niż wtedy, ale...

Co?

Tak, to prawda. Niech mnie dunder świśnie, jeśli kłamię, jak mówią moje wnuki. Zadzwońcie do tego tam Greenbusha, jeśli mi nie wierzycie. Nie wątpię, że kiedy wieść się rozniesie —

a rozniesie się na pewno, już wy się nie bójcie — bangorskie „Daily News" zamieści jeden z tych swoich ckliwych artykułów, że to niby takie cudowne. Wierzcie mi, nie ma w tym nic cudownego. Jeden pieprzony koszmar! Bez względu na to, co sobie wyjaśnimy, ludzie będą gadać, że najpierw, cwaniara, skołowałam biedaczkę, a potem ją zabiłam. Właśnie tak będzie, Andy; nawet nie próbuj zaprzeczyć. Żadna siła nie powstrzyma ludzi od tego, żeby myśleli o kimś najgorsze, jeśli tylko mają jakiś pretekst.

Ale to wszystko bzdura. Do niczego jej nie zmuszałam, a tego, co zrobiła, na pewno nie zrobiła dlatego, że mnie kochała czy choćby lubiła. Może uznała, że jest mi coś winna; właściwie mogła od dawna uważać, że ma wobec mnie dług wdzięczności, lecz nie byłoby w jej stylu zająknąć się słówkiem na ten temat. Może więc w taki sposób chciała mi podziękować... Nie za to, że zmieniałam jej zafajdane pieluchy, lecz za to, że byłam u jej boku, kiedy z kątów wysuwały się druty, a koty kurzu wyłaziły spod łóżka.

Wiem, wiem... nie macie pojęcia, o czym gadam, ale cierpliwości. Obiecuję, że zanim otworzycie drzwi i wyjdziecie z tego pomieszczenia, zrozumiecie wszystko.

Vera dawała się każdemu we znaki z trzech powodów. Znałam baby, u których byś znalazł i więcej powodów, ale trzy to i tak sporo jak na sklerotyczną staruszkę spędzającą całe dni albo w łóżku, albo na wózku inwalidzkim. Całkiem sporo, cholera.

Pierwszy powód był taki, że urodziła się jędzą i nic na to nie mogła poradzić. Pamiętacie, co mówiłam o spinaczach do bielizny, że kazała używać sześciu zamiast czterech? No, to tylko jeden przykład.

Jeśli chciało się pracować dla Very Całuj-Mnie-W-Tyłek, pewne rzeczy po prostu należało robić zgodnie z jej życzeniami, i lepiej było o tym pamiętać. Z góry każdemu mówiła, czego będzie wymagać, i mogę was zapewnić, że umiała postawić na swoim. Jeśli zapomniało się o czymś raz, dostawało się burę. Jeśli dwa razy, potrącała z pensji. Jeśli trzy razy, wywalała z roboty i nie obchodziły ją żadne tłumaczenia. Takie miała zasady, lecz mnie to nie przeszkadzało. Surowe, ale sprawiedliwe. Jeśli powtarzała służącej dwa razy, na którym blacie należy stawiać formę z ciastem po wyjęciu z pieca i pouczała ją, żeby przypadkiem nie stawiała blachy na parapecie okiennym, jak to niektóre kobiety mają w zwyczaju, a ta wciąż nie potrafiła tego zapamiętać, było bardzo prawdopodobne, że nie zapamięta nigdy.

Do trzech razy sztuka i fora ze dwora, taka była reguła i absolutnie żadnych wyjątków, toteż w ciągu tych lat kiedy pracowałam u Very, przez dom przewinął się cały tłum kobiet. Dawnymi czasy nieraz słyszałam narzekania, że iść pracować u Donovanów to tak, jakby wejść w drzwi obrotowe; można zrobić jedno kółko, dwa, niektórym udawało się nawet z dziesięć czy dwanaście, ale w końcu i tak lądował człowiek z powrotem na chodniku. Więc kiedy po raz pierwszy poszłam do Very na służbę — jeszcze w czterdziestym dziewiątym — czułam się, jakbym wchodziła do smoczej jamy. Ale wcale nie była taka zła, jak ludziska gadali. Jeśli tylko miało się uszy szeroko otwarte, miało się i robotę. Ja słuchałam poleceń, ten jej fagas również. Ale cały czas trzeba było mieć się na baczności, bo nie spuszczała nas z oka, w dodatku znała wyspiarzy lepiej niż jacykolwiek inni letnicy... i potrafiła być wredna. Nawet zanim jeszcze spadły na nią te wszystkie nieszczęścia, potrafiła być wredną cholerą. Zupełnie jak gdyby czerpała z tego przyjemność.

— Co ty tu robisz? — spytała mnie pierwszego dnia. — Nie powinnaś siedzieć w domu, niańczyć małej i pichcić obiadków najdroższemu mężulkowi?

— Pani Cullum powiedziała, że chętnie zajmie się Seleną przez cztery godziny dziennie — odparłam. — Dlatego mogę pracować tylko na pół etatu.

— Dokładnie o to mi chodzi, co chyba było jasno i wyraźnie sformułowane w ogłoszeniu, które zamieściłam w waszej nędznej lokalnej gazetce... Tutejsi redaktorzy nie mają nawet pojęcia, jak powinna wyglądać gazeta! — odpaliła natychmiast i choć tym razem nie na mnie skierowała swój gniew, później nieraz zdarzyło jej się tak mi przygadać, że w pięty mi poszło.

Pamiętam, że tego dnia robiła coś na drutach. Druty dosłownie śmigały jej w palcach — w ciągu dnia potrafiła zrobić parę skarpet, nawet jeśli zaczęła dopiero o dziesiątej. Ale jak powiadała, musiała być w nastroju.

— Tak, pszepani — odpowiedziałam. — Tak pisało.

— Nie nazywam się „Pszepani" — oznajmiła, odkładając robótkę — tylko Vera Donovan. Jeśli cię zatrudnię, będę ci mówić po imieniu, Dolores, a ty masz się do mnie zwracać pani Donovan, dopóki nie uznam, że znamy się na tyle długo, byś mogła zwracać się inaczej. Jasne?

— Tak, pani Donovan.

— W porządku, przynajmniej jedną rzecz mamy z głowy. A teraz odpowiedz na moje pytanie. Czego tu szukasz, skoro masz własny dom, którym powinnaś się zająć?

— Chcę tylko zarobić trochę pieniędzy na prezenty gwiazdkowe. — Postanowiłam, że właśnie tak powiem, gdyby mnie o to spytała. — Ale jeśli będzie pani ze mnie zadowolona... i jeśli mnie również spodoba się praca u pani, ma się rozumieć... może zdecyduję się zostać trochę dłużej.

— Jeśli tobie spodoba się praca u mnie? — Wywróciła oczy, jakby jeszcze nigdy nie słyszała czegoś tak durnego; w głowie jej się nie mieściło, że komuś może nie odpowiadać praca u wielkiej Very Donovan. — Chcesz tylko zarobić na prezenty gwiazdkowe, tak? — spytała, a po chwili powtórzyła jeszcze bardziej sarkastycznym tonem: — Chcesz tylko zarobić na prezenty gwiazdkowe, tak?

Podejrzewała mnie o kłamstwo. Była pewna, że stoi przed nią młoda mężatka, która ledwo zdążyła wyczesać z włosów ryż, a już ma kłopoty małżeńskie, i czekała, aż się zarumienię i spuszczę oczy ze wstydu. Więc ani się nie zarumieniłam, ani nie spuściłam oczu, choć miałam dopiero dwadzieścia dwa lata i nie było mi łatwo się opanować. Ale do swoich kłopotów małżeńskich nie przyznałabym się żywej duszy, nawet na torturach. Trochę grosza na gwiazdkowe prezenty to wystarczający powód dla takiej Very; niech sobie myśli, co chce. Zresztą nawet sobie wmówiłam, że przydałoby mi się więcej forsy na prowadzenie domu, bo z forsą jest ostatnio jakoś krucho. Dopiero po latach zrozumiałam, że prawdziwym powodem, dla którego poszłam stawić czoło smokowi w jego własnej jamie, było to, że musiałam sama zacząć zarabiać na życie, bo Joe przepijał wszystko albo przegrywał w pokera w piątkowe wieczory w karczmie Fudgy'ego po drugiej stronie przesmyku. W tamtych czasach wciąż wierzyłam, że miłość, jaką darzy się dwoje ludzi, jest silniejsza niż pociąg do wódy i hulanki — że miłość wypłynie na wierzch jak śmietana w butelce mleka. Następne dziesięć lat nauczyło mnie, że wcale tak nie jest. Czasem życie to najtrudniejsza szkoła, prawda?

— No więc zobaczmy, czy sobie przypadniemy do gustu, czy nie, Dolores St. George... chociaż nawet jeśli się sprawdzisz, pewnie za rok czy dwa znów zajdziesz w ciążę i więcej cię nie zobaczę.

Prawdę mówiąc, już wtedy byłam w drugim miesiącu ciąży, ale do tego też bym się nie przyznała, nawet gdyby mi wyrywano paznokcie. Zależało mi na tych dziesięciu dolarach tygodniowo, które płaciła, choć możecie mi wierzyć, że każdego centa okupiłam własnym potem. Harowałam jak dziki osioł przez całe lato, ale za to pod koniec sierpnia Vera spytała, czy nie chciałabym zajmować się domem, kiedy wyjadą do Baltimore, bo tak dużym domem trzeba się zajmować przez okrągły rok, żeby nie zarósł brudem. Odpowiedziałam, że chętnie.

Przerwałam pracę dopiero miesiąc przed urodzeniem Jima, a wróciłam, zanim jeszcze odstawiłam go od cycka. Latem podrzucałam synka do Arlene Cullum — Vera za nic nie zgodziłaby się na obecność w domu płaczącego dziecka — ale kiedy jesienią Donovanowie opuszczali wyspę, zabierałam ze sobą i jego, i Selenę. Selenę mogłam z reguły zostawiać samą — nawet gdy miała zaledwie trzy latka, byłam spokojna, że nic nie przeskrobie. Jima zwykle nosiłam po całym domu. Pierwsze kroki nauczył się stawiać w sypialni Donovanów, choć nie byłam taka głupia, żeby mówić o tym Verze.

Zadzwoniła do mnie tydzień po połogu (wahałam się, czy wysłać jej zawiadomienie o urodzeniu dziecka; w końcu doszłam do wniosku, że jeśli uzna to za przymawianie się o jakiś drogi prezent, jej sprawa), pogratulowała mi syna, a potem powiedziała (chyba głównie z tym dzwoniła), że nie zatrudni nikogo na moje miejsce. Pewnie myślała, że się ucieszę, i rzeczywiście, zrobiło mi się przyjemnie. Był to najwyższy komplement, jaki mogłam od niej usłyszeć, i znaczył dla mnie o niebo więcej niż prezent, czek na dwadzieścia pięć dolarów, który przyszedł pocztą w grudniu.

Była twarda, ale sprawiedliwa, i to ona trzęsła całym domem. Jej mąż pojawiał się na wyspie nie częściej niż raz na dziesięć dni, nawet w lecie, kiedy niby mieszkali tu na okrągło, a widząc ich razem, łatwo było poznać, kto naprawdę rządzi. Może i facet miał pod sobą z dwustu dyrektorów, którzy jak tylko warknął na nich: „Co wy pierdolicie?!", to od razu lecieli po żony i kochanki, żeby mu pokazać, ale w domu szefem była Vera i ilekroć mówiła mu, żeby zdjął buty, bo zabłoci dywan, ściągał je posłusznie.

Jak wam już wspomniałam, Vera miała własne zdanie na temat tego, jak co należy robić. I nie było z nią żartów! Nie wiem, skąd jej te różne pomysły przychodziły do głowy, ale wiem, że sama była ich niewolnicą. Jeśli coś zrobiono nie po jej myśli, to albo zaraz bolała ją głowa, albo dokuczał jej brzuch. W dodatku sprawdzanie, czy wszystko zostało wykonane rzeczywiście według poleceń, zajmowało jej tyle czasu, że równie dobrze mogłaby sama prowadzić dom i zaoszczędzić sobie nerwów.

Na przykład do szorowania wanien należało używać Spic and Span. Nie Lestoil, nie Top Job, nie Mr. Clean. Tylko Spic and Span. Jeśli przyłapała służącą na czyszczeniu wanny innym środkiem, biada nieszczęsnej!

Przed prasowaniem trzeba było spryskiwać kołnierzyki koszul i bluzek specjalnym krochmalem w aerozolu, koniecznie przez kawałek gazy. Gaza nic nie dawała — wiem, co mówię, bo w domu Donovanów uprasowałam ładnych kilka tysięcy koszul i bluzek — ale jeśli Vera weszła do prasowalni i zobaczyła, że któraś zapomniała o tej cholernej gazie, biada nieszczęsnej!

Jeśli służąca wzięła się do smażenia, a nie włączyła w kuchni wentylatora, biada nieszczęsnej!

Kolejny powód do awantur stanowiły kubły na śmieci stojące w garażu. Było ich sześć. Sonny Quist przyjeżdżał co tydzień, żeby je opróżnić, i ta służąca, która akurat znajdowała się najbliżej, miała obowiązek wtaszczyć je z powrotem, zanim jeszcze Sonny zniknie za zakrętem. Oczywiście kubłów nie można było po prostu zostawić w kącie; należało je ustawić w dwuszeregu wzdłuż wschodniej ściany, kładąc na każdym odwróconą pokrywkę. Jeśli która zrobiła coś nie tak, biada nieszczęsnej!

Podobnie było z trzema wycieraczkami z napisem WITAMY. Jedna leżała przed głównym wejściem, druga przed drzwiami oszklonej werandy, trzecia przy drzwiach kuchennych, na których całymi latami wisiała tabliczka z uwłaczającym napisem DLA SŁUŻBY, dopóki w zeszłym roku nie zezłościłam się i jej nie zdjęłam. Raz w tygodniu wszystkie wycieraczki trzeba było kłaść na wielkim kamieniu na końcu podwórza, ze czterdzieści metrów od basenu, i walić trzepaczką. Walić tak, żeby szły tumany kurzu, bo Vera lubiła sprawdzać, czy służąca się przypadkiem nie leni. Wprawdzie nie robiła tego za każdym razem, ale jednak dość często. Wychodziła na oszkloną werandę i obserwowała trzepanie przez mężowską lornetkę. A kiedy odnosiło się wycieraczki na miejsce, należało pamiętać, żeby koniecznie ułożyć je prawidłowo. Czyli tak, żeby osoba zbliżająca się do drzwi mogła odczytać napis. Jeśli która położyła wycieraczkę do góry nogami, biada nieszczęsnej!

Były dziesiątki takich reguł. Przed laty, kiedy dopiero co najęłam się u Very do pracy, nieraz słyszałam, stojąc w kolejce do sklepu spożywczego, jak dziewuchy na nią utyskują. W latach pięćdziesiątych Donovanowie często wydawali przyjęcia, więc zatrudniali liczną służbę. Zwykle najgłośniej gardłowała na Verę któraś z tych młodych gęsi, wynajętych na kilka godzin dziennie i szybko wywalonych za to, że trzy razy pod rząd źle wykonały to samo polecenie. Rozpowiadała taka później na prawo i lewo, że Vera Donovan to wredna, kłótliwa stara prukwa, w dodatku tęgo stuknięta. Niektórym rzeczywiście mogło się wydawać, że Vera jest pomylona, ale powiem wam jedno: nigdy nie wywaliła z pracy dziewczyny, która stosowała się do jej zasad. Ja tak na to patrzę: jeśli ktoś potrafi zapamiętać, z kim sypiają wszyscy bohaterowie popołudniowych seriali, powinien umieć sobie zakonotować, że do mycia wanien ma używać płynu Spic and Span, a wycieraczki kłaść napisem we właściwą stronę.

Ale wspomniałam o prześcieradłach. Jeśli chodzi o prześcieradła, Vera nie tolerowała najmniejszej pomyłki. Musiały wisieć na sznurze idealnie równo — tak żeby jeden brzeg nie był niżej od drugiego — i zawsze należało mocować każdą sztukę sześcioma spinaczami. Nie czterema, a właśnie sześcioma. I nie daj Boże, jeśli służącej zdarzyło się uwalać skraj błotem, bo wtedy Vera od razu wywalała ją na zbity pysk, nie czekając, aż biedaczka powtórzy ten sam błąd trzy razy. Sznury wisiały z boku domu, dokładnie pod oknem sypialni Very. Ilekroć wieszałam pranie, Vera podchodziła do okna i darła się:

— Tylko pamiętaj, Dolores, sześć spinaczy! Pamiętaj, co ci mówię! Sześć, nie cztery! Liczę, a wzrok wciąż mam dobry!

Czasami...

Co takiego, złotko?

Och cicho, Andy, daj jej mówić! Bardzo słuszne pytanie i żaden facet nie miałby dość rozumu, żeby je zadać.

Oczywiście, Nancy Bannister z Kennebunk w stanie Maine, że Vera miała suszarkę, dużą i naprawdę dobrą, ale nie pozwalała suszyć w niej prześcieradeł, chyba że zapowiadano ulewę na najbliższe pięć dni.

— Najprzyjemniej śpi się w pościeli, kiedy wyschła na dworze — mawiała. — Pachnie wiatrem, który ją owiewał, a ten zapach sprawia, że ma się miłe sny.

Vera często wygadywała bzdury, ale akurat w tym wypadku miała świętą rację. Każdy od razu pozna różnicę między pościelą wrzuconą do suszarki, a taką, którą wysuszyły podmuchy południowego wiatru. Lecz w zimowe ranki, kiedy temperatura spadała do minus dwunastu stopni, a ze wschodu wiał silny, wilgotny wiatr znad Atlantyku, zrezygnowałabym z miłego zapachu bez słowa protestu. Bo wieszanie prześcieradeł na mrozie to fizyczna tortura! Ktoś, kto tego nie robił, nawet sobie nie wyobraża, jaka to męka — ale później już zawsze pamięta się ten ból.

Wynosisz na podwórze kosz parującej pościeli, zaczynasz wieszać pierwsze, wciąż jeszcze ciepłe prześcieradło i jeśli nigdy dotąd nie robiłaś tego na mrozie, myślisz sobie: „E, wcale nie jest tak źle". Zanim jednak wyrównasz brzegi i zamocujesz sześć spinaczy, prześcieradło przestaje parować. Nadal jest mokre, ale teraz na dokładkę i zimne. Twoje palce też są mokre i potwornie zimne. A tu trzeba wieszać drugą sztukę, potem trzecią i czwartą. Palce masz czerwone i zgrabiałe, bolą cię ramiona, wargi drętwieją od trzymania w nich spinaczy, ale przecież nie możesz trzymać ich w ręku, bo obie ręce musisz mieć wolne, żeby wieszać pościel. Najgorszy jest ból palców. Gdyby po prostu drętwiały! Aż marzy ci się, żeby tak było. Tymczasem one robią się coraz bardziej czerwone, a jeśli prania jest dużo, to przybierają kolor bladofioletowy, jak lilie. Pod koniec zamiast palców masz sine szpony. I myślisz z przerażeniem o tym, co cię czeka, kiedy wrócisz z pustym koszem do domu i znów znajdziesz się w cieple. Najpierw poczujesz mrowienie w dłoniach, a potem rwanie w stawach, zupełnie jakby tam głęboko w środku wszystko skowyczało z bólu. Nie umiem tego lepiej opisać, Andy, ale Nancy Bannister ma taką minę, jakby wiedziała, o czym mówię, choć rozwieszanie prania zimą na lądzie to jednak nie to samo, co u nas na wyspie. Kiedy palce trochę ci się ogrzeją, zaczynają piec, jakby użądliło je stado os. Więc nacierasz je kremem i czekasz, aż pieczenie minie. Bez względu na to, czy stosujesz specjalny krem, czy zwykły owczy łój, pod koniec lutego masz tak potwornie wysuszone dłonie, że skóra ci pęka i krwawi, gdy tylko zaciskasz pięść. Czasami, kiedy już się dawno rozgrzałaś i wlazłaś do łóżka, budzisz się w środku nocy, bo twoje ręce skowyczą na wspomnienie bólu. Myślicie, że żartuję? Dobra, śmiejcie się, jeśli chcecie, ale zapewniam was, że mówię prawdę. Skomlą jak porzucone szczenięta. Leżysz i słuchasz dobiegającego gdzieś z głębi skomlenia, i nie opuszcza cię świadomość, że wkrótce znów trzeba będzie wieszać na mrozie pościel i nie ma na to żadnej rady, bo wieszanie pościeli jest jednym z tych przykrych kobiecych obowiązków, o których faceci ani nic nie wiedzą, ani nie chcą wiedzieć.

I kiedy zgrabiałymi, sinymi rękami wieszałam prześcieradła, czując, jak ramiona omdlewają mi ze zmęczenia, a skapujące z nosa gluty zamarzają na górnej wardze i przyklejają się mocno jak kleszcze, Vera zwykle stawała lub siadała przy oknie i obserwowała mnie. Czoło miała zmarszczone, usta ściągnięte i wyłamując sobie nerwowo palce, śledziła moje ruchy z takim napięciem, jakby na jej oczach dokonywał się skomplikowany zabieg chirurgiczny, a nie wieszanie pościeli, żeby wyschła na zimnym wietrze. Widziałam, jak walczy ze sobą, jak bardzo się stara trzymać gębę na kłódkę, ale to było silniejsze od niej; po pewnym czasie — nie mogąc się dłużej opanować — podnosiła okno, wychylała się tak, że zimny wschodni wiatr targał jej włosy, i darła się:

— Sześć spinaczy! Pamiętaj, sześć spinaczy na każdym! Nie chcę, żeby wiatr porozrzucał mi pościel po całej okolicy! Tylko bez fochów, Dolores! Sześć spinaczy na każde, pamiętaj, że patrzę i liczę!

Jakoś to znosiłam do końca lutego, ale od początku marca

musiałam mocno zaciskać zęby, żeby nie pognać po siekierę, którą ja albo ten jej fagas rąbaliśmy drwa na opał — potem kiedy zginął, robiłam to sama (szczęściara ze mnie, co?) — i nie walnąć jazgoczącej wiedźmy prosto między oczy. Tak mnie potrafiła wkurzyć, że czasem wyobrażałam sobie, jak rozwalam jej łeb, ale chyba gdzieś w głębi duszy zawsze wiedziałam, że Vera nienawidzi się za te wrzaski równie mocno, jak ja jej.

To był pierwszy powód, dlaczego dawała się każdemu we znaki — po prostu nie umiała się powstrzymać. W sumie bardziej doskwierało to jej samej niż mnie, zwłaszcza później, po tych poważniejszych wylewach. Było wtedy znacznie mniej prania, ale Vera miała identycznego bzika na punkcie wieszania prześcieradeł jak dawniej, zanim jeszcze pozamykano większość pokoi, a pościel pościągano z łóżek gościnnych, zawinięto w plastik i schowano do bieliźniarki.

Zaczęło jej to doskwierać dlatego, że gdzieś od tysiąc dziewięćset osiemdziesiątego piątego roku nie była już w stanie sprawdzać, czy właściwie spełniam jej polecenia — beze mnie w ogóle nie była się w stanie poruszać. Gdybym nie podnosiła jej z łóżka i nie sadzała na wózku, leżałaby cały dzionek. Wiecie, strasznie się spasła: z pięćdziesięciu dziewięciu kilo na początku lat sześćdziesiątych utyła do osiemdziesięciu sześciu. Z rąk, z nóg i z tyłka zwisał jej żółty, galaretowaty tłuszcz, jaki się widzi tylko u starych osób. Zwisał jak ciasto z patyka. Niektóre kobiety stają się na starość chude i żylaste, ale Vera Donovan do nich nie należała. Doktor Freneau mówił, że jej nerki nie pracują prawidłowo i dlatego tak jest. Pewnie miał rację, ale nieraz gotowa byłam przysiąc, że utuczyła się specjalnie, żeby zrobić mi na złość.

Była nie tylko gruba, ale na skutek wylewów niemal ślepa jak kret. Czasami coś tam widziała, czasami w ogóle nic. Zdarzało się, że prawym okiem widziała całkiem dobrze, a lewym niewiele gorzej, ale zwykle — jak mówiła — było to tak, jakby patrzyła na świat przez grubą szarą zasłonę. Chyba możecie sobie wyobrazić, jak to ją doprowadzało do szału; ją, która zawsze lubiła mieć wszystko na oku! Kilka razy nawet pobeczała się z tego powodu, a wierzcie mi, taką twardą babę jak ona mało co potrafiło doprowadzić do łez... a chociaż wiek zgiął jej dumny kark, nadal była twardą babą.

Co, Frank?

Czy można by ją uznać za niepoczytalną?

Przyznam się, że sama dobrze nie wiem. Chyba jednak nie. Pewnie, że miała sklerozę, ale to jeszcze o niczym nie świadczy. I nie mówię tak wyłącznie dlatego, że gdyby uznać ją za niepoczytalną, to sędzia, przed którym będzie się toczyć postępowanie spadkowe, wydmuchałby nos w jej testament i wyrzucił go do śmieci. Jeśli chodzi o mnie, sędzia może sobie podetrzeć tyłek jej testamentem; jedyne, czego pragnę, to wydostać się jakoś, cholera jasna, z tarapatów, w jakie mnie wpakowała. Moim zdaniem nie brakowało jej żadnej klepki, nawet pod sam koniec. Może jedna czy druga była obluzowana, ale wciąż tkwiły na swoim miejscu.

Zdarzały się dni, gdy umysł miała sprawny jak dawniej. Na ogół były to te same dni, kiedy lepiej widziała i z niewielką pomocą potrafiła usiąść na łóżku, a czasem także przejść dwa kroki od łóżka do wózka; w te dni nie musiałam jej targać jak wora pszenicy. Zwykle sadzałam ją na wózku, żeby zmienić pościel; lubiła w nim siedzieć, bo mogła podjechać do okna, z którego roztaczał się widok na podwórze i dalej na port. Kiedyś powiedziała, że zbzikowałaby do reszty, gdyby musiała leżeć w łóżku dzień w dzień i noc w noc, gapiąc się tylko na sufit czy ściany. I nic dziwnego.

Pewnie, miewała gorsze dni, kiedy nie wiedziała, kim jestem, a chwilami nawet nie bardzo kojarzyła, kim sama jest. W te dni była jak łódź, która zerwała się z cum i pływa po oceanie czasu — na przykład rano zdawało jej się, że jest rok tysiąc dziewięćset czterdziesty siódmy, a po południu, że tysiąc dziewięćset siedemdziesiąty czwarty. Ale miała też i dobre dni. Oczywiście z biegiem lat, w miarę jak przechodziła kolejne drobne wylewy, zdarzały się one coraz rzadziej. Niestety dobre dni Very często były moim utrapieniem, gdyż wtedy na wszystkie sposoby usiłowała zaleźć mi za skórę.

Znów stawała się jędzą. Bo drugi powód, dlaczego dawała się ludziom we znaki, polegał na tym, że po prostu lubiła być jędzą, jędzą do kwadratu. Nawet przykuta przez większość czasu do łóżka, w pieluchach i w gumowych majtkach, potrafiła wycinać mi takie numery, że aż mózg staje. Opowiem wam, co wyprawiała w dni przeznaczone na sprzątanie. Wprawdzie nie co tydzień, jednak zbyt często akurat w czwartki, żeby to mógł być przypadek.

W czwartki zawsze odbywało się wielkie sprzątanie. Dopiero kiedy rozejrzeć się po wnętrzu, widać, jaki dom Very jest ogromny, tyle że teraz większości pokoi już się nie używa. Takie obrazki, jak sześć dziewczyn w chustkach na głowach zajętych polerowaniem posadzki, myciem okien i wymiataniem pajęczyn z rogów od ponad dwudziestu lat należą do przeszłości. Czasem spacerując wśród tych posępnych murów i patrząc na meble zakryte pokrowcami, przypominałam sobie, jak dom wyglądał w latach pięćdziesiątych, kiedy w lipcu i w sierpniu wydawano przyjęcia — trawnik zawsze oświetlały kolorowe lampiony, doskonale to pamiętam! — i aż mnie ciarki przechodziły po grzbiecie. Zauważyliście, że z biegiem czasu coraz mniej jest w życiu wesołych kolorów? Pod koniec wszystko staje się szare jak pokrowce na meblach czy sukienka prana zbyt wiele razy.

Przez ostatnie cztery lata jedyne pomieszczenia, z jakich się korzystało, to kuchnia, główny salon, jadalnia i oszklona weranda, której okna wychodzą na trawnik i basen, oraz cztery pokoje na piętrze — Very, mój i dwa przeznaczone dla gości. Pokoje gościnne rzadko ogrzewano w zimie, ale utrzymywałam je w czystości na wypadek, gdyby dzieci Very postanowiły ją jednak odwiedzić.

W ciągu ostatnich lat pomagały mi w czwartki dwie dziewczyny z miasteczka. Służba często zmieniała się u Donovanów, ale od mniej więcej dziewięćdziesiątego roku były to Shawna Wyndham i siostra Franka, Susy. Bez nich nie dałabym sobie rady, ale i tak miałam pełne ręce roboty, więc kiedy o czwartej wreszcie znikały za drzwiami, słaniałam się ze zmęczenia. A zwykle musiałam jeszcze dokończyć prasowania, zrobić listę zakupów na piątek i przygotować kolację dla Jej Wysokości. Jak powiadają, bez pracy nie ma kołaczy.

Ale najgorsze w czwartki było to, że właśnie tego dnia Vera wycinała mi swoje najpaskudniejsze numery.

Na ogół załatwiała się w miarę regularnie. Co trzy godziny wsuwałam pod nią basen, żeby się odlała. Zazwyczaj w południe jednocześnie sikała i waliła kupę.

Z wyjątkiem czwartków.

Nie wszystkich czwartków, tylko tych, kiedy umysł miała sprawny; wtedy mogłam się spodziewać, że czekają mnie kłopoty... a potem łupanie w krzyżu, które do północy nie pozwoli mi zmrużyć oka. Nawet mocne środki przeciwbólowe nic mi nie pomagały. Większość życia cieszyłam się końskim zdrowiem i wciąż nie mogę narzekać, ale wiek robi swoje. Mając sześćdziesiąt pięć lat na karku, nie od razu dochodzi się do siebie po wysiłku.

W taki czwartek o szóstej rano zamiast połowy basenu sików było zwykle jedynie kilka kropelek na dnie. To samo o dziewiątej. A w południe zamiast sików i porządnej kupy na ogół nie było nic. Zaczynałam więc podejrzewać, co się święci. Bo stuprocentową pewność miałam jedynie wówczas, gdy w środę w południe też nie udało mi się skłonić Very do strzelenia kupy.

Widzę, że próbujesz powstrzymać się od śmiechu, Andy. Śmiej się, śmiej, ulżyj sobie. Mnie wtedy bynajmniej nie było do śmiechu, ale to już należy do przeszłości. Sądząc po twojej minie, chyba odgadłeś, jakie ta stara purchawa wycinała mi w czwartki numery. Tak jest; w niektóre dni celowo wstrzymywała się od srania, zupełnie jakby odkładała gówno na koncie, licząc na wysokie odsetki... tyle że kiedy wreszcie dochodziło do likwidacji rachunku, to ja musiałam wszystko czyścić i szorować, czy miałam ochotę, czy nie.

Zatem większość czwartkowych popołudni ganiałam tam i z powrotem po schodach, żeby w porę podetknąć Verze basen; czasem mi się nawet udawało. Ale mimo poważnych kłopotów ze wzrokiem, słuch nadal miała znakomity, a wiedziała, że nie pozwalam dziewczynom odkurzać dywanu z Aubusson leżącego w salonie. Więc kiedy słyszała, jak włączam odkurzacz, nastawiała na pełny regulator swoją rozklekotaną fabrykę czekoladowych batonów i opróżniała konto.

Ale potem wymyśliłam, jak ją przechytrzyć. Krzyczałam do dziewczyn, że zaraz będę odkurzała salon. Krzyczałam na całe gardło, nawet jeśli były tuż obok, w jadalni. Po czym włączałam odkurzacz, ale zamiast brać się do sprzątania, podchodziłam do schodów i stawałam z jedną nogą na pierwszym stopniu i dłonią na gałce u poręczy, zupełnie jak sprinterka czekająca na wystrzał sędziego, żeby rzucić się do biegu.

Raz czy dwa razy pognałam na górę zbyt wcześnie. Błąd. Czułam się wtedy jak biegaczka zdyskwalifikowana za falstart. Należało wpaść do pokoju Very, kiedy jej zdezelowany mechanizm pracował na takich obrotach, że już nie potrafiła go zatrzymać, ale zanim cały ładunek wylądował w wielkich gumowych majtach, które miała na sobie. Z czasem tak się wyćwiczyłam, że osiągnęłam naprawdę mistrzowską klasę. Każdy by się wyćwiczył, gdyby wiedział, że kilkusekundowa pomyłka oznacza szorowanie dupska ważącej blisko dziewięćdziesiąt kilo staruchy. Była jak wielki granat napełniony nie dynamitem, lecz gównem.

Kiedy wpadałam na górę we właściwym momencie, Vera miała usta wykrzywione z wysiłku, a twarz czerwoną jak burak; wparta łokciami w materac, zaciskała pięści i stękała:

— Ęęę! Ęęęęęęę! ĘĘĘĘĘĘĘĘĘĘĘĘĘĘ!

Coś wam powiem: brakowało tylko, żeby obok zwisała rolka papieru toaletowego, a Vera miała na kolanach katalog Searsa, żeby wyglądała jak na normalnym kiblu.

Oj, Nancy, przestań zagryzać policzki — przecież śmiech to zdrowie! A tak już jest, że sranie ma w sobie coś komicznego. Każde dziecko to wie. Teraz, kiedy Vera nie żyje, nawet mnie te jej numery wydają się zabawne, choć nigdy bym się nie spodziewała, że będę potrafiła się z nich śmiać. Tak, mimo że Vera Donovan wpakowała mnie w nie lada tarapaty, czwartkowe użeranie się z nią należy do historii.

Jak tylko słyszała, że wchodzę do pokoju, ogarniała ją zimna furia. Była wściekła jak niedźwiedź, którego zaskoczy się na wybieraniu miodu z ula.

— Co ty tu robisz? — pytała wyniosłym tonem, do jakiego zawsze się uciekała, ilekroć przyłapywałam ją w porę, kiedy chciała coś przeskrobać, zupełnie jakby nadal była studentką Vassar, Holy Oaks czy innej ekskluzywnej uczelni dla dziewcząt, do której za młodu posyłali ją rodzice. — Dziś jest dzień sprzątania, Dolores! Zajmij się swoimi obowiązkami! Nie dzwoniłam na ciebie i wcale mi nie jesteś potrzebna!

Ale się jej nie bałam.

— Chyba jednak się mylisz — mówiłam. — Bo coś mi się zdaje, że to nie zapach perfum Chanel Numer 5 rozchodzi się po pokoju od strony twojego tyłka, co?

Czasami próbowała odpychać moje dłonie, kiedy podnosiłam kołdrę. Mierzyła mnie wzrokiem bazyliszka i wysuwała gniewnie dolną wargę jak dzieciak, który nie chce iść do szkoły. Ale to mnie nie powstrzymywało. Nie mnie, Dolores, córkę Patrycji Claiborne. Błyskawicznie ściągałam z niej kołdrę, potem gumowe majty i rozwiązywałam paski mocujące pieluchy, nie przejmując się tym, że bije mnie po rękach, aby mi przeszkodzić. Zwykle po chwili przestawała się szamotać, bo i po co? Obie wiedziałyśmy, że przyłapałam ją w porę. Maszynerię miała tak zdezelowaną, że jak raz ją włączyła, nie potrafiła zatrzymać. Wsuwałam więc jej pod tyłek basen i schodziłam na dół, żeby tym razem naprawdę odkurzyć salon. Kiedy opuszczałam pokój, Vera klęła jak doker; wierzcie mi, wtedy już nie przypominała studentki Vassar! Bo wiedziała, że przegrała, a przegrywanie było tym, czego nie cierpiała najbardziej. Nawet na starość cholernie nie lubiła przegrywać.

Ponieważ tyle razy udawało mi się przyłapać ją w porę, myślałam, że wygrałam wojnę, a nie kilka małych bitew. Ale byłam głupia!

W któryś czwartek, mniej więcej półtora roku temu, zaczaiłam się jak zwykle przy schodach, żeby wykonać sprint na piętro i w odpowiednim momencie wsunąć pod nią basen. Ta nasza zabawa nawet do pewnego stopnia zaczęła mi się podobać; mogłam się zrewanżować Verze za różne sytuacje z przeszłości, kiedy to ona zawsze była górą. Podejrzewałam, że tym razem planuje sranie na cztery fajerki, w dodatku z orkiestrą. Po pierwsze, miała nie tylko dobry dzień, ale dobry tydzień; w poniedziałek nawet kazała mi ułożyć deskę na poręczach wózka, żeby mogła sobie postawić pasjansa jak za dawnych dni. Po drugie, cholernie dawno nie miała wypróżnienia; od weekendu nie rzuciła żadnego datku na podsuwaną tacę, i to mimo pęczniejącego rachunku. Doszłam do wniosku, że w ten czwartek planuje nie tylko prasnąć w majty oszczędności wraz z odsetkami, ale jeszcze dorzucić kartę kredytową.

Kiedy tego dnia w południe wyciągnęłam basen i zobaczyłam, że jest czysty jak wylizany talerz, zapytałam:

— Może jednak by ci się udało coś zrobić, gdybyś się trochę nadęła, co?

— Och, Dolores, próbowałam, naprawdę próbowałam, aż mnie wszystko rozbolało w środku — odparła, kierując na mnie zamglone oczki, niewinna jak baranek. — Chyba po prostu mam zatwardzenie.

Przyznałam jej rację.

— Chyba rzeczywiście masz, złotko, i to poważne. Jeśli cię wkrótce nie ruszy, będę musiała ci dać cały słoik tabletek przeczyszczających.

— Ech, poczekajmy jeszcze, może żołądek sam mi się wyreguluje — poprosiła, posyłając mi blady uśmiech.

Nie miała już wtedy ani jednego zęba, a sztucznej szczęki

nie nosiła, chyba że siedziała na wózku, bo gdyby się nagle zakrztusiła, proteza mogłaby jej wpaść do gardła i spowodować uduszenie. Więc kiedy Vera się uśmiechała, jej twarz przypominała kawałek spróchniałego pnia ze zbutwiałą dziurą po sęku.

— Znasz mnie, Dolores. Wolę, żeby mój organizm sam się uporał z problemem — dodała.

— Oj znam cię, znam — mruknęłam, odwracając się od niej.

— Co powiedziałaś, kochanie? — spytała tak słodkim głosikiem, jakby miała gębę pełną miodu.

— Powiedziałam, że nie mogę tu stać i czekać, aż cię wreszcie ruszy. Mam huk roboty. Dziś jest przecież dzień sprzątania.

— Naprawdę? — zdziwiła się, zupełnie jakby nie wiedziała o tym od chwili, kiedy rano otworzyła oczy. — No to idź, idź, Dolores. Jeśli poczuję potrzebę, na pewno cię zawołam.

Akurat ci wierzę, pomyślałam sobie; zawołasz mnie, ale dopiero po fakcie. Nie powiedziałam jednak nic, tylko zeszłam na dół.

Wyciągnęłam odkurzacz z szafy w kuchni, zaniosłam do salonu i wetknęłam wtyczkę do kontaktu. Nie od razu go jednak włączyłam; najpierw przez kilka minut wycierałam meble szmatką. Tak się wyćwiczyłam, że mogłam całkowicie polegać na swoim instynkcie; czekałam, aż mi podpowie, że już pora. Kiedy wyczułam, że zbliża się właściwy moment, krzyknęłam do Susy i Shawny, że zabieram się za salon. Krzyknęłam tak głośno, że pewnie usłyszała mnie nie tylko Jej Wysokość na piętrze, ale i połowa mieszkańców wyspy. Włączyłam odkurzacz i podeszłam do schodów. Nie czekałam długo; jakieś trzydzieści, czterdzieści sekund. Uznałam, że Verze niewiele brakuje i pomknęłam na górę, biorąc po dwa stopnie naraz. I jak myślicie?

Nic!

Nic... a... nic.

Z jednym małym wyjątkiem.

Z wyjątkiem tego, jak na mnie patrzyła. Pogodnie i serdecznie.

— Czyżbyś czegoś zapomniała, Dolores? — spytała słodziutkim tonem.

— Pewnie — warknęłam — zapomniałam rzucić tę robotę w cholerę pięć lat temu. Daj spokój, Vera.

— Z czym mam dać spokój, kochanie? — spytała, mrugając powiekami, jakby nie rozumiała, o co mi chodzi.

— Po prostu skończ te wygłupy. Powiedz uczciwie, czy podać ci basen.

— Po co? — zapytała głosem przepojonym szczerością. — Już ci mówiłam, że nie potrzebuję.

I uśmiechnęła się. Nie powiedziała słowa więcej, ale nie musiała. Jej uśmiech mówił wszystko. Mam cię, Dolores. Tym razem przegrałaś.

Nie zamierzałam się jednak poddać bez walki. Wiedziałam, że jeśli nie uda mi się podetknąć jej basenu pod tyłek, zanim strzeli pierwsze od kilku dni kupsko, utyram się po pachy, żeby ją domyć. Zeszłam więc na dół, stanęłam przy odkurzaczu, odczekałam pięć minut i znów pognałam na górę. Tym razem nie uśmiechnęła się, kiedy stanęłam w drzwiach. Leżała na boku i spała... Przynajmniej tak myślałam. Nabrała mnie ta zołza, a wiecie, co się mówi: dasz się nabrać raz, zmądrzeć szybko czas, dasz się nabrać dwa razy, jesteś cymbał bez skazy.

Zeszłam na dół i wzięłam się do sprzątania salonu. Kiedy skończyłam, schowałam odkurzacz do szafy i poszłam na górę sprawdzić, czy Vera jeszcze śpi. Siedziała na łóżku, w pełni obudzona, z odrzuconą kołdrą, z gumowymi majtkami ściągniętymi do kolan i rozwiązaną pieluchą. Boże! Ale napaskudziła! Całe łóżko było uwalane gównem, ona też, tak samo dywan, wózek, nawet ściany i zasłony. Zupełnie jakby brała kał garściami i ciskała dookoła, naśladując dzieciaki, które obrzucają się błotem, kiedy kąpią się w gliniance.

Ogarnęła mnie taka furia, że miałam ochotę ją rozszarpać!

— Vera, ty podła SUKO! — wrzasnęłam.

Nie zabiłam jej, Andy, ale kiedy tamtego dnia zobaczyłam zafajdany i cuchnący gównem pokój, niewiele mi brakowało. Nie będę ukrywać: naprawdę chciałam ją udusić. A ona po prostu patrzyła na mnie z tym nieobecnym wyrazem twarzy, jaki miała wówczas, gdy opuszczała ją jasność myśli... dostrzegłam jednak w jej oczach złośliwe chochliki i wiedziałam, jak się babsztyl cieszy, że mnie nabrał. Dasz się nabrać raz, zmądrzeć szybko czas, dasz się nabrać dwa razy, jesteś cymbał bez skazy.

— Kto tam? — zapytała. — Brenda, to ty, kochanie? Czyżby krowy znów weszły w szkodę?

— Wiesz dobrze, że od pięćdziesiątego piątego roku nie ma na wyspie ani jednej krowy! — rozdarłam się.

Ruszyłam przez pokój wielkimi krokami i był to błąd z mojej strony, bo wdepnęłam w gówno i o mało nie wykopyrtnęłam się na wznak. Gdybym upadła, chybabym ją rzeczywiście zabiła; nie zdołałabym się powstrzymać. Z wściekłości byłam gotowa ukręcić jej kark i pal diabli, co się stanie potem.

— N-nie wiem — wymamrotała, starając się mówić słabym głosem biednej, godnej litości staruszki, jaką istotnie była w swoje gorsze dni. — N-nie wiem... Nic nie widzę i boli mnie brzuch. W głowie mi się kręci. Czy to ty, Dolores?

— Pewnie, że ja, ty stara prukwo! — ryknęłam na całe gardło. — Mam ochotę cię zabić!

Susy Proulx i Shawna Wyndham stały zapewne u dołu schodów i słyszały moje krzyki, a ty rozmawiałeś już z nimi i jesteś przekonany, że powinnam zawisnąć na stryczku. Nie wypieraj się, Andy; czytam w twojej twarzy jak w otwartej księdze.

Vera spostrzegła, że choć udało jej się wystrychnąć mnie na dudka, to teraz bynajmniej nie zamierzam się nabrać na jej udawanie, że ma gorszy dzień, i też wpadła w furię. Może nawet trochę się mnie przestraszyła. Kiedy teraz o tym myślę, aż samej mi trudno uwierzyć, że byłam taka wściekła i autentycznie gotowa wyrządzić jej krzywdę. Ale gdybyś widział,

Andy, ten pokój! Najkoszmarniejszy sen babci klozetowej się do niego nie umywał!

— I pewnie zabijesz, co?! — zawołała. — Któregoś dnia naprawdę skręcisz mi kark, ty podła żmijo! Zabijesz mnie, tak jak zabiłaś swojego męża!

— Nie, moja droga — odparłam. — Kiedy postanowię wyprawić cię na tamten świat, nie będę się bawiła w pozorowanie wypadku. Po prostu wyrzucę cię przez okno i będzie o jedną cuchnącą jędzę mniej na świecie!

Chwyciłam ją wpół i dźwignęłam do góry, zupełnie jakbym miała krzepę Supermana. Tej nocy łupało mnie w krzyżu jak diabli, a rano ledwo mogłam chodzić. W końcu pojechałam do kręgarza w Machias i trochę mi ulżyło, ale od tego czasu stale miewam kłopoty z kręgosłupem. Wtedy jednak, w pokoju Very, nic nie czułam. Chwyciłam ją i uniosłam z łóżka, jakby była szmacianą lalką, na której chciałam wyładować furię. Zaczęła dygotać od stóp do głów i dopiero świadomość, jak bardzo się mnie boi, pomogła mi się opanować, ale kłamałabym w żywy kamień, gdybym twierdziła, że jej strach nie sprawił mi przyjemności.

— Aaauuu! — krzyknęła. — Aaauuu, puszczaj! Nie wyrzucaj mnie przez okno, ani się waż! Połóż mnie z powrotem! Aaauuu, to boli, Dolores! PUSZCZAAAJ!

— Chryste, przestań się wydzierać! — warknęłam i cisnęłam ją na wózek z taką siłą, że gdyby miała w ustach protezy, na pewno by jej wypadły. — Zobacz, jak naświniłaś! I tylko mi nie wmawiaj, że nic nie widzisz, bo i tak ci nie uwierzę! To wszystko twoja robota!

— Przepraszam, Dolores.

Zaczęła pochlipywać, ale w głębi jej oczu wciąż tańczyły chochliki. Widziałam je tak wyraźnie, jak czasem widzi się ryby w przejrzystej wodzie, kiedy uklęknie się w łódce i wychyli za burtę.

— Przepraszam, nie chciałam nabrudzić. Chciałam tylko pomóc...

Zawsze tak mówiła, ilekroć srała do łóżka, a potem rozprowadzała po nim kupę... Co prawda, nigdy dotąd nie przyszło jej do głowy rozrzucać wkoło własne łajno. „Chciałam tylko pomóc, Dolores" — Chryste Panie!

— Siedź spokojnie i zamknij mordę — poleciłam. — Jeśli nie chcesz, żebym cię zatargała do okna i roztrzaskała o kamienie na dole, lepiej trzymaj gębę na kłódkę.

Dziewczyny na parterze słyszały każde słowo, co do tego nie mam wątpliwości. Ale taka mną ciskała cholera, że w ogóle nie zastanawiałam się nad tym, czy ktoś mnie słyszy, czy nie.

Vera miała przynajmniej na tyle rozumu, żeby siedzieć cicho, jak jej przykazałam, ale wyglądała na bardzo zadowoloną z siebie. No bo czemu nie? Zrobiła to, co sobie zaplanowała — wygrała bitwę, a w dodatku pokazała mi czarno na białym, że wojna wcale się nie skończyła, nic podobnego. Zabrałam się do sprzątania i wreszcie doprowadziłam pokój do ładu. Pucowałam bite dwie godziny, a zanim się ze wszystkim uporałam, tak mnie rozbolał krzyż, że o mało nie zaczęłam wyć z bólu.

Kiedy mówiłam wam o prześcieradłach, widziałam po waszych minach, że słuchacie mnie ze zrozumieniem. Trudniej wam pewnie pojąć, dlaczego tak mnie wkurzało jej fajdanie. Fakt, gówno nie jest mi straszne. Róże pachną ładniej, ale całe życie wycierałam brudne tyłki i nic sobie z tego nie robiłam. Trzeba oczywiście uważać, bo przez kał — podobnie jak przez gluty, ślinę i krew — rozprzestrzeniają się różne choróbska, ale w końcu gówno zmywa się bez trudu. Każdy, kto ma dzieciaka, wie o tym doskonale. Więc nie dlatego się irytowałam, że musiałam później sprzątać.

Raczej złościło mnie to, że Vera postąpiła tak podle. Tak podstępnie. Wyczekała na odpowiedni moment, po czym w mig obróciła pokój w chlew, spiesząc się, żebym nie zdążyła wbiec na piętro. Zrobiła to specjalnie, rozumiecie? Miała trochę jaśniej w głowie, więc zaplanowała sobie z góry, że zafajda całą sypialnię; dlatego właśnie było mi tak ciężko i smutno na duszy, gdy musiałam po niej sprzątać. Kiedy ściągałam pościel i niosłam zafajdany koc, prześcieradło, powłoczkę i poszewki do zsypu na brudy, kiedy szorowałam podłogę, ściany i szyby, kiedy zdejmowałam zasłony i wieszałam nowe, kiedy znów słałam łóżko, a następnie zaciskając zęby myłam ją, ubierałam w czystą koszulę i przenosiłam z powrotem z wózka na łóżko (a ona zwisała mi na rękach bezwładnie jak kukła, choć akurat tego dnia miała na tyle sił, żeby mi choć trochę pomóc), kiedy myłam jej cholerny wózek — a raczej skrobałam, bo gówno już zaschło — kiedy robiłam to wszystko, było mi ciężko i smutno na duszy. I ona dobrze o tym wiedziała.

Wiedziała i cieszyła się!

Tego wieczoru wróciłam do domu, łyknęłam kilka proszków przeciwbólowych na moje biedne plecy, po czym położyłam się do łóżka, zwinęłam w kłębek — mimo że w tej pozycji też łupało mnie w krzyżu — i płakałam przez wiele godzin. Nie mogłam przestać. Nigdy — a przynajmniej ani razu od śmierci Joego — nie było mi tak ciężko na duszy. I nie czułam się tak okropnie staro.

To był właśnie drugi powód dawania się ludziom we znaki — lubiła być jędzą.

Co mówisz, Frank? Czy próbowała powtórzyć ten numer?

A pewnie! Już w następnym tygodniu, a potem w kolejnym. Nie udało jej się tak napaskudzić jak za pierwszym razem, częściowo dlatego że nie zdołała odłożyć aż tyle na koncie, częściowo ponieważ nie pozwoliłam się tak totalnie zaskoczyć. Ale kiedy po raz drugi wycięła mi ten numer i znów przepłakałam pół nocy, czując łupanie w krzyżu, postanowiłam, że odejdę. Nie miałam pojęcia, co się z nią stanie ani kto się nią zajmie, ale wisiało mi to ciężkim kabanosem. Jak dla mnie, mogła zagłodzić się na śmierć, leżąc po pachy w gównie.

Płakałam, dopóki nie zasnęłam, bo na myśl o tym, że mam odejść, że jednak mnie pokonała, czułam się absolutnie podle. Rano obudziłam się w znacznie lepszym nastroju. Ludzie powiadają, że jak się idzie spać, mózg nadal pracuje, chociaż o tym nie wiemy, a nawet funkcjonuje sprawniej, bo nie obciążamy go różnymi głupstwami, na przykład: co należy zrobić w domu, co zjeść na obiad i co obejrzeć w telewizji. I chyba rzeczywiście, bo jak tylko otworzyłam oczy, od razu wszystko zrozumiałam i to mi poprawiło humor. Okazało się, że nie doceniałam Very — tak, nawet ja, która dobrze wiedziałam, jaka potrafi być przebiegła. Ale kiedy już wpadłam na to, dlaczego Verze udaje się mnie wykiwać, natychmiast wymyśliłam sposób, jak sobie z nią poradzić.

Strasznie nie chciałam powierzać dziewczynom, które przychodziły pomagać mi w czwartki, odkurzania dywanu z Aubusson; na samą myśl, że mogłaby to robić Shawna Wyndham, zaczynało mną trząść tak, jakbym cierpiała — jak mawiała moja babka — na galopującą febrę. Wiesz, jaka z niej niezdara, Andy; u Wyndhamów to po prostu rodzinne, lecz Shawna bije ich wszystkich na głowę. Człowiek ma wrażenie, że z jej ciała wyrastają guzy, którymi potrąca wszystko, obok czego przechodzi. To nie jej wina, w grę musi wchodzić gen odziedziczony po przodkach, lecz nie mogłam znieść myśli, że Shawna miałaby się kręcić po salonie pełnym kryształów i cennych bibelotów, które aż się proszą, żeby je ktoś strącił.

Musiałam jednak coś zrobić — dasz się nabrać dwa razy, jesteś cymbał bez skazy — więc całe szczęście, że miałam do pomocy również Susy. Też nie jest z niej baletnica, ale odtąd przez cały rok odkurzała dywan z Aubusson i nigdy nic nie stłukła. To dobra dziewczyna, Frank, i naprawdę bardzo się ucieszyłam, kiedy napisała, że wychodzi za mąż, nawet jeśli ten jej chłopak jest nietutejszy. Jak im się wiedzie? Masz jakieś wiadomości?

To znakomicie. Naprawdę znakomicie. Cieszę się, że tak dobrze się jej układa. Nie orientujesz się przypadkiem, czy bocian nie wybiera się do nich w odwiedziny? W dzisiejszych czasach młodzi potwornie długo z tym zwlekają! Pora myśleć o domu starców, a oni dopiero się decydują...

Już, Andy, już! Wbij sobie wreszcie do łepetyny, że nie opowiadam wam żadnych dyrdymałek, tylko historię mego życia, rozumiesz?! Więc rozsiądź się wygodnie w fotelu, oprzyj nogi o biurko i przestań mnie poganiać, dobrze? Jak będziesz się tak irytował, nabawisz się przepukliny.

Wracając do Susy... pozdrów ją ode mnie, Frank. Możesz jej napisać, że latem dziewięćdziesiątego pierwszego roku była moim zbawieniem. Możesz jej też opowiedzieć o czwartkowych sraniach Very i o tym, jak udało mi się położyć im kres. Nigdy nie mówiłam dziewczynom, co się właściwie dzieje; myślały pewnie, że kłócę się z Jej Wysokością nie wiadomo o co. A ja... chyba po prostu wstydziłam się powiedzieć im prawdę. Tak samo jak Vera, cholernie nie lubię przegrywać.

Chodziło o odgłos odkurzacza, rozumiecie? Zdałam sobie z tego sprawę zaraz po obudzeniu się tamtego ranka. Mówiłam wam, że Vera nadal miała dobry słuch; właśnie po szumie odkurzacza orientowała się, czy rzeczywiście pracuję w salonie, czy po prostu stoję przy schodach, gotowa biec na górę. Bo jeśli odkurzacz stoi w miejscu, wydaje jeden dźwięk. Takie długie zuuuuu. Ale jeśli jeździ po dywanie, wydaje dwa różne dźwięki, wznoszący się i opadający. Zuup, kiedy pcha się ramię do przodu. I gzuup, kiedy ciągnie się do siebie. ZUUP-GZUUP, ZUUP-GZUUP, ZUUP-GZUUP.

Przestańcie się drapać po głowach, wy dwaj, spójrzcie, jak się Nancy uśmiecha. Od razu widać, że nigdy nie odkurzaliście dywanu. Jeśli ten szczegół wydaje ci się istotny, Andy, przejedź kiedyś odkurzaczem po pokoju. Z miejsca usłyszysz różnicę. Tylko mam nadzieję, że Maria nie wejdzie nagle do domu, bo jeszcze padnie trupem, jeśli cię ujrzy przy sprzątaniu.

W każdym razie uświadomiłam sobie, że sam szum odkurzacza nie wystarczał Verze. Cwaniara słuchała, czy dźwięk się wznosi i opada, jak to ma miejsce, kiedy naprawdę suwa się końcówką po dywanie. I nie włączała swojej maszynerii, dopóki nie usłyszała charakterystycznego ZUUP-GZUUP.

Paliłam się, żeby przekonać się, czy mam rację, ale musiałam niestety poczekać, bo Verze mniej więcej wtedy zaczął się jeden z jej gorszych okresów, więc przez pewien czas załatwiała się grzecznie do basenu albo w pieluszki. Nawet się wystraszyłam, że tym razem nie wróci do poprzedniego stanu. Wiem, że to brzmi dziwnie, bo znacznie prościej było się nią opiekować, kiedy jej umysł nie funkcjonował sprawnie, ale jak człowiek wpadnie na nowy pomysł, ma ochotę czym prędzej sprawdzić go w praktyce. Poza tym, choć chwilami chciałam ją udusić, gdzieś w głębi duszy lubiłam tę starą jędzę. To chyba naturalne, skoro znałyśmy się ponad czterdzieści lat. Kiedyś nawet zrobiła mi na drutach narzutę — dawno temu, zanim jeszcze miała pierwszy wylew — która wciąż leży na moim łóżku i przydaje się w lutowe noce, kiedy za oknami hula lodowaty wicher.

Mniej więcej cztery czy sześć tygodni po tym, jak rano doznałam olśnienia, Vera wreszcie zaczęła do siebie dochodzić. Oglądała teleturnieje w małym telewizorze w sypialni i podśmiewała się z zawodników, kiedy nie wiedzieli, kto był prezydentem za czasów wojny z Hiszpanią albo jak się nazywała aktorka, która grała Melanię w „Przeminęło z wiatrem". Znów zaczęła gadać o tym, że może dzieci wpadną w odwiedziny, i nalegała, żeby ją sadzać w wózku, bo chce obserwować, jak wieszam na sznurze prześcieradła i pilnować, czy używam sześciu, a nie czterech spinaczy.

No i w czwartek wyciągnęłam spod niej basen pusty jak obietnice sprzedawcy używanych samochodów. Nawet sobie nie wyobrażacie, jak mnie to ucieszyło. A więc chcesz mi wyciąć swój stały numer, ty stara łasico, pomyślałam sobie. Zobaczymy, czy ci się uda. Zeszłam na dół i zawołałam Susy Proulx.

— Chcę, żebyś ty odkurzyła dziś salon, Susy — powiedziałam.

— Dobrze, pani Claiborne — rzekła.

Tak się obie do mnie zwracały — zresztą większość mieszkańców wyspy tak się do mnie zwraca. Nigdy nic nie mówiłam na ten temat, ani w kościele, ani nigdzie, ale mimo to tak się do mnie ludzie zwracają. Zupełnie jakby im się zdawało, że kiedyś, w swojej ciemnej przeszłości, byłam żoną gościa nazwiskiem Claiborne... Ale może się mylę, może chciałabym wierzyć, że nie pamiętają Joego. Mniejsza z tym; mogę wierzyć, w co mi się podoba. W końcu to ja byłam żoną tego sukinkota, nikt inny.

— Dobrze — powtórzyła. — Tylko dlaczego pani szepcze?

— Nie twoja sprawa — powiedziałam — ale ty też nie podnoś głosu. I przypadkiem niczego nie zbij, Susan Emmo Proulx; ani się waż coś stłuc, słyszysz?

Zrobiła się czerwona jak wóz strażacki; o mało nie parsknęłam śmiechem.

— Skąd pani wie, że na drugie imię mam Emma? — spytała.

— Nie twoja sprawa. Spędziłam tyle lat na Little Tall, że wiem wszystko o każdym mieszkańcu. Trzymaj łokcie przy sobie, żeby nie strącić żadnego kryształu, i nie wpadaj tyłkiem na meble, a wszystko będzie w porządku.

— Będę uważać — obiecała.

Włączyłam odkurzacz, po czym wyszłam do holu, przyłożyłam dłonie do ust i zawołałam głośno:

— Susy! Shawna! Zaczynam odkurzać salon!

Susy, która wciąż stała parę kroków ode mnie, wybałuszyła oczy ze zdziwienia. Dałam jej znak ręką, żeby nie zwracała na mnie uwagi, tylko wzięła się do roboty. Co też uczyniła.

Podeszłam na palcach do schodów i ustawiłam się tam, gdzie zawsze. Wiem, że to głupie, ale nie byłam tak podniecona od czasu, kiedy miałam dwanaście lat i wybrałam się z tatą na polowanie. Czułam się tak samo jak wtedy: serce waliło mi w piersi, gardło miałam ściśnięte. Oprócz cennych kryształów w salonie Very znajdowało się mnóstwo drogich antyków, ale było mi niemal obojętne, czy Susy czegoś nie zwali, śmigając między meblami jak derwisz. Dacie wiarę?

Starałam się wytrwać jak najdłużej — pewnie udało mi się z półtorej minuty. Potem rzuciłam się pędem na górę. Kiedy wpadłam do pokoju, Vera siedziała na łóżku, z twarzą czerwoną jak burak, z oczami zwężonymi w szparki i stękała, zaciskając pięści:

— Ęęęęę! Ęęęęęę! ĘĘĘĘĘĘĘĘĘ!

Usłyszała, jak zatrzaskuję drzwi, i otworzyła szeroko oczy. Boże, jak ja strasznie żałuję, że nie miałam przy sobie aparatu; wyszłoby cudowne zdjęcie!

— Dolores, wynoś się stąd natychmiast! — zapiszczała. — Usiłuję się zdrzemnąć, a nie zasnę, jeśli będziesz tu wpadać co dwadzieścia minut jak podniecony buhaj do jałówki!

— Dobra, już idę, ale najpierw wetknę ci pod tyłek basen — odparłam. — Sądząc po zapachu, chyba skończyły ci się kłopoty z brakiem wypróżnienia.

Zaczęła bić mnie po rękach i wymyślać — jeśli ktoś się jej sprzeciwiał, potrafiła kląć lepiej niż najgorszy pijak — ale nie zwracałam na to uwagi. Jednym zgrabnym ruchem wsunęłam pod nią basen i czekałam, aż opróżni konto. Kiedy skończyła, popatrzyłam na nią, a ona na mnie. Nie musiałyśmy nic mówić. W końcu znałyśmy się od dawna.

A widzisz, ty wredna stara ruro, wreszcie cię rozgryzłam, mówiły moje oczy. I kto teraz jest górą?

Ty, niestety, odpowiadała mi swoimi. Ale to, że raz ci się udało, wcale nie oznacza, że znów ci się uda.

Lecz już nigdy więcej nie zdołała mnie nabrać. Jeszcze kilka razy zdarzyło się jej naświnić, ale nie tak jak za tamtym pierwszym razem, kiedy to nawet zasłony zapaćkała gównem. Można rzec, że to był jej ostatni wielki wyczyn. Od tej pory okresy jasności stawały się coraz rzadsze, a kiedy nadchodziły, trwały bardzo krótko. Dzięki temu mniej mnie bolały plecy, było mi jednak Very żal. Wprawdzie często załaziła mi za skórę, ale przecież zżyłam się z nią, co chyba potraficie zrozumieć.

Mogę dostać jeszcze szklankę wody, Frank?

Dziękuję. Od gadania zasycha człowiekowi w gardle. Słuchaj, Andy, a może byś jednak wyjął z biurka tę butelczynę Jima Beama, żeby się trochę przewietrzyła, co? Obiecuję, że nikomu nie pisnę ani słówka.

Nie? Większy z ciebie sknera, niż sądziłam.

No... o czym to ja mówiłam?

Aha, już wiem. O tym, że Vera często załaziła mi za skórę. Wymieniłam wam dwa powody, dlaczego dawała się wszystkim we znaki. Pierwszy: bo urodziła się jędzą; drugi: bo lubiła nią być. Trzeci jednak nie miał nic wspólnego z jej jędzowatym charakterem; wynikał raczej stąd, że była żałosną starą damą, której nie czekało nic lepszego jak śmierć w domu na wyspie, z dala od miejsc i ludzi, których znała przez większą część życia. Jakby tego było mało, zaczynała tracić zmysły... Chyba czuła, że sypie się coraz bardziej i że po kolejnej lawinie nie będzie co zbierać.

Była samotna, a ja tego nie rozumiałam — nie mogłam pojąć, dlaczego porzuciła dotychczasowe życie na lądzie i sprowadziła się na stałe na wyspę. Aż do wczorajszego dnia tego nie rozumiałam. Ale bała się, a to przynajmniej potrafiłam zrozumieć. Jednakże mimo samotności i lęku miała w sobie jakąś ohydną, przerażającą siłę, niczym stara królowa, która uparcie nie chce wypuścić z rąk korony, aż w końcu Bóg musi wyrwać ją z jej dłoni, po kolei odginając palce.

Jak już wspomniałam, miewała lepsze i gorsze dni. Miewała również napady strachu, które występowały pomiędzy tymi okresami, to znaczy gdy po kilku dniach jasności jej umysł znów na tydzień popadał w mrok albo gdy po paru tygodniach mroku ponownie przejaśniało się jej w głowie. Kiedy przechodziła z jednego stanu w drugi, była jakby w zawieszeniu, ni tu, ni tam... i gdzieś w głębi zdawała sobie z tego sprawę. Wtedy właśnie pojawiały się napady strachu, wywołane przez halucynacje.

Jeśli to rzeczywiście były halucynacje. Nie jestem już tego tak pewna. Może powiem wam o tym, a może nie... zobaczymy, jak do tego dojdę.

Chyba nie wszystkie napady zdarzały się w niedzielne popołudnia albo w środku nocy; chyba po prostu te pamiętam najlepiej, bo w domu panowała kompletna cisza i aż podskakiwałam z przerażenia, kiedy nagle rozlegał się wrzask. Czułam się tak, jakby w upalny dzień ktoś znienacka oblał mnie kubłem lodowatej wody. Za każdym razem kiedy zaczynała krzyczeć, serce podchodziło mi do gardła i byłam pewna, że gdy tylko wejdę do jej pokoju, okaże się, że Vera umiera. Te jej strachy długo stanowiły dla mnie zagadkę. To znaczy, wiedziałam, że się boi, i nawet domyślałam się, co ją napawa lękiem, ale nie umiałam odgadnąć DLACZEGO.

— Druty! — darła się czasem, kiedy wpadałam do pokoju. Siedziała wyprostowana na łóżku, blada jak duch, z dłońmi wciśniętymi między cycki; pomarszczone usta drżały, a po zmarszczkach na twarzy spływały łzy.

— Druty, Dolores! Zatrzymaj druty!

I zawsze wskazywała w to samo miejsce... na listwę w rogu pokoju naprzeciwko łóżka.

Niczego tam oczywiście nie było, ale ona widziała dziesiątki drutów wychodzących ze ściany i sunących z chrobotem po podłodze w kierunku łóżka... przynajmniej tak mi się wydaje. Czym prędzej biegłam na parter, brałam z półki w kuchni wielki nóż rzeźniczy i pędziłam z powrotem na górę. Padałam na kolana w rogu pokoju — albo bliżej łóżka, jeśli widziałam po jej zachowaniu, że druty już tam dotarły — i udawałam, że je obcinam. Raz po raz opuszczałam ostrze łagodnym ruchem, żeby nie porysować lśniącej klonowej posadzki, aż wreszcie Vera przestawała płakać.

Wtedy podchodziłam do niej, wycierałam jej łzy fartuchem albo papierową chustką — zawsze miała kilka pod poduszką — i cmokałam ją w policzek.

— Już w porządku, kochana — mówiłam. — Już nie ma tych parszywych drutów. Pocięłam wszystkie. Zobacz sama.

Patrzyła i znów trochę beczała, a potem ściskała mnie i mówiła:

— Dziękuję ci, Dolores. Bałam się, że tym razem mnie dopadną.

Czasami, kiedy mi dziękowała, nazywała mnie Brendą —

tak miała na imię gospodyni, która prowadziła Donovanom dom w Baltimore. Kiedy indziej mówiła do mnie Claire; pewnie brała mnie za swoją siostrę, która zmarła w tysiąc dziewięćset pięćdziesiątym ósmym roku.

Bywało, że kiedy wbiegałam do pokoju, Vera zsuwała się z łóżka, krzycząc, że ma żmiję w poszewce. Czasem siedziała z głową zakrytą kocem, wrzeszcząc, że szyby w oknie powiększają słońce, które zaraz spali ją na wiór. Jęczała, że już czuje, jak płoną jej włosy. Nieważne, czy na zewnątrz padał deszcz, czy zalegała mgła tak gęsta, jak we łbie starego pijaczyny; Vera była pewna, że uskwarzy się na słońcu jak boczek na patelni, więc musiałam zasłaniać okna i tulić ją, dopóki się nie uspokoiła. Czasami długo trzymałam ją w objęciach, bo nawet kiedy ucichła, wciąż czułam, że drży jak szczeniak, nad którym znęcali się nieletni oprawcy. Prosiła mnie raz po raz, żebym obejrzała jej skórę i sprawdziła, czy nie porobiły się pęcherze. Powtarzałam w kółko, że nie ma ani śladu oparzeń, i w końcu zasypiała. Niekiedy popadała w odrętwienie i mamrotała coś do ludzi, których znała przed laty. Czasami mówiła po francusku, i to nie taką łamaną francuszczyzną, jaką mówi parę osób na wyspie. Donovanowie uwielbiali Paryż i jeździli tam, ilekroć mieli okazję, albo z dziećmi, albo sami. Kiedy dopisywał jej humor, opowiadała mi o paryskich kafejkach, nocnych lokalach, muzeach i barkach na Sekwanie; bardzo lubiłam tego słuchać. Potrafiła pięknie opowiadać i gdy opisywała jakieś miejsce, miałam niemal wrażenie, że je widzę.

Ale najbardziej ze wszystkiego Vera bała się zwykłych kotów kurzu, czyli kłaków, które gromadzą się pod łóżkami, za drzwiami, w rogach pokoi. Przypominają nasiona dmuchawców. Wiedziałam, że je widzi, jeśli ze strachu nie potrafiła wydusić z siebie słowa. Na ogół udawało mi się ją uspokoić, długo jednak nie mogłam pojąć, dlaczego akurat odchody duchów — bo tym, według niej, były kłaki — wzbudzają w niej takie przerażenie. W końcu chyba zrozumiałam. Nie śmiejcie się, ale zagadkę wyjaśnił mi sen.

Na szczęście halucynacje z kotami kurzu nie występowały tak często jak te ze słońcem wypalającym jej skórę lub drutami wychodzącymi z rogu pokoju, ale ilekroć się zdarzały, zawsze czekała mnie ciężka przeprawa. Wiedziałam, że chodzi o koty, gdy tylko zaczynała krzyczeć, nawet jeśli był środek nocy, a ja spałam u siebie za zamkniętymi drzwiami. Kiedy prześladowały ją inne majaki, to...

Co, skarbie?

Za cicho?

Nie, nie musisz przysuwać bliżej tej japońskiej zabawki; postaram się mówić głośniej. Zwykle nie żałuję płuc — Joe nawet mawiał, że kiedy jestem w domu, najchętniej zatkałby uszy watą. A wracając do Very... ciarki przechodziły mnie po plecach, ilekroć skamlała, że widzi koty kurzu, więc jeśli teraz zniżyłam głos, to dlatego że nadal się wzdragam, kiedy o tym myślę. Mimo że ona już nie żyje.

Czasami próbowałam ją łajać.

— Dlaczego wymyślasz sobie takie bzdury, Vera? — pytałam.

Ale to nie były bzdury. Przynajmniej dla niej. Wydawało mi się, że wiem, jak uderzy w kalendarz — po prostu pewnego dnia tak się przerazi tych kotów, że wykorkuje. I poniekąd tak właśnie się stało.

Gdy prześladowały ją inne majaki — żmija w poszewce, słońce, druty — darła się, ile wlezie. Natomiast kiedy widziała koty, wtedy po prostu wyła. Nie krzyczała, nie wołała mnie, lecz wyła, tak głośno i przeciągle, że zamierało mi serce.

Kiedy wbiegałam do pokoju, wyrywała sobie włosy z głowy lub drapała paznokciami twarz. Wyglądała jak wiedźma, a jej oczy, powiększone ze strachu niemal do rozmiarów jajek, zawsze patrzyły w któryś kąt.

Czasem dawała radę wycharczeć:

— Koty kurzu, Dolores! O Boże, koty!

Kiedy indziej zanosiła się takim szlochem, że nie mogła złapać tchu. Zwykle na moment zakrywała dłońmi oczy, ale zaraz je odsłaniała. Bała się patrzeć, lecz nie potrafiła nie patrzeć. Po czym znów zaczynała orać sobie pazurami twarz. Obcinałam jej paznokcie najkrócej jak można, ale i tak rozdrapywała twarz do krwi. Dziwiło mnie, jakim cudem serce osoby w jej wieku i o jej tuszy wytrzymuje tak potworny strach.

Pewnego razu wypadła z łóżka i leżała z jedną nogą podwiniętą pod siebie. Napędziła mi nie lada cykora. Kiedy wbiegłam do pokoju, bębniła pięściami w klepki jak dziecko w napadzie histerii i wyła tak, że aż dach się kolebał. Wtedy po raz pierwszy i jedyny odkąd się nią opiekowałam, zadzwoniłam w środku nocy po doktora Freneau. Przyjechał z Jonesport ścigaczem Collie Violette. Zatelefonowałam po niego pewna, że Vera złamała nogę — miała ją zgiętą pod przedziwnym kątem — i przerażona, że zaraz umrze z szoku. Ku mojemu zdumieniu okazało się, że noga wcale nie jest złamana — tylko ścięgno było naciągnięte — a nazajutrz Verze zaczął się jeden z jej dobrych okresów i nie pamiętała, co zaszło ubiegłego wieczoru. Kiedy wracała jej jasność umysłu, pytałam ją czasem o te koty, ale patrzyła na mnie jak na wariatkę. Nie miała bladego pojęcia, o czym mówię.

Za drugim czy trzecim razem już wiedziałam, jak należy postąpić. Gdy tylko słyszałam, że wyje, zrywałam się z łóżka i rzucałam do drzwi — mój pokój sąsiadował z jej sypialnią, oddzielała je tylko bieliźniarka wbudowana w ścianę. Od czasu pierwszej halucynacji z kotami zostawiałam na korytarzu miotłę i śmietniczkę. Chwytałam je po drodze i wbiegałam do pokoju Very, wymachując szczotką jakbym chciała zatrzymać pędzący pociąg i drąc się na całe gardło, bo tylko wtedy mogła mnie usłyszeć poprzez własne wycie.

— Mam je, Vera, mam! Już ja je załatwię! Tylko wyłącz, do cholery, syrenę!

Wymiatałam kąt, w który się gapiła, a potem również drugi, na wszelki wypadek. Czasem ją to uspokajało, ale zwykle po chwili krzyczała, że są jeszcze pod łóżkiem. Więc opadałam na kolana i udawałam, że tam też zamiatam. Pewnego razu ta biedna, wystraszona wariatka tak się wychyliła, chcąc zajrzeć pod łóżko, że o mało się na mnie nie zwaliła. Zgniotłaby mnie jak muchę. Ale byłby numer!

Kiedy już zamiotłam wszystkie miejsca, których się bała, pokazywałam jej pustą śmietniczkę.

— Widzisz, kochanie? Mam te draństwa — mówiłam.

Spoglądała na śmietniczkę, po czym podnosiła wzrok, dygocząc na całym ciele; oczy wciąż miała pełne łez, więc jej tęczówki też zdawały się drżeć, jak kamienie na dnie strumienia, kiedy się patrzy na nie przez wodę.

— Och, Dolores, one są takie szare! Takie ohydne! Zabierz je czym prędzej, błagam!

Stawiałam miotłę i pustą śmietniczkę przy drzwiach swojego pokoju, żeby w razie potrzeby były pod ręką, po czym wracałam do Very i uspokajałam ją najlepiej, jak umiałam. Siebie również. A jeśli myślicie, że siebie nie potrzebowałam uspokajać, to wyobraźcie sobie, co byście czuli, gdybyście spali w starym, wielkim jak muzeum domu, za którego oknami szaleje wiatr, i nagle zbudziłyby was w środku nocy wrzaski pomylonej staruchy. Bo mnie serce waliło młotem i ledwo mogłam złapać oddech... ale ukrywałam to przed Verą, bo przestałaby mi wierzyć, że nie ma się czego bać, i jak bym sobie wtedy z nią poradziła?

Zwykle, kiedy już było po wszystkim, czesałam jej włosy — to ją najbardziej uspokajało. Z początku jeszcze trochę jęczała i płakała, czasem obejmowała mnie mocno i wtulała twarz w mój brzuch. Pamiętam, jakie gorące miała policzki i czoło i jak jej łzy na wylot przemaczały mi koszulę. Biedna starowina! Żadne z nas nie wie, co to znaczy mieć tyle lat co ona i w dodatku być prześladowanym przez zwidy, dla innych niepojęte.

Czasem nawet pół godziny szczotkowania nie odnosiło skutku. Patrzyła nad moim ramieniem w kąt pokoju, wzdragała się i znów zaczynała jęczeć. Albo opuszczała rękę z łóżka i nagle cofała ją szybko, jakby siedziała tam jakaś zmora, która chce ją ugryźć. Kilka razy mnie też się wydało, że coś wychyla się spod łóżka, i musiałam mocno zacisnąć szczęki, żeby nie krzyknąć. Wiedziałam, oczywiście, że to tylko cień ręki Very płata mi figle, ale sami widzicie, jak bardzo udzielał mi się jej strach. Mnie — osobie równie trzeźwo myślącej, co wygadanej!

Zdarzało się, kiedy już nie wiedziałam, co robić, że wyciągałam się obok Very. Splatała ręce wokół mojej szyi, kładła głowę na moich wyschniętych cyckach, a ja ją obejmowałam i trzymałam tak długo, dopóki nie zasnęła. Wtedy podnosiłam się z łóżka, cicho i powoli, żeby jej nie zbudzić, i wracałam do siebie. Ale nie zawsze. Czasem — zwykle wtedy, gdy swoim wrzaskiem budziła mnie w środku nocy — zasypiałam razem z nią.

To właśnie jednej z tych nocy przyśniły mi się koty kurzu. Tylko że we śnie nie byłam sobą. Byłam Verą: leżałam w jej łóżku, tak gruba, że nie mogłam się przekręcić bez cudzej pomocy, i w cipie czułam potworne pieczenie od zapalenia moczowodów. Vera wiecznie miała tam wilgotno, a z powodu obniżonej odporności co rusz przyplątywało się jej zakażenie, zupełnie jakby między jej nogami leżała wycieraczka z napisem WITAMY, przeznaczona dla wszystkich bakcyli, jakie tylko mogą się napatoczyć — i oczywiście ułożona napisem we właściwym kierunku.

Spojrzałam w róg pokoju i zobaczyłam coś jakby głowę ulepioną z kurzu. Oczy miała zwrócone do góry, a otwarte usta wypełniały długie, krzywe zęby — też z kurzu. Zaczęła toczyć się bardzo wolno w stronę łóżka, a kiedy znów obróciła się do mnie twarzą, rozpoznałam oczy Michaela Donovana, męża Very. Potem wykonała kolejny obrót i ujrzałam twarz mojego męża, Joego St. George'a, wykrzywioną w ohydnym uśmiechu i kłapiącą długimi zębiskami. Kiedy przekręciła się po raz trzeci, twarz, która się pojawiła, nie należała do nikogo, kogo znałam, ale była żywa i głodna i chciała dotoczyć się do mnie i mnie pożreć.

Obudziłam się i tak podskoczyłam, że o mało nie spadłam z łóżka. Był wczesny poranek, pierwsze promienie słońca rzucały na podłogę jasny pas, Vera jeszcze spała. Obśliniła mi całe ramię, ale nawet nie miałam siły się wytrzeć. Leżałam i dygotałam, spocona jak ruda mysz, powtarzając sobie, że już się obudziłam, że wszystko jest w porządku, że to był tylko zły sen. Ale wciąż jeszcze widziałam tę głowę z kurzu z ogromnymi pustymi oczami i długimi zębami toczącą się po podłodze. Więc sami widzicie, jak silnie ten sen na mnie podziałał. Potem głowa znikła; na podłodze i w kątach nie było nic. Od tej pory nieraz się zastanawiałam, czy przypadkiem Vera nie podesłała mi tego snu, żebym zobaczyła, co ona widzi, kiedy tak potwornie wrzeszczy. A może udzieliła mi się część jej strachu i dlatego miałam jeden z jej snów? Czy według was takie rzeczy zdarzają się kiedykolwiek w życiu, czy tylko w historyjkach drukowanych w tych tandetnych piśmidłach, które sprzedają w spożywczym? Co do mnie, to sama nie wiem... ale wiem, że omal nie zesrałam się ze strachu!

No, mniejsza z tym. W każdym razie te cyrki, jakie Vera urządzała w niedzielne popołudnia lub w środku nocy, były trzecim powodem, dlaczego dawała mi się we znaki. Ale nie urządzała ich dlatego, że była wredną jędzą; urządzała je, ponieważ była żałosną, przerażoną starowiną. Cała jej jędzowatość też była w gruncie rzeczy żałosna, mimo to czasem korciło mnie, aby ukręcić jej łeb jak kurze. Chyba każdy na moim miejscu, może z wyjątkiem pieprzonej Joanny D'Arc, odczuwałby taką pokusę. Podejrzewam jednak, że kiedy Susy i Shawna słyszały, jak tamtego dnia drę się na Verę, że miałabym ochotę ją zabić... albo kiedy inni słyszeli, jak na nią krzyczę lub jak obie wrzeszczymy na siebie... to spodziewali się, że gdy Vera wreszcie uderzy w kalendarz, podwinę kieckę i będę tańczyć na jej grobie, wycinając hołubce. I pewnie mówili ci takie rzeczy wczoraj i dziś, co, Andy? Nie musisz odpowiadać, wszystko masz wypisane na twarzy, zupełnie jakby to był słup ogłoszeniowy. Zresztą sama wiem, jak ludzie lubią rozsiewać plotki. Plotkowali o mnie i Verze, gadali o mnie i o Joem, kiedy jeszcze żył, a po jego śmierci — to dopiero rozpuścili języki! Tu, w tej dziurze, chyba najciekawszą rzeczą, jaką człowiek może zrobić, to nagle odwalić kitę, zauważyliście?

No i doszłam w końcu do Joego.

Nie kryję, że boję się tej części rozmowy. Już wam powiedziałam, że go zabiłam, więc przynajmniej tyle mam za sobą, ale najtrudniejsze wciąż przede mną: wyjaśnić jak... kiedy... i dlaczego.

Wiesz, Andy, wiele dziś myślałam o Joem — prawdę mówiąc, więcej niż o Verze. Na przykład próbowałam sobie przypomnieć, dlaczego w ogóle za niego wyszłam, i z początku nie byłam w stanie. W pewnym momencie nawet się przeraziłam, tak jak Vera, kiedy wbiła sobie do głowy, że żmija wślizgnęła się do poszewki. W końcu zrozumiałam, na czym polega problem: szukałam w naszym związku czegoś romantycznego, zupełnie jakbym była jedną z tych głupich gąsek, które Vera zatrudniała w czerwcu i zwalniała miesiąc później, bo nie przestrzegały jej zasad. Szukałam romantyzmu, a było go tyle co kot napłakał — nawet wtedy, w czterdziestym piątym, kiedy miałam osiemnaście lat, Joe dziewiętnaście, a świat wydawał się śliczny jak obrazek.

Tylko jedno przyszło mi do głowy, kiedy siedząc na schodach i odmrażając sobie tyłek, grzebałam w pamięci. Wiecie co? To, że Joe miał ładne czoło. Jak chodziliśmy razem do szkoły, jeszcze w czasie drugiej wojny światowej, siadywałam koło niego w świetlicy i wpatrywałam się w jego czoło. Nie było na nim ani jednej krosty. Miał kilka na policzkach i na brodzie, a na nosie sporo wągrów, ale czoło było gładkie jak pupcia niemowlaka. Marzyłam o tym, żeby wyciągnąć rękę i sprawdzić, czy w dotyku też jest takie gładkie. Kiedy zaprosił mnie na bal maturalny, zgodziłam się natychmiast; tam, na balu, sprawdziłam i przekonałam się, że rzeczywiście jest gładkie. A nad czołem miał starannie zaczesane, lekko falujące włosy. Głaskałam go w mroku po włosach i gładkim czole, a wewnątrz, w sali balowej Samoset Inn, orkiestra grała „Moonlight Cocktail"... Po kilku godzinach siedzenia na tych rozklekotanych schodach na Wschodnim Cyplu, niech je cholera, i dygotania z zimna, przynajmniej tyle sobie przypomniałam. Oczywiście, nie minęło kilka tygodni, a dotykałam już nie tylko jego czoła, i na tym właśnie polegał mój błąd.

Ustalmy jedno: nie twierdzę, że spędziłam najlepsze lata mojego życia z tym starym pijaczyną wyłącznie dlatego, że podobało mi się jego czoło skąpane w blasku słońca wpadającego skosem przez okna świetlicy, w której odrabialiśmy lekcje. Gówno prawda. Ale to jedyna romantyczna rzecz, jaką zdołałam sobie przypomnieć, i aż żal mi dupę ściska. Po całym dniu siedzenia na schodach na Wschodnim Cyplu i dumaniu o przeszłości czułam się wyżęta jak ścierka. Po raz pierwszy przyszło mi do głowy, że chyba niepotrzebnie zgodziłam się wyjść za tego niedojdę i zmarnowałam życie; ale czy mogłam liczyć na lepszy los? Dopiero teraz odważyłam się pomyśleć, że może zasługiwałam na więcej miłości niż Joe St. George mógł ofiarować komukolwiek poza samym sobą. Pewnie nie podejrzewaliście, że taki pyskaty stary babsztyl jak ja może wierzyć w miłość, ale mówię poważnie, miłość to jedyne, w co jeszcze wierzę.

Nie żebym wyszła za mąż z miłości, tyle mogę wam zdradzić od razu. Byłam już w szóstym tygodniu ciąży z naszym pierwszym dzieckiem, kiedy zdecydowałam się powiedzieć „tak" i przysiąc Joemu, że nie opuszczę go aż do śmierci. To był główny powód, dla którego stanęłam na ślubnym kobiercu... Smutne, ale prawdziwe. Były też inne, bardziej debilne powody i dopiero życie nauczyło mnie, że z debilnych powodów biorą się debilne małżeństwa.

Miałam dość użerania się z matką.

Miałam dość połajanek ojca.

Wszystkie moje przyjaciółki wychodziły za mąż, zakładały własne rodziny, więc chciałam być dorosła jak one; miałam dosyć bycia głupią gęsią.

Joe powiedział, że mnie pragnie, a ja mu uwierzyłam. Powiedział, że mnie kocha, i w to również uwierzyłam... A kiedy spytał, czy czuję to samo do niego, wydało mi się, że byłoby niegrzecznie zaprzeczyć.

Bałam się, co się ze mną stanie, jeśli za niego nie wyjdę — gdzie się podzieję, gdzie znajdę pracę, kto się zajmie moim dzieckiem, kiedy będę musiała zarabiać na życie.

Wiesz, Nancy, ta cała historia będzie wyglądała idiotycznie na papierze, kiedy skończysz ją spisywać, ale najgłupsze jest to, że znam z dziesięć kobiet, z którymi chodziłam kiedyś do szkoły i które wyszły za mąż z takich samych powodów. Większość nadal jest zamężna, ale co druga marzy o tym, żeby jej stary wreszcie wykorkował, a ona mogła go pochować i wywietrzyć porządnie prześcieradła, w które pierdział przez lata.

Pewnie gdzieś w pięćdziesiątym drugim zapomniałam o czole Joego, w pięćdziesiątym szóstym ledwo mogłam na niego patrzeć, a znienawidziłam go na dobre, kiedy Kennedy nastał po Eisenhowerze; jednak dopiero później zaczęłam myśleć o tym, żeby go ukatrupić. Mówiłam sobie, że muszę z nim wytrzymać, żeby moje dzieci miały ojca. Śmieszne, nie? Ale to prawda, przysięgam. Powiem wam coś jeszcze: gdyby Bóg dał mi drugą szansę, znów zabiłabym Joego, nawet jeśli miałabym za karę smażyć się w piekle całą wieczność... Pewnie i tak będę, ale mówi się trudno.

Wszyscy na Little Tall, oprócz tych, którzy sprowadzili się tu niedawno, są święcie przekonani, że zabiłam Joego i większość z nich sądzi, że wie dlaczego. Bo prał mnie na kwaśne jabłko. Ale mylą się, wcale nie dlatego Joe od dawna gryzie ziemię; bez względu na to, co myślą mieszkańcy wyspy, w ciągu ostatnich trzech lat naszego małżeństwa Joe ani razu nie podniósł na mnie ręki. Wybiłam mu z głowy takie pomysły raz na zawsze pod koniec sześćdziesiątego lub na początku sześćdziesiątego pierwszego roku.

Do tego czasu tak, nie przeczę, często brał się do rękoczynów. A ja, naiwna, pozwalałam mu na to. Po raz pierwszy sprawił mi manto w drugą noc po ślubie. Pojechaliśmy na weekend do Bostonu — miała to być nasza podróż poślubna — i zatrzymaliśmy się w Parker House. Prawie nie wystawialiśmy nosa za drzwi hotelu. Byliśmy parą prowincjonalnych myszy i baliśmy się zgubić w wielkim mieście. Joe powiedział, że jeszcze nie upadł na głowę, aby — tylko dlatego, że nie zna drogi do hotelu — wyrzucać na taksówkę te dwadzieścia pięć dolców, które dali nam moi starzy. O Boże, ale on był durny! Ja też, oczywiście... Ale jednym, dzięki Bogu, zawsze się od niego różniłam: nie jestem podejrzliwa. Jemu natomiast zdawało się, że cała ludzkość sprzysięgła się, żeby go okpić! Wiele razy przychodziło mi do głowy, kiedy pijany walił się do wyra, że tylko w stanie zamroczenia może się dobrze wyspać, bo inaczej wiecznie zezuje jednym okiem, czy nikt nie chce go podejść cichaczem i zrobić mu czegoś złego.

No, ale znów odchodzę od tematu. Miałam wam opowiedzieć o tym, co się stało, kiedy w sobotę zeszliśmy do hotelowej restauracji, zjedli smaczną kolację, a potem wrócili na górę. Pamiętam, że idąc korytarzem, Joe porządnie się zataczał — wypił do kolacji cztery czy pięć piw, a wcześniej chlał całe popołudnie, wysączając z dziesięć butelek. Kiedy znaleźliśmy się w pokoju, stanął przede mną i wpatrywał się we mnie tak długo, że wreszcie spytałam, czy mam brudny nos, czy co.

— Nie — odparł — ale widziałem, jak jeden facet tam na dole usiłował ci zajrzeć pod kieckę. Ślepia wychodziły mu na wierzch, jakby były na sprężynach. Widziałaś?

Mogłam odpowiedzieć, że nawet gdyby przy sąsiednim stoliku siedział Gary Cooper z Ritą Hayworth, tobym nie zauważyła, bo w ogóle nie rozglądałam się na boki, ale pomyślałam, że nie warto strzępić języka po próżnicy. Kiedy Joe sobie wypił, nie było sensu się z nim spierać; w końcu widziały gały, co brały, nie będę strugać przed wami naiwnej.

— Jeśli ktoś rzeczywiście próbował, mogłeś do niego podejść i wyjaśnić mu, że to nieładnie — oświadczyłam.

Żartowałam, oczywiście — może chciałam rozładować jego

gniew, już dobrze nie pamiętam — ale on tego tak nie odebrał. To akurat pamiętam. Joe nie miał wybujałego poczucia humoru; właściwie w ogóle nie miał poczucia humoru. Kiedy za niego wychodziłam, nie zdawałam sobie z tego sprawy; wydawało mi się, że poczucie humoru ma każdy, tak samo jak nos czy uszy, tyle że jedni mają większe, inni mniejsze.

Złapał mnie, przerzucił sobie przez kolano i zaczął walić butem.

— Póki żyję, Dolores, nikt prócz mnie nie ma prawa wiedzieć, jakiego koloru nosisz majtki! — wrzeszczał. — Rozumiesz? Ja jeden mogę wiedzieć!

Sądziłam, że to takie miłosne igraszki, że udaje zazdrosnego, bo chce mi pochlebić — ale byłam idiotką! Rzeczywiście chodziło o zazdrość, ale żadne igraszki nie miały z nią nic wspólnego. Joe był zazdrosny o swoją własność — jak pies, który zakrywa łapą kość i warczy, kiedy ktoś chce się do niego zbliżyć. Nie rozumiałam tego wówczas, więc nie protestowałam. Później nie protestowałam, bo wydawało mi się, że otrzymywanie raz na jakiś czas cięgów od męża to po prostu część składowa małżeństwa — nie najprzyjemniejsza, ale szorowanie klozetu też nie należy do rozkoszy, a większość kobiet musi je pucować od chwili, gdy spakują welon i suknię ślubną do kufra na strychu. Co, Nancy, może nie mam racji?

Tacie też zdarzało się uderzyć mamę, więc dlatego sądziłam, że to normalka — coś, co trzeba znosić. Kochałam tatę i on z mamą też się kochali, ale czasem dochodziło do rękoczynów, jeśli coś zalazło mu za skórę.

Pamiętam, jak pewnego razu, kiedy miałam mniej więcej dziewięć lat, tata wrócił po zwózce siana z pola George'a Richardsa przy Zachodnim Cyplu, a mama nie była gotowa z kolacją. Nie pamiętam, dlaczego się spóźniła, ale pamiętam dokładnie wszystko od chwili, kiedy ojciec stanął w drzwiach. Miał na sobie tylko ogrodniczki, bo buty i skarpety zdjął na ganku, żeby nie wnosić do domu siana. Jego twarz i ramiona były czerwone od słońca. Włosy na skroniach miał pozlepiane od potu, a pośrodku zmarszczki biegnącej przez czoło przykleiło mu się źdźbło. Był zgrzany, zmęczony i widać było, że byle głupstwo może go wyprowadzić z równowagi.

Wszedł do kuchni; na stole nie stało nic oprócz szklanego dzbanka z kwiatami.

— Gdzie moja kolacja, ty idiotko? — spytał matkę.

Otworzyła usta, ale zanim zdążyła cokolwiek powiedzieć, wyciągnął rękę i pchnął ją w twarz tak mocno, że mama upadła w kąt. Stałam w drzwiach kuchennych i wszystko widziałam. Ruszył w moją stronę ze spuszczoną głową, z włosami opadającymi na oczy... Ilekroć widzę człowieka, który wraca do domu zgrzany i zmęczony po dniu harówki, z pojemnikiem na drugie śniadanie w dłoni, przypomina mi się ojciec i zdejmuje mnie strach. Chciałam zejść mu z drogi, bo byłam pewna, że mnie również przewróci, ale nogi odmówiły mi posłuszeństwa. Nie wyrządził mi jednak krzywdy. Podniósł mnie swoimi ogromnymi, ciepłymi dłońmi i przestawił delikatnie na bok, po czym wyszedł na zewnątrz. Usiadł na pieńku do rąbania drewna, z rękami na kolanach i głową zwieszoną nisko, jakby wpatrywał się w swoje dłonie. Kiedy wychodził, kury rozpierzchły się w popłochu, ale po chwili wróciły i zaczęły dziobać ziemię wokół jego stóp. Myślałam, że jak kopnie najbliższą, wylecą jej z ogona wszystkie pióra, ale nie zrobił nic takiego.

Po pewnym czasie rozejrzałam się za mamą. Wciąż siedziała w kącie. Narzuciła ścierkę na głowę i zanosiła się płaczem. Ręce miała skrzyżowane na piersiach. Nie wiem dlaczego, ale właśnie ten szczegół pamiętam najlepiej — że siedziała z rękami skrzyżowanymi na piersiach. Podeszłam do niej i objęłam ją mocno, a ona też mnie objęła. Potem ściągnęła z głowy ścierkę, wytarła nią oczy i powiedziała, żebym wyszła i spytała tatę, czy woli szklankę zimnej lemoniady czy butelkę piwa.

— Ale powiedz mu, że są tylko dwie butelki piwa — dodała. — Jeśli ma ochotę na więcej, niech idzie do sklepu i sobie dokupi albo niech w ogóle nie zaczyna pić.

Wyszłam i powtórzyłam tacie jej słowa. Odparł, że nie chce

piwa, że lemoniada w zupełności mu wystarczy. Pobiegłam przynieść mu szklankę. Mama szykowała już kolację. Miała twarz trochę spuchniętą od płaczu, ale nuciła coś pod nosem, a tego wieczoru sprężyny ich łóżka skrzypiały tak samo jak niemal każdej nocy. O tym, co zaszło, nie padło więcej ani słowo. Przed laty powiadało się, że chłop musi czasem przemówić babie do słuchu, więc jeśli myślałam później o tej sprawie, zapewne uznałam, że mamie należała się kara, bo inaczej tata nigdy nie potraktowałby jej w ten sposób.

Jeszcze parę razy byłam świadkiem, jak tata przemawia mamie do słuchu, ale tamten incydent pamiętam najlepiej. Nigdy nie widziałam, żeby uderzył ją pięścią, tak jak Joe czasami walił mnie, ale kiedyś smagnął ją po nogach kawałkiem mokrego żaglowego płótna; musiało boleć jak cholera, bo przez całe popołudnie miała na nogach czerwone pręgi.

Teraz już nikt nie mówi, że chłop musi przemawiać babie do słuchu. I bardzo dobrze, ale ja chowałam się w przekonaniu, że kiedy żona i dzieci coś przeskrobią, obowiązkiem męża i ojca jest nauczyć je moresu. Nie twierdzę, że uważałam to za słuszne, ponieważ tak się mówiło — bynajmniej nie szukam dla siebie łatwej wymówki. Wiedziałam, że jeśli mężczyzna bierze się do rękoczynów, to wcale nie oznacza, że kobieta zrobiła coś złego... Ale mimo to przez długi czas pozwalałam się maltretować Joemu. Pewnie byłam po prostu zbyt zmęczona prowadzeniem domu, sprzątaniem u letników, dbaniem o dzieci i łagodzeniem sporów Joego z sąsiadami, żeby się nad tym zastanawiać.

Małżeństwo z Joem... Jakie tak naprawdę jest czyjekolwiek małżeństwo, do jasnej cholery? Wszystkie się różnią, ale możecie mi wierzyć, ani jedno nie jest takie, jak się wydaje innym. To, co widzą ludzie, i to, co rzeczywiście dzieje się między małżonkami, to dwie różne strony medalu. Gdy się nad tym zastanawiam, raz zbiera mi się na śmiech, innym razem na płacz, bo prawdę mówiąc, jest to zarazem i smutne, i śmieszne, jak wiele spraw w życiu.

Ludzie myślą, że Joe był alkoholikiem, który bijał mnie i pewnie także dzieci, kiedy był na gazie. Myślą, że pozwolił sobie o jeden raz za dużo spuścić mi manto, więc wyprawiłam go na tamten świat. To fakt, że Joe pił i czasem chadzał na spotkania Anonimowych Alkoholików w Jonesport, ale alkoholikiem był nie większym niż ja. Raz na cztery czy pięć miesięcy chlał na umór z takimi facetami jak Rickie Thibodeau czy Stevie Brooks — ci dwaj to dopiero moczymordy! — ale na co dzień umiał się obyć bez picia, najwyżej strzelał sobie kielicha, kiedy wracał z roboty. Nie więcej, bo jak kupił butelkę, lubił ją długo niańczyć. Prawdziwi pijacy z miejsca obciągają flachę, wszystko jedno, czy w środku jest whisky, rum czy płyn do rozmrażania szyb przepuszczony przez kilka warstw waty. Prawdziwego pijaka obchodzą tylko dwie rzeczy: czym prędzej obciągnąć flachę, którą trzyma w dłoni, i zdobyć następną.

Nie, Joe nie był alkoholikiem, ale i nie przeszkadzało mu, że ludzie tak o nim myślą. Dzięki temu łatwiej mógł załapać robotę, zwłaszcza w sezonie. Mam wrażenie, że na przestrzeni lat zaczęto inaczej podchodzić do AA — na przykład mówi się na ten temat częściej niż dawniej — ale jedno nie uległo zmianie: ludzie zawsze chętnie podadzą pomocną dłoń komuś, kto sam próbuje wyciągnąć się z bagna. Kiedyś przez cały rok Joe w ogóle nie pił — a przynajmniej nie przyznawał się nikomu, że zagląda do kieliszka — i nawet ci w Jonesport wydali na jego cześć przyjęcie. Dostał tort i medal. Więc kiedy szedł do letników nająć się do roboty, z miejsca ich informował, że jest byłym alkoholikiem, który zawrócił ze złej drogi.

— Jeśli nie zechce mnie pan zatrudnić z tego powodu, nie będę miał pretensji — mówił — ale nie mogę ukrywać prawdy o sobie. Od ponad roku chodzę na spotkania AA, gdzie wbijają nam do głowy, że nie nauczymy się żyć w trzeźwości, dopóki nie nauczymy się mówić prawdy.

Po czym wyciągał ten swój złoty medal, który dostał za roczną abstynencję, cały czas zachowując się pokornie jak baranek. Letnicy prawie wzruszali się do łez, słuchając, ile wysiłku kosztuje go każdy dzień bez alkoholu, jak stara się nad sobą panować i jak modli się do Boga o wsparcie, ilekroć nachodzi go ochota, by wypić, czyli — jak twierdził — co kwadrans. Zwykle aż się rwali, żeby go zatrudnić i w dodatku godzili się płacić mu pięćdziesiąt centów lub nawet dolara więcej za godzinę, niż początkowo zamierzali. Wydawałoby się, że poza letnikami nikt się nie nabierze na tę gadkę, ale nie, również miejscowi, którzy znali go jak zły szeląg, dawali się naciągać.

Prawda jest taka, że ilekroć Joe mnie bił, z reguły był trzeźwy jak świnia. Kiedy strzelił sobie parę razy, niewiele go obchodziło, co się dzieje dookoła. Tak było do sześćdziesiątego czy sześćdziesiątego pierwszego roku. Któregoś dnia pomagał Charliemu Dispenzieri wyciągnąć łódź na brzeg. Wieczorem wrócił do domu i kiedy schylił się, żeby wyjąć z lodówki butelkę coca-coli, zobaczyłam, że ma portki pęknięte na tyłku. Parsknęłam śmiechem. Nie mogłam się powstrzymać. Joe nic nie powiedział, ale kiedy podeszłam do kuchni zamieszać kapustę — w jednym garnku gotowałam na kolację kapustę, w drugim mięso, pamiętam to jak dziś — chwycił klonowe polano ze skrzynki z opałem i zdzielił mnie po krzyżu. Myślałam, że się przekręcę. Nikt nie wie, co to znaczy ból nerek, chyba że sam dostał w krzyż. Nagle człowiek czuje je tam w środku: małe, gorące i tak niemiłosiernie ciężkie, jakby miały zaraz zerwać się z wiązań i spaść z hukiem na ziemię niczym dwie armatnie kule.

Dokuśtykałam jakoś do stołu i opadłam na krzesło. Gdyby stało choć pół metra dalej, runęłabym na ziemię jak długa. A tak siedziałam i czekałam, aż minie ból. Nie rozbeczałam się, żeby nie przestraszyć dzieciaków, ale łzy wielkości grochu same ciekły mi po policzkach. Były to łzy bólu, których nie można powstrzymać, choćby się nie wiem jak chciało.

— Nigdy więcej się ze mnie nie śmiej, ty suko! — warknął Joe. Cisnął z powrotem do skrzynki polano, którym mnie zdzielił, po czym siadł i zabrał się do czytania „American". — Już dziesięć lat temu powinnaś się była tego nauczyć.

Przez dobre dwadzieścia minut nie mogłam się podnieść z krzesła. Zawołałam Selenę, żeby zmniejszyła ogień pod garnkami, chociaż siedziałam zaledwie cztery kroki od kuchni.

— Dlaczego sama tego nie zrobiłaś, mamo? — spytała. — Oglądałam z Jimem kreskówki.

— Odpoczywam — odparłam.

— Ma po czym! — burknął Joe zza gazety. — Tak mełła ozorem, że opadła z sił.

I wybuchnął śmiechem. To właśnie przeważyło szalę; ten jego śmiech. Postanowiłam wtedy, że nigdy więcej mnie nie uderzy, w przeciwnym wypadku drogo za to zapłaci.

Zjedliśmy jak zwykle kolację i jak zwykle oglądaliśmy potem telewizję, ja i starsze dzieciaki na kanapie, a mały Pete na kolanach ojca, który siedział w bujanym fotelu. Pete zasnął o swojej normalnej porze, czyli około wpół do ósmej, i Joe zaniósł go do łóżeczka. Godzinę później posłałam spać Jima, a Selena poszła sama o dziewiątej. Ja na ogół kładłam się około dziesiątej, a Joe siedział do północy, co jakiś czas zapadając w drzemkę; trochę gapił się w telewizor, kończył przeglądać gazetę, dłubał w nosie. Widzisz, Frank, nie ty jeden dłubiesz; niektórzy nigdy się nie oduczają, nawet jak łeb im zaczyna siwieć.

Tego wieczoru nie poszłam spać o zwykłej porze. Siedziałam razem z Joem. Plecy wciąż mnie łupały, ale już nie tak mocno. Mogłam przynajmniej zrobić to, co zamierzałam. Może i byłam zdenerwowana, nie pamiętam. Czekałam, kiedy Joe zapadnie w drzemkę; wreszcie zasnął.

Wstałam, poszłam do kuchni i wzięłam ze stołu dzbanuszek ze śmietanką. Nie poszłam specjalnie po dzbanuszek; po prostu stał na wierzchu, bo tego wieczoru sprzątanie ze stołu przypadło Jimowi, który zapomniał schować naczynie do lodówki. Jim ciągle o czymś zapominał: a to schować dzbanuszek ze śmietanką, a to przykryć maselniczkę szklaną pokrywką, a to owinąć dobrze tosty, żeby ten z brzegu nie stwardniał przez noc. Ilekroć widzę go teraz w dzienniku, jak wygłasza przemówienie lub udziela wywiadu, zawsze sobie o tym przypominam i myślę, co by powiedzieli demokraci, gdyby wiedzieli, że przewodniczący większości w stanowym senacie nie potrafił wszystkiego uprzątnąć ze stołu, kiedy miał jedenaście lat. Ale dumna jestem z niego, niech wam się nie zdaje, że nie jestem. I to mimo że został politykiem, oby ich wszystkich pokręciło!

W każdym razie owego wieczoru zapomniał schować akurat coś, co mi się nadawało; dzbanuszek był mały, ale ciężki i dobrze leżał w dłoni. Podeszłam do półki wiszącej nad skrzynią z opałem i wzięłam siekierę. Po czym wróciłam do jadalni, gdzie drzemał Joe. Zamachnęłam się prawą ręką i z całej siły rąbnęłam go dzbanuszkiem w ucho. Naczynie rozprysło się na tysiąc kawałków.

Zbudził się od razu. I zaczął ryczeć ile tchu. Chryste Panie, ryczał jak byk, któremu wrota zagrody przytrzasnęły fiuta. Otworzył szeroko oczy, przyciskając rękę do krwawiącego ucha. Miał grudki śmietanki na policzku i szczecinie porastającej mu bok twarzy, bo niby nosił baczki.

— Wiesz, co ci powiem, Joe? Już mi wróciły siły — oznajmiłam.

Zorientowałam się po hałasie, że Selena wstała z łóżka, ale bałam się obejrzeć. Gdybym się obejrzała, mógłby mnie huknąć na odlew, zanimbym się spostrzegła; czasami potrafił być piekielnie szybki. Kiedy Joe zaczął się podnosić z fotela, wyciągnęłam ukrytą pod fartuchem siekierę.

— Jeśli nie chcesz, żebym zdzieliła cię tym w łeb, Joe, lepiej siadaj z powrotem — poradziłam.

Przez moment myślałam, że jednak wstanie. Gdyby wstał, byłoby po nim, bo wcale nie żartowałam. Ale pojął to i nagle znieruchomiał z tyłkiem dziesięć centymetrów nad siedzeniem fotela.

— Mamusiu, co się dzieje? — zawołała Selena.

— Wracaj do łóżka, skarbie — odpowiedziałam, ani na

sekundę nie spuszczając oka z Joego. — Tata i ja dyskutujemy sobie.

— Wszystko w porządku?

— Pewnie, kochanie — odparłam. — Prawda, Joe?

— No — burknął. — Święta prawda.

Usłyszałam, jak Selena cofa się parę kroków, ale mijały sekundy — dziesięć, piętnaście — a wciąż nie dolatywał mnie trzask zamykanych drzwi; wiedziałam, że nadal stoi i patrzy na nas. Joe cały czas tkwił bez ruchu, z jedną ręką na oparciu fotela i z tyłkiem w powietrzu. Potem usłyszeliśmy, że drzwi jej pokoju wreszcie się zamykają, i chyba dopiero ten dźwięk uzmysłowił Joemu, jak idiotycznie wygląda ni to siedząc, ni to stojąc, z jedną ręką przyciśniętą do ucha i grudkami śmietanki skapującymi po policzku.

Opadł na fotel i odjął rękę od ucha. I dłoń, i ucho miał czerwone od krwi, a ucho mu w dodatku całe spuchło.

— Ty suko, zapłacę ci za to! — wycharczał.

— Chcesz mi zapłacić? — spytałam. — Więc zapamiętaj sobie, Joe St. George; cokolwiek mi zrobisz, oddam ci z nawiązką.

Wyszczerzył zęby, jakby nie wierzył temu, co słyszy.

— Więc będę musiał cię po prostu zabić, co? — zapytał.

Podałam mu siekierę, zanim jeszcze skończył mówić. Nie planowałam, że tak postąpię, ale kiedy ujrzałam go z siekierą w dłoni, pojęłam, że była to najlepsza rzecz, jaką mogłam zrobić.

— No to już — powiedziałam. — Tylko załatw mnie pierwszym ciosem, żebym nie musiała cierpieć.

Popatrzył na mnie, na siekierę, potem znów na mnie. Minę miał tak zdziwioną, że gdyby nie powaga sytuacji, byłoby to wręcz komiczne.

— A kiedy mnie załatwisz, podgrzej sobie resztki z kolacji i najedz się do syta — poradziłam. — Żryj, aż będziesz pękał, bo potem trafisz do pierdla, a wieść niesie, że tam nie serwują tak dobrych posiłków. Na początek wsadzą cię chyba do Belfast. Założę się, że strój więzienny będzie pasował na ciebie jak ulał.

— Milcz, ty ruro!

Nie miałam zamiaru.

— Potem wsadzą cię do Shawshank, a tam to już na pewno nie podaje się ciepłych posiłków. I nie licz, że będą wypuszczać cię w piątki, byś mógł żłopać piwo i rżnąć w pokera z kumplami. Proszę cię tylko o to, żebyś zabił mnie szybko i nie wpuszczał do kuchni dzieci, żeby nie oglądały jatki.

Zamknęłam oczy. Uważałam, że szansa, aby mi roztrzaskał łeb siekierą, jest niewielka, ale gdy chodzi o życie, nawet cień prawdopodobieństwa, że się je straci, napawa przerażeniem. Przekonałam się o tym właśnie tamtego wieczoru. Stałam z zaciśniętymi powiekami — nic, tylko czerń — i zastanawiałam się, co będę czuła, kiedy ostrze spadnie na moją twarz, rozcinając mi nos, wargi, krusząc zęby. Pamiętam, jak pomyślałam, że umrę czując na języku smak drzazg przyklejonych do ostrza, i jak się ucieszyłam, kiedy sobie przypomniałam, że zaledwie dwa dni temu naostrzyłam siekierę na szlifierce. Jeśli Joe miał mnie zabić, wolałam, żeby ostrze nie było tępe.

Zdawało mi się, że stoję tak całe wieki. W końcu usłyszałam szorstki, gniewny głos:

— Idziesz do łóżka, kobieto, czy będziesz tak stać i dyszeć jak niewidoma, której marzy się ogier?

Otworzyłam oczy i przekonałam się, że wsunął siekierę pod fotel — widziałam koniec trzonka sterczący spod falbanki. Gazeta, która spadła mu z kolan, leżała obok grzbietem do góry, na kształt namiotu. Schylił się po nią, starając się zachowywać obojętnie, jakby się nic nie wydarzyło, choć krew ciekła mu po twarzy, a ręce tak potwornie drżały, że gazeta szeleściła nawet wtedy, gdy próbował trzymać ją bez ruchu. Dojrzałam na niej krwawe odciski palców, więc postanowiłam, że spalę cholerstwo, zanim położę się spać, żeby dzieci nie znalazły jej rano i nie główkowały, co zaszło.

— Zaraz włożę koszulę nocną, Joe, ale najpierw musimy coś raz na zawsze wyjaśnić.

Podniósł głowę i spojrzał na mnie, zaciskając wargi.

— Uważaj, Dolores, i nie pozwalaj sobie za dużo. Chyba nie chcesz mnie wkurwić, co?

— Bynajmniej. A teraz słuchaj: od dziś nie waż się mnie więcej uderzyć. Jeśli jeszcze kiedykolwiek podniesiesz na mnie rękę, jedno z nas wyląduje w szpitalu. Albo w kostnicy.

Patrzył na mnie długo, Andy, bardzo długo, a ja patrzyłam na niego. Siekiera leżała pod fotelem, Joe nie miał jej w ręce, ale co z tego? Wiedziałam, że jeśli pierwsza spuszczę wzrok, zacznie mnie okładać kułakami po karku i plecach, aż zwalę się nieprzytomna. W końcu skierował oczy na gazetę.

— Weź się do roboty, kobieto — mruknął. — Przynieś ręcznik i owiń mi głowę. Już i tak upaprałem sobie krwią całą koszulę.

Od tego czasu nie uderzył mnie ani razu. Wiecie, w głębi duszy był tchórzem, chociaż mu tego nie powiedziałam — ani tamtego wieczoru, ani kiedykolwiek. I słusznie, bo byłoby to naprawdę niebezpieczne: tchórz boi się tego, że prawda o jego tchórzostwie wyjdzie na jaw, znacznie bardziej niż śmierci.

Oczywiście od dawna wiedziałam, że Joe jest tchórzem podszyty; nie odważyłabym się zdzielić go w łeb dzbanuszkiem od śmietanki, gdybym nie liczyła na to, że uda mi się go przestraszyć. Poza tym, kiedy rąbnął mnie polanem i siedziałam na krześle, czekając, aż nerki przestaną mnie boleć, zrozumiałam jedno: jeśli nie postawię mu się teraz, nie postawię mu się nigdy w życiu. Więc nie miałam wyjścia.

Swoją drogą, samo walnięcie go w łeb nie było takim wielkim wyczynem. Ale zanim dojrzałam do tego kroku, musiałam spojrzeć innym okiem na tatę, na to, jak pchnął mamę w twarz i jak zdzielił ją po nogach kawałkiem mokrego płótna. Nie przyszło mi to łatwo, bo serdecznie kochałam ich oboje, ale jakoś się przezwyciężyłam... chyba po prostu dlatego, że nie miałam wyboru. I cieszę się, że tak się stało, bo dzięki temu

Selena nie będzie miała wspomnień jak moje, nie będzie pamiętać swojej matki beczącej w kącie, z głową nakrytą ścierką. Mama godziła się na wszystko, co jej serwował tata, ale nie mnie sądzić ją czy jego. Może musiała się godzić, a on może musiał ją czasem trzepnąć, bo inaczej faceci, wśród których się obracał i z którymi pracował, uważaliby go za pantoflarza. Czasy były inne — ludzie zapominają, jak bardzo inne — ale czy ja też miałam się dać Joemu maltretować tylko dlatego, że byłam głupia i za niego wyszłam? Przemawianie kobiecie do słuchu wcale nie oznacza, że można ją walić pięścią lub polanem, więc wreszcie zdobyłam się na sprzeciw i postanowiłam, że już nigdy nie pozwolę, aby Joe St. George czy jakikolwiek facet traktował mnie tak podle.

Zdarzało się, że później podnosił na mnie rękę, ale zawsze w porę się opamiętywał. Czasami, kiedy trzymał ją w powietrzu, chcąc zadać cios, lecz nie mając dość odwagi, widziałam po jego oczach, że przypomina sobie dzbanuszek ze śmietanką... i może również siekierę. Po chwili udawał, że podniósł rękę po to, żeby się podrapać po głowie lub obetrzeć pot z czoła. Tę jedną lekcję dobrze zapamiętał. Jedną jedyną w życiu.

Tamten wieczór, kiedy Joe zdzielił mnie polanem, a ja mu rozbiłam głowę, miał jeszcze jeden skutek. Niechętnie o tym wspominam — jestem staroświecka i uważam, że nie powinno się zdradzać nikomu, co dzieje się za drzwiami sypialni — ale postanowiłam wam powiedzieć, bo to również wyjaśnia, dlaczego dalsze sprawy potoczyły się tak, a nie inaczej.

Choć przez następne dwa lata — a może prawie trzy, już dokładnie nie pamiętam — nadal byliśmy małżeństwem i mieszkali pod jednym dachem, nie zdarzyło się częściej niż kilka razy, aby Joe chciał spełnić swój małżeński obowiązek. Po tamtym zajściu...

Co, Andy?

Rusz łepetyną, a o co jeszcze może mi chodzić, jak nie o to, że stał się impotentem. Co innego mogę mieć na myśli — że chciał paradować w mojej bieliźnie, czy co? Nigdy mu nie odmawiałam; po prostu sam stracił ochotę. Nawet tuż po ślubie nie należał do facetów, którzy co noc mają chrapkę na te rzeczy, ani do takich, którzy lubią przeciągać sprawę; zwykle szast-prast i było po wszystkim. Na ogół gramolił się na mnie ze dwa razy na tydzień... aż do czasu, kiedy rozbiłam mu na głowie dzbanuszek.

Częściowo winne było chlanie — w ostatnich latach życia żłopał znacznie więcej niż wcześniej — ale dałabym sobie rękę uciąć, że szło o coś więcej. Któregoś dnia stoczył się ze mnie po dwudziestu minutach daremnego stękania i sapania, a to, co chłop nosi między nogami, zwisało mu bezwładnie, jak smutny klusek. Nie wiem, jak długo to było po owym wieczorze, ale na pewno wydarzyło się później, bo leżąc, czułam łupanie w krzyżu i myślałam sobie, że muszę wstać i łyknąć parę aspiryn, inaczej mi nie przejdzie.

— Sama widzisz — powiedział płaczliwym głosem. — Mam nadzieję, że jesteś zadowolona, Dolores. O to ci chodziło?

Nie zareagowałam. Czasami, nawet gdy język świerzbi, lepiej milczeć.

— O to? — powtórzył. — Jesteś zadowolona?

Znów nie zareagowałam, tylko leżałam, wpatrując się w sufit i wsłuchując w wiatr hulający za oknem. Tej nocy wiał ze wschodu; pobrzmiewał w nim odgłos oceanu. Uwielbiam ten dźwięk. Działa na mnie kojąco.

Joe obrócił się; poczułam na twarzy jego kwaśny, cuchnący piwem oddech.

— Kiedyś pomagało gaszenie światła — oznajmił — ale teraz nic nie daje. Nawet w mroku widzę twoją ohydną gębę. — Wyciągnął łapę, chwycił mnie za pierś i potrząsnął nią. — Cycki też masz ohydne, płaskie jak naleśniki, a pizdę jeszcze gorszą. Cholera, nie skończyłaś nawet trzydziestu pięciu lat, a czuję się tak, jakbym pieprzył lisią norę.

Korciło mnie, by odpowiedzieć, że do lisiej nory przynajmniej zdołałby wsunąć ten swój miękki klusek i poczuć się mężczyzną, ale wolałam trzymać język za zębami. Patrycja Claiborne nie wychowała córki na idiotkę.

Przez chwilę leżeliśmy w ciszy. Sądziłam, że naubliżał mi i zasnął; już chciałam wstać i iść po aspirynę, kiedy znów się odezwał... ale tym razem, słowo daję, płakał!

— Żałuję, że cię kiedykolwiek ujrzałem! — wyrzucił z siebie. — Dlaczego nie zamachnęłaś się tą cholerną siekierą i nie odcięłaś mi go raz na zawsze? Wyszłoby na to samo.

Jak widzicie, nie tylko mnie przyszło na myśl, że rozbicie Joemu na głowie dzbanuszka ze śmietanką i zaprowadzenie nowych porządków w domu miało związek z jego kłopotami w pościeli. Ale nadal nic nie mówiłam; czekałam, żeby zobaczyć, czy pójdzie spać, czy będzie chciał wyładować na mnie swoją niemoc. Leżał obok zupełnie nagi, więc widziałam, gdzie go najlepiej zaatakować, jeśli podniesie na mnie łapę. Wkrótce jednak rozległo się chrapanie. Nie pamiętam, czy to wtedy po raz ostatni Joe się do mnie dobierał, ale jeśli później próbował, to już niezmiernie rzadko.

Oczywiście żaden z jego kumpli nawet się nie domyślał, co się działo u nas w domu — Joe nie zamierzał się przecież nikomu chwalić, że żona rozwaliła mu na głowie dzbanuszek i uszło jej to płazem, a jego ptaszek przestał zadzierać łebek. Uchowaj Boże! Kiedy inni pysznili się, jak sobie radzą z babami, nie był od nich gorszy, przechwalając się, że nawkładał mi po buzi, bo za bardzo pyskowałam albo dlatego, że kupiłam nową kieckę w Jonesport, nie pytając go o zgodę.

Skąd o tym wiem? No, potrafię czasem trzymać gębę na kłódkę i nadstawiać ucha. Widzę, że trudno wam w to uwierzyć, skoro cały wieczór trajkoczę jak katarynka, ale to szczera prawda.

Pamiętam, jak któregoś dnia sprzątałam u Marshallów... Znałeś Johna Marshalla, co, Andy? To ten gość, który ciągle powtarzał, że trzeba zbudować most łączący wyspę z lądem... No i nagle rozległ się dzwonek do drzwi. Byłam sama w domu, więc ruszyłam pospiesznie, żeby je otworzyć, ale potknęłam się o brzeg dywanu i huknęłam w gzyms nad kominkiem. Nabiłam sobie wielkiego siniaka tuż powyżej łokcia.

Mniej więcej trzy dni później, kiedy siniak zmienił barwę z ciemnobrunatnej na żółtawozieloną, natknęłam się na ulicy na Yvette Anderson. Wychodziła ze spożywczego, a ja właśnie wchodziłam do środka. Spojrzawszy na siniec na moim ramieniu, przemówiła głosem wręcz ociekającym współczuciem. Tylko baba, która zobaczy coś, co wprawia ją w równie znakomity humor jak świnię widok błotnistej kałuży, potrafi nadać swojemu głosowi takie brzmienie.

— Mężczyźni to potwory, prawda, Dolores?

— Niektórzy tak, inni nie — odparłam.

Pojęcia nie miałam, o czym gada. Chciałam szybko wejść do sklepu i nabyć trochę wieprzowych żeberek, które tego dnia były na wyprzedaży, zanim je inni wykupią.

Poklepała mnie delikatnie po ramieniu — tym nieposiniaczonym — i rzekła:

— Bądź silna, Dolores. Wszystko się jakoś ułoży. Też przez to przeszłam, więc wiem, o czym mówię. Będę się za ciebie modlić, moja droga.

Powiedziała to takim tonem, jakby obiecywała mi milion dolarów, po czym ruszyła w swoją stronę. Weszłam do sklepu zupełnie ogłupiała. Gotowa bym była przysiąc, że Yvette straciła rozum, gdyby nie to, że nie można stracić czegoś, czego się nigdy nie miało.

Zrobiłam część zakupów i akurat stałam w dziale mięsnym, z koszykiem zawieszonym w zgięciu łokcia, obserwując, jak Skippy Porter waży żeberka, kiedy wreszcie do mnie dotarło, o co chodzi. Odrzuciłam do tyłu głowę i zaczęłam się śmiać na całe gardło; wiedziałam, że choćbym chciała, nie zdołam się opanować.

— Czy wszystko w porządku, pani St. George? — spytał Skippy.

— Tak — odparłam rechocząc. — Po prostu przypomniało mi się coś zabawnego.

— Na to wygląda — rzekł Skippy i wrócił do ważenia mięsa.

Bogu niech będą dzięki, Andy, że stworzył takich ludzi jak Porterowie; póki mieszkają na wyspie, mamy przynajmniej jedną rodzinę, która umie pilnować własnego nosa. W każdym razie ryczałam ze śmiechu. Inne klientki patrzyły na mnie jak na wariatkę, ale zupełnie się tym nie przejmowałam. Czasem życie jest tak komiczne, że po prostu trzeba się śmiać.

Jak wiecie, Yvette jest żoną Tommy'ego Andersona, a Tommy był właśnie jednym z kumpli, z którymi Joe żłopał piwo i rżnął w pokera pod koniec lat pięćdziesiątych i na początku sześćdziesiątych. Dwa dni po tym, jak nabiłam sobie siniaka, kilku kolesiów wpadło do Joego, żeby pomóc mu zreperować jego najnowszy nabytek — półciężarówkę forda, która była kompletnym wrakiem. Wyniosłam im przed dom dzbanek mrożonej herbaty, w nadziei że jak się napiją, to może do zachodu słońca nie zaczną chlać piwa.

Tommy musiał dojrzeć siniec, gdy mu nalewałam herbaty. Kiedy odeszłam, pewnie jakoś to skomentował, może spytał Joego, co się stało. A Joe St. George nie należał do facetów, którzy przepuściliby taką okazję. Przez całą drogę do domu zastanawiałam się, co Joe powiedział koleżkom: że ukarał mnie, bo nie postawiłam jego kapci przy piecu, żeby się ogrzały, zanim je włoży? Że rozgotowałam fasolę, przyrządzając sobotni obiad? Bez względu na to, co wymyślił, Tommy po powrocie do domu powiedział Yvette, że Joe St. George znów był zmuszony przemówić żonie do słuchu. A przecież rąbnęłam się sama o gzyms nad kominkiem, kiedy biegłam zobaczyć, kto dzwoni do drzwi Marshallów!

Właśnie o tym myślałam, mówiąc, że to, co widzą obcy, i to, co rzeczywiście dzieje się między mężem a żoną, to dwie różne strony medalu. Joe i ja uchodziliśmy pewnie za typowe małżeństwo z kilkuletnim stażem, ani zbyt szczęśliwe, ani zbyt nieszczęśliwe, które po prostu ciągnie ten swój wóz niczym para koni... Wiele jest takich małżeństw; może on i ona już nie zerkają na siebie tak często jak dawniej, może nie układa się między nimi tak dobrze jak kiedyś, ale idą w zaprzęgu obok siebie i ciągną wóz równo, nie gryząc się, nie leniąc i nie robiąc nic, za co należałyby się baty.

Ale ludzie to nie konie, a małżeństwo — wbrew temu, co się komuś może wydawać — to nie wspólne ciągnięcie wozu. Mieszkańcy wyspy nie wiedzieli o dzbanuszku ze śmietanką ani o tym, że Joe płakał w nocy, żałując, że kiedykolwiek ujrzał moją ohydną gębę. Jednak nie to było najgorsze. Najgorsze zaczęło się mniej więcej rok albo półtora po tym, jak przestał dobierać się do mnie w pościeli. To śmieszne, że coś może się rozgrywać niemal na oczach ludzi, a oni i tak wyciągną fałszywe wnioski. Ale trudno się dziwić, skoro wszystko ma dwie strony, a ludzie zwykle widzą tylko tę jedną — zewnętrzną. Opowiem wam, co się w tym czasie naprawdę działo w naszym domu, choć aż do dnia dzisiejszego myślałam, że zdołam zachować to w tajemnicy.

Kiedy teraz się nad tym zastanawiam, wydaje mi się, że wszystko zaczęło się jeszcze w sześćdziesiątym drugim. Selena właśnie rozpoczęła naukę w szkole średniej w Jonesport. Wyrosła na ładną dziewczynę; pamiętam, że w te wakacje, kiedy skończyła dziewiątą klasę, zapanowały między nią i jej tatą znacznie lepsze stosunki niż w poprzednich dwóch latach. Wcześniej potwornie się bałam, co będzie, kiedy Selena zacznie dorastać i kwestionować przeróżne nakazy i zakazy Joego — wyobrażałam sobie niekończące się awantury.

Tymczasem nastał idealny spokój, oboje odnosili się do siebie ciepło i serdecznie. Selena wychodziła za dom i obserwowała, jak Joe reperuje swoje stare gruchoty albo siadywała przy nim, kiedy oglądaliśmy wieczorami telewizję (choć to wcale nie podobało się małemu Pete'owi) i podczas przerw na reklamy pytała go, jak mu minął dzień. Odpowiadał jej spokojnie i z rozmysłem, zupełnie jak nie on... aż mi to coś przypomniało. Tak mówił do mnie, kiedy wpadłam mu w oko i chciał, żebym została jego dziewczyną.

Jednocześnie Selena coraz bardziej odsuwała się ode mnie. Wciąż robiła w domu to, co jej kazałam, i czasem nawet opowiadała mi, jak było w szkole... ale tylko wtedy, kiedy brałam ją na spytki. W jej stosunku do mnie pojawił się jakiś chłód. Nie od razu zrozumiałam, że zmiana w zachowaniu córki zaczęła się od tamtego wieczoru, kiedy Selena wyjrzała z sypialni i zobaczyła tatę z dłonią przyciśniętą do ucha i krwią cieknącą między palcami, oraz mamę stojącą nad nim z siekierą.

Jak już mówiłam, Joe nie należał do ludzi, którzy przepuściliby jakąkolwiek okazję; zaraz będziecie mieli kolejny przykład. Tommy'emu Andersonowi wcisnął gadkę, że nabił mi siniaka, a córce zupełnie inną, ale obie były z tej samej parafii. Myślę, że z początku chciał mi tylko dokuczyć; wiedział, jak bardzo kocham Selenę, więc uznał, że opowiadając jej, jaką jestem wredną i niebezpieczną megierą, świetnie się na mnie odegra. Próbował nastawić ją przeciwko mnie i choć nie do końca mu się to udało, przynajmniej zbliżył się do córki bardziej niż kiedykolwiek od czasów, kiedy była małym dzieckiem. Zresztą trudno się dziwić. Selena zawsze miała miękkie serce, a jeszcze nie spotkałam faceta, który umiałby tak się nad sobą użalać jak Joe.

Najpierw pozyskał jej współczucie, a wkrótce potem dostrzegł, jaka ładna wyrosła z niej dziewczyna, i przestało mu wystarczać, że słucha jego gadania lub podaje mu narzędzia, kiedy sam stoi zgięty, z łbem pod maską jakiegoś gruchota. A ja nie widziałam, co się dzieje, bo byłam zbyt zalatana, harując po cudzych domach od świtu do nocy, żeby mieć co do garnka włożyć i żeby zaoszczędzić trochę grosza na studia dzieci. Byłam ślepa; dopiero w ostatniej chwili przejrzałam na oczy.

Selena była żywą, szczebiotliwą dziewczyną i zawsze z entuzjazmem spełniała wszystkie polecenia. Jeśli posłało się ją po coś, to nie szła, a biegła. Kiedy podrosła, sama gotowała obiad, gdy mnie nie było w domu; nawet nie musiałam jej o to prosić. Z początku zdarzało jej się to czy tamto przypalić i Joe albo ją rugał, albo się z niej wyśmiewał — wtedy na ogół uciekała z płaczem do swojego pokoju — ale potem, właśnie w tym okresie, o którym mówię, wszystko się nagle zmieniło. Na wiosnę i w lecie sześćdziesiątego drugiego roku Joe zachowywał się tak, jakby zapiekanki Seleny miały smak ambrozji, nawet jeśli były przypalone i twarde jak beton, a jej pasztety wynosił pod niebiosa niby najwykwintniejsze francuskie frykasy. Cieszyły ją te pochwały — nic dziwnego, każdego by cieszyły — ale nie wpadała w nadmierną dumę. Taka już była: skromna. W końcu jednak nauczyła się tak świetnie gotować, że nie mogłam się z nią równać!

Jeśli chodzi o pomaganie w domu, nie wyobrażam sobie lepszej córki. Zwłaszcza dla kogoś takiego jak ja, co większość życia sprząta u innych, Selena była wprost nieoceniona. Zawsze upewniała się, czy Jim i mały Pete mają ze sobą drugie śniadanie, kiedy rano wychodzili z domu, a na początku roku szkolnego okładała im wszystkie podręczniki. Jim był na tyle duży, że sam mógł swoje okładać, ale nawet nie dawała mu okazji.

Przez pierwszy rok nauki w liceum była jedną z najlepszych uczennic, ale w przeciwieństwie do innych dzieci w jej wieku ani na moment nie zapominała o domu. Większość smarkaczy, kiedy kończy trzynaście czy czternaście lat uważa, że każdy powyżej trzydziestki to zramolały wapniak; natychmiast też wybywają z domu, gdy do starych przychodzą goście. Ale nie Selena. Podawała kawę, pomagała mi zmywać, a potem siadała na swoim miejscu przy żelaznym piecu i przysłuchiwała się rozmowom dorosłych. Ilekroć do mnie wpadła przyjaciółka czy do Joego kumple, Selena siedziała i słuchała. Sprzeciwiałam się jej obecności jedynie wtedy, gdy Joe z koleżkami rżnął w pokera. Nie chciałam, żeby ich słuchała, bo mieli niewyparzone gęby. A ona chłonęła rozmowy jak gąbka i zapamiętywała wszystko, nawet to, czego nie rozumiała.

I nagle się zmieniła. Nie wiem, kiedy dokładnie to się stało, ale wkrótce po tym, gdy zaczęła dziesiątą klasę; chyba pod koniec września zauważyłam, że jest jakaś inna.

Najpierw zorientowałam się, że wraca do domu późniejszym promem niż w zeszłym roku — tym, który odpływał o czwartej czterdzieści pięć — choć gdyby wracała wcześniejszym — tym o drugiej — miałaby czas odrobić lekcje u siebie w pokoju, zanim zjawią się chłopcy, a potem trochę posprzątać i zacząć szykować obiad.

Kiedy ją o to spytałam, odpowiedziała, że po prostu woli odrabiać lekcje w świetlicy szkolnej, i spojrzała na mnie dziwnie, z ukosa, jakby nie chciała więcej o tym mówić. Miałam wrażenie, że wstydzi się czegoś albo kłamie. Trochę się zaniepokoiłam, ale postanowiłam, że dopóki nie dowiem się, co jest nie w porządku, nie będę jej na siłę ciągnąć za język. Bo rozmowa z Seleną nie należała do łatwych. Czułam, że coś nas dzieli, i domyślałam się, że wiąże się to z tamtym wieczorem, kiedy widziała, jak Joe z zakrwawionym uchem podnosi się z fotela, a ja stoję nad nim z siekierą. Właśnie tego wrześniowego dnia po raz pierwszy przyszło mi do głowy, że rozmawiał z nią o tym incydencie, a także o innych sprawach, przedstawiając oczywiście swoją wersję.

Uznałam, że jeśli zacznę maglować Selenę o to, dlaczego zostaje po lekcjach w szkole, może jeszcze bardziej się ode mnie odsunąć. Bo bez względu na to, jak formułowałam w myślach pytanie, które chciałam jej zadać, jego sens był następujący: „Co ty tam knujesz, dziecko?". A skoro nawet mnie, trzydziestopięcioletniej kobiecie, takie pytanie wydawało się zbyt obcesowe, mogłam sobie wyobrazić, jak zabrzmiałoby w uszach wrażliwej dziewczyny, która nie skończyła jeszcze piętnastu lat. Strasznie ciężko rozmawia się z dziećmi, kiedy są w tym wieku; trzeba stąpać wokół nich na paluszkach, zupełnie jak wokół pojemnika nitrogliceryny stojącego na środku pokoju.

W każdym razie wkrótce po rozpoczęciu roku szkolnego odbywała się pierwsza wywiadówka, więc tak sobie zaplanowałam pracę, żeby się na nią wybrać. Z wychowawczynią Seleny nie musiałam się tak cackać jak z córką: podeszłam do niej i spytałam wprost, czy nie wie, dlaczego Selena wraca dopiero promem odpływającym przed piątą. Odparła, że jej zdaniem Selena po prostu lubi odrabiać lekcje w świetlicy. Pomyślałam, że skoro cały poprzedni rok chętnie odrabiała lekcje przy biureczku u siebie w pokoju, musi istnieć jakiś inny powód. Powiedziałabym o tym wychowawczyni, gdybym sądziła, że zdoła mi pomóc, podejrzewałam jednak, że nic nowego się od niej nie dowiem. Pewnie sama, cholera, zmykała do domu zaraz po ostatnim dzwonku.

Od innych nauczycielek też się guzik dowiedziałam. Wychwalały Selenę pod niebiosa, aż mi się ciepło robiło na duszy, ale kiedy ruszyłam w drogę powrotną, byłam tak samo głupia jak przed wyjazdem z domu.

Siedziałam na promie przy oknie i obserwowałam chłopaka i dziewczynę, niewiele starszych od Seleny, którzy stali przy relingu i trzymając się za ręce, wpatrywali się w księżyc wschodący nad oceanem. Chłopak zerknął na dziewczynę i coś powiedział, a ona parsknęła śmiechem. Będziesz ostatnim kretynem, chłopaczku, jeśli zmarnujesz taką okazję, pomyślałam, ale nie zmarnował: ujął jej drugą dłoń, po czym pochylił się i całkiem zgrabnie ją pocałował. Chryste, ale ty jesteś durna, powiedziałam do siebie, wciąż obserwując młodych. Albo durna, albo tak stara, że już zapomniałaś, co to znaczy mieć piętnaście lat, kiedy z każdej komórki w ciele strzelają fajerwerki dwadzieścia cztery godziny na dobę. Selena poznała jakiegoś chłopaka, ot i cała tajemnica. Poznała chłopaka i razem odrabiają lekcje w świetlicy. I pewnie więcej gapią się na siebie niż w książki. Nawet sobie nie wyobrażacie, jaką poczułam ulgę.

Myślałam o tym przez kilka następnych dni — niezaprzeczalną zaletą prania pościeli, prasowania koszul i odkurzania dywanów jest to, że ma się od groma czasu na myślenie — ale im dłużej myślałam, tym mniejszą czułam ulgę. Selena ani słowem nie zająknęła się o żadnym chłopaku, a przecież dotąd zawsze opowiadała wszem wobec o każdym nowym wydarzeniu w swoim życiu. Wprawdzie od jakiegoś czasu stała się bardziej skryta i nie zwierzała mi się ze wszystkiego, ale też i nie dzieliła nas ściana milczenia. Poza tym zawsze sądziłam, że jak Selena się zakocha, nie tylko roztrąbi to po całej okolicy, ale jeszcze zamieści ogłoszenie w prasie.

Wiecie, co mnie najbardziej zaniepokoiło, a nawet przygnębiło? Jej oczy. Kiedy dziewucha ma bzika na punkcie chłopaka, oczy jej lśnią tak, jakby ktoś podświetlał je od wewnątrz latarką. Tymczasem w oczach Seleny nie widziałam jakiejś wyjątkowej jasności... Ale z tym jeszcze mogłam się pogodzić. Przestraszyłam się dopiero, kiedy zobaczyłam, że straciły ten blask, który miały dawniej. Patrząc w oczy córki, miałam wrażenie, że patrzę w okna domu, z którego wszyscy wyszli, gasząc po sobie światła, lecz nie zaciągając zasłon.

To z kolei mnie otworzyło oczy; zaczęłam dostrzegać różne rzeczy, które powinnam była widzieć wcześniej — i które pewnie bym zauważyła, gdybym nie była taka zaharowana i gdybym nie wmówiła sobie, że Selena ma mi za złe, że rozbiłam głowę jej tacie.

Po pierwsze zwróciłam uwagę, że odsunęła się nie tylko ode mnie. Również od Joego. Przestała wychodzić na podwórze, żeby z nim pogadać, kiedy pracował przy jednym z gruchotów lub naprawiał silnik czyjejś motorówki, i nie siadywała obok niego wieczorami, kiedy oglądaliśmy telewizję. Jeśli zostawała z nami w salonie, to przycupnięta przy piecu, na fotelu bujanym, zwykle z robótką w ręku. Ale przeważnie szła do siebie do pokoju i zamykała drzwi. Joemu to nie przeszkadzało — albo tego nie zauważał. Znów rozsiadał się w swoim fotelu i trzymał Pete'a na kolanach, aż nadchodziła pora położyć małego spać.

Zwróciłam też uwagę na włosy Seleny — nie myła głowy codziennie, jak dawniej. Czasami miewała włosy tak tłuste, że można by na nich usmażyć jajecznicę, a to już było całkiem do niej niepodobne. Zawsze miała prześliczną cerę, świeżą i delikatną — odziedziczyła karnację Joego — a tu nagle, w październiku, powyskakiwały jej na twarzy pryszcze, równie liczne jak mlecze na błoniach w czerwcu. W dodatku była blada i straciła apetyt.

Wciąż odwiedzała swoje najlepsze przyjaciółki, Tanyę Caron i Laurie Langill, ale nie tak często jak w wyższych klasach podstawówki. Raptem zdałam sobie sprawę, że od początku roku szkolnego Tanya i Laurie ani razu nie wpadły do Seleny... i chyba nie zaglądały też w ciągu ostatniego miesiąca wakacji. To mnie tak przeraziło, Andy, że zaczęłam o wiele baczniej przypatrywać się córce. A wtedy przeraziłam się jeszcze bardziej.

Na przykład, zupełnie inaczej się teraz ubierała. Nie chodzi mi o to, że nosiła inny sweter, spódnicę czy sukienkę niż dawniej; zmieniła cały swój styl, i to na gorsze. W ogóle nie było widać jej sylwetki. Zamiast nosić do szkoły spódniczki czy dobrze dopasowane sukienki, przeważnie wkładała na bluzkę obszerną suknię bez rękawów, o kilka numerów za dużą. Wyglądała jak grubaska, choć była zgrabna i szczupła.

Po domu łaziła w wielkich, luźnych swetrach, które sięgały jej niemal do kolan, w dżinsach i w solidnych buciorach. Kiedy wychodziła, wiązała wokół głowy jakąś ohydną szmatę, tak ogromną, że sterczała jej nad czołem, przez co oczy Seleny przypominały dwa zwierzątka wyzierające z nory. Wyglądała jak babochłop, a przecież dotąd ubierała się tak samo jak inne dziewczyny. Którejś nocy, gdy weszłam do jej pokoju bez pukania — po prostu zapomniałam zastukać — Selena o mało nie połamała nóg, biegnąc po szlafrok wiszący na drzwiach szafy, chociaż nie świeciła gołym tyłkiem, bo miała na sobie halkę.

Najgorsze jednak było to, że prawie się nie odzywała. Nie tylko do mnie, co od biedy mogłabym zrozumieć, zważywszy na chłód, jaki między nami panował. Ale przestała rozmawiać z kimkolwiek. Podczas kolacji siedziała przy stole ze spuszczoną głową i opadającą na oczy grzywką, którą niedawno zapuściła, a kiedy usiłowałam nawiązać rozmowę i pytałam, jak było w szkole, mruczała: „jako tako" lub „normalnie", choć kiedyś buzia dosłownie się jej nie zamykała. Jim też próbował z nią rozmawiać, ale było tak, jakby gadał do ściany. Parę razy zerknął na mnie zdziwiony. Wzruszałam ramionami. Kiedy posiłek dobiegał końca, Selena szybko zmywała talerze, po czym natychmiast wybywała z domu albo zamykała się u siebie.

A ja, biedna idiotka, kiedy już wykluczyłam obecność chłopaka w życiu Seleny, pomyślałam, że w grę wchodzi marihuana... nie patrz na mnie, Andy, jakbym nie wiedziała, co mówię. W tamtych czasach trawa może nie była tak popularna jak teraz, ale kupa rybaków zajmowała się szmuglem, zwłaszcza jeśli spadała cena na homary... a nawet kiedy nie spadała. Sporo marychy szło na kontynent przez nasze wyspy, podobnie jak teraz, część jednak zostawała na miejscu. Nie było kokainy, dzięki Bogu, ale jeśli ktoś chciał zapalić skręta, wiedział, do kogo się zwrócić. Tamtego lata straż przybrzeżna aresztowała Marky'ego Benoit — znaleźli cztery bele marychy w ładowni „Maggie's Delight". Może dlatego uznałam, że chodzi o trawę; wciąż po tylu latach nie mogę uwierzyć, że nie potrafiłam od razu zgadnąć, jakie Selena ma kłopoty. Przecież odpowiedź siedziała naprzeciw mnie co wieczór przy kolacji: wiecznie niewykąpany i nieogolony Joe St. George, największy majster-klepka na wyspie. A ja zastanawiałam się, czy moja kochana córeczka przypadkiem nie kurzy popołudniami marychy za drewutnią szkolną! Ja, która ciągle powtarzam, że matka nie wychowała mnie na idiotkę. Chryste Panie!

Miałam ochotę zakraść się do pokoju Seleny, przeszukać jej szafę i szuflady, ale zdjęło mnie obrzydzenie do samej siebie. Wiele złego można o mnie powiedzieć, Andy, lecz nie to, że kiedykolwiek bawiłam się w szpicla. Jednak sam pomysł przeprowadzenia rewizji pomógł mi uświadomić sobie, że wciąż nie mam bladego pojęcia, co się dzieje z moją córką, i muszę czym prędzej wziąć byka za rogi, a nie liczyć na to, że problem sam się rozwiąże albo Selena przyjdzie i mi się zwierzy.

Któregoś dnia — niedługo przed świętem Halloween, bo pamiętam, że mały Pete umieścił w oknie papierową czarownicę — byłam umówiona po obiedzie u Strayhornów. Razem z Lisą McCandless miałyśmy obrócić na drugą stronę kosztowne perskie dywany w salonie — trzeba to robić co sześć miesięcy, żeby nie wyblakły albo żeby równomiernie zmieniały kolor, coś w tym rodzaju. Włożyłam ciepły płaszcz, zapięłam się i już byłam w drodze do drzwi, kiedy pomyślałam: po co ci płaszcz, idiotko? Na dworze jest co najmniej osiemnaście stopni, prawdziwe babie lato. Ale po chwili jakiś wewnętrzny głos odpowiedział: na wodzie nie będzie osiemnastu, tylko góra dziesięć. W dodatku będzie wilgotno. I nagle zrozumiałam, że wcale nie wybieram się do domu Strayhornów, a wsiadam na prom i jadę do Jonesport, żeby wyjaśnić sprawę z Seleną. Zadzwoniłam do Lisy, powiedziałam jej, że zajmiemy się dywanami innym razem, i ruszyłam na przystań. Akurat zdążyłam na prom odchodzący o drugiej piętnaście. Gdybym się spóźniła, pewnie minęłybyśmy się z Seleną, a kto wie, jak by się wtedy wszystko potoczyło?

Zeszłam z promu jako pierwsza — jeszcze mocowano ostatnią cumę do pachołka, kiedy zbiegłam na dok — i udałam się prosto do szkoły. Po drodze wbiłam sobie do głowy, że na pewno nie zastanę Seleny w świetlicy, bez względu to, co ona i jej wychowawczyni mi mówiły, że znajdę ją za drewutnią, z resztą gówniarzerii... będą się śmiać, podszczypywać, może podawać sobie wkoło butelkę taniego wina ukrytego w papierowej torbie. Jeśli ktoś sam nie był w takiej sytuacji, nie zrozumie, co czułam. Mogę wam tylko powiedzieć, że nie ma jak się zabezpieczyć przed złamanym sercem. Trzeba robić swoje i modlić się, żeby żadna tragedia nie przydarzyła się akurat tobie.

Kiedy otworzyłam drzwi do świetlicy i zajrzałam do środka, zobaczyłam Selenę; siedziała przy stole pod oknem, pochylona nad podręcznikiem do algebry. Nie od razu mnie dostrzegła, więc przez chwilę po prostu stałam, patrząc na nią. Wbrew moim obawom nie wpadła w złe towarzystwo, ale i tak serce mi się krajało, bo wyglądała przeraźliwie samotnie, jakby nie miała żadnych znajomych, a nawet nieodpowiednie towarzystwo jest lepsze od braku jakiegokolwiek. Może wychowawczyni nie widziała nic nienormalnego w tym, że Selena uczy się sama jedna po lekcjach w ogromnej, pustej sali; może nawet uważała to za godne pochwały. Ale mnie się nie wydawało to ani chwalebne, ani normalne. Selena tkwiła tu sama jak palec; poza nią nie było nikogo, choćby rozrabiaków ukaranych pozostaniem w szkole po lekcjach, bo w Jonesport ci odbywali karę w bibliotece, nie w świetlicy.

Powinna była spędzać czas z koleżankami, słuchać płyt i wzdychać do jakiegoś chłopaka, a zamiast tego siedziała w zakurzonym wnętrzu oświetlonym przez smugi popołudniowego słońca, pośród zapachu kredy, lakieru do podłóg i ohydnych czerwonych trocin, którymi woźne wysypują posadzkę po wyjściu uczniów. Siedziała z głową spuszczoną nisko nad książką, jakby chciała z niej wyczytać wszystkie tajemnice życia i śmierci.

— Cześć, Selena — powiedziałam.

Skuliła się jak królik i zrzuciła na ziemię kilka książek, oglądając się, by sprawdzić, kto do niej mówi. Oczy miała tak wielkie, że zdawały się zajmować całą górną połowę twarzy, a policzki i czoło blade jak maślanka w białej filiżance. Z wyjątkiem paru miejsc, gdzie wyskoczyły jej nowe pryszcze, czerwone jak ślady oparzeń.

Kiedy zobaczyła, że to ja, przerażenie znikło, ale uśmiech się nie pojawił. Zupełnie jakby okiennica zasłoniła jej twarz... albo jakby Selena weszła do warownej twierdzy i podciągnęła za sobą zwodzony most. Tak właśnie wyglądała.

— Mama! — zawołała. — Co tu robisz?

Miałam ochotę powiedzieć: „Przyjechałam, żeby cię zabrać do domu i po drodze wypytać, co się z tobą dzieje, kochanie", ale zrozumiałam, że to byłby błąd, że nie powinnam tego mówić w pustej świetlicy, gdzie czułam strach córki równie silnie jak zapach kredy i czerwonych trocin. Tak, czułam jej strach i zamierzałam poznać jego przyczynę. Sądząc po wyglądzie Seleny, już stanowczo za długo zwlekałam. W każdym razie tam, w świetlicy, przestałam podejrzewać, że chodzi o marychę. Widziałam, że Selena wyraźnie się czegoś boi. I że ten strach zżera ją od środka.

Odparłam więc, że wzięłam sobie wolne popołudnie i przyjechałam rozejrzeć się trochę po sklepach, ale nic nie wpadło mi w oko.

— I pomyślałam, że może wrócimy razem promem — zakończyłam. — Nie masz nic przeciwko temu?

Wreszcie się uśmiechnęła. Wierzcie mi, gotowa byłam zapłacić tysiąc dolarów za ten uśmiech... za uśmiech mojej córki przeznaczony wyłącznie dla mnie.

— Skądże, mamusiu — rzekła. — Bardzo się cieszę.

Więc zeszłyśmy ze wzgórza do przystani promu, a kiedy zaczęłam ją pytać o szkołę, dowiedziałam się znacznie więcej niż przez ostatnie kilka tygodni. Jeśli pominąć pierwsze spojrzenie, jakim mnie obrzuciła — niczym zdybany przez kocura królik — była bardziej podobna do dawnej Seleny; wróciła mi nadzieja.

Pewnie wiecie — no, może z wyjątkiem Nancy — jak mało pasażerów podróżuje promem odpływającym o czwartej czterdzieści pięć do Little Tall i Outer Islands. Większość wyspiarzy pracujących na lądzie wraca o piątej trzydzieści, a o czwartej czterdzieści pięć zwykle przewozi się paczki oraz towary i warzywa do supermarketu. Więc chociaż było wspaniałe jesienne popołudnie, bynajmniej nie chłodne i wilgotne, jak się spodziewałam, cały pokład rufowy miałyśmy właściwie dla siebie.

Przez chwilę obserwowałyśmy kilwater rozchodzący się ku lądowi. W blasku słońca, które znajdowało się już po zachodniej stronie nieba, mienił się jak szczere złoto. Kiedy byłam mała, tata mówił mi, że to są prawdziwe kawałki złota i że czasem syreny podpływają i je zbierają. Opowiadał, że wykładają złotymi, pokruszonymi promieniami słońca dachy zaczarowanych podwodnych zamków. Od tamtej pory ilekroć widziałam złoty ślad na wodzie, zawsze wypatrywałam syren i długo, gdzieś do piętnastego roku życia, wierzyłam, że naprawdę istnieją, bo tak przecież twierdził tata.

Tego dnia ocean miał ciemnogranatową barwę, jaką miewa tylko w pogodne październikowe dni, a warkot dieslowskich silników brzmiał niezwykle kojąco. Selena zdjęła z głowy chustkę, podniosła do góry ramiona i roześmiała się.

— Ale jest ślicznie, co, mamo?

— Tak, rzeczywiście — przyznałam. — Ty też kiedyś byłaś śliczna, Seleno. Co się stało, że już nie jesteś?

Popatrzyła na mnie i nagle ujrzałam jakby dwie twarze mojej córki. Ta z wierzchu była zdziwiona i wciąż roześmiana... lecz ta pod spodem miała ostrożny, nieufny wyraz. Właśnie na spodniej zobaczyłam to wszystko, co Joe opowiadał Selenie przez całą wiosnę i lato, zanim od niego również się odsunęła. Nie mam żadnych przyjaciół, mówiła spodnia twarz. Na pewno nie jesteście moimi przyjaciółmi ani ty, ani on. I im dłużej patrzyłyśmy z córką na siebie, tym bardziej ta spodnia twarz wyzierała spod wierzchniej.

Selena przestała się śmiać i odwróciła ode mnie, żeby spojrzeć w wodę. Zrobiło mi się smutno, Andy, ale nie mogłam tak tego zostawić, podobnie jak później nie mogłam pozwolić Verze na jej paskudne numery, bez względu na to, jak w gruncie rzeczy były żałosne. Po prostu czasem musimy być okrutni, żeby okazać dobroć — jak lekarz, który robi dziecku zastrzyk, choć wie, że będzie ono płakało, nie rozumiejąc, że to dla jego własnego dobra. Spojrzałam w głąb siebie i zobaczyłam, że jeśli zajdzie potrzeba, mogę być okrutna. Przeraziła mnie ta świadomość i nadal trochę przeraża. Bo to jednak straszne: wiedzieć, że potrafi się być tak twardym, jak tego wymagają okoliczności, nie wahać się, a później nie oglądać wstecz i nie wątpić w słuszność tego, co się uczyniło.

— Nie wiem, mamo, o czym mówisz — oświadczyła, przypatrując mi się ostrożnie.

— Zmieniłaś się — odparłam. — Zmieniłaś swój wygląd, ubiór, zachowanie. A to oznacza, że masz jakieś kłopoty.

— Nie, wszystko jest w porządku — powiedziała i zaczęła powolutku się ode mnie odsuwać.

Chwyciłam ją za ręce, zanim znalazła się poza moim zasięgiem.

— A właśnie, że nie jest. I żadna z nas nie zejdzie z promu, dopóki nie wyjaśnisz mi, o co chodzi.

— O nic! — krzyknęła. Próbowała wyszarpnąć ręce, ale trzymałam je mocno. — O nic nie chodzi! Puszczaj! Puść mnie!

— Nie tak szybko, Seleno. Wszystko jedno, jakie masz kłopoty, kocham cię i nic tego nie zmieni, ale nie mogę ci pomóc, dopóki się nie dowiem, co cię dręczy.

Przestała się szamotać i spojrzała mi prosto w oczy. Pod pierwszymi dwoma twarzami dostrzegłam jeszcze jedną — przebiegłą, smętną, która bardzo mi się nie podobała. Wszystko poza cerą Selena odziedziczyła po mnie, ale w tym momencie wyglądała jak Joe.

— Najpierw coś mi powiedz — zażądała.

— Jeśli będę umiała...

— Dlaczego uderzyłaś tatę? Dlaczego go wtedy uderzyłaś?

Otworzyłam usta, żeby zapytać „kiedy?", bo chciałam mieć czas na zastanowienie, ale nagle zrozumiałam jedną ważną rzecz. Nie wiem, może coś mnie tknęło, może to kobieca intuicja, a może udało mi się jakoś odczytać myśli Seleny, ale zrozumiałam, że jeśli zawaham się choćby na sekundę, stracę córkę. I to nie tylko na ten dzień, lecz najprawdopodobniej na zawsze. Wiedziałam, że tak będzie, więc nie zastanawiałam się ani chwili.

— Ponieważ wcześniej tego wieczoru on uderzył mnie w plecy polanem — odparłam. — O mało nie odbił mi nerek. Postanowiłam, że już nigdy nie pozwolę mu podnieść na siebie ręki. Nigdy więcej.

Zamrugała tak, jak się mruga, kiedy ktoś gwałtownie zbliża ci rękę do twarzy, a jej usta otworzyły się, układając w literę O.

— Powiedział ci co innego?

Kiwnęła głową.

— Ciekawe co? Że miałam mu za złe picie?

— Picie i pokera — wyszeptała tak cicho, że ledwo ją słyszałam. — Mówił, że nie chcesz, aby ktokolwiek miał jakąkolwiek radość z życia. Dlatego nie dawałaś mu grać w pokera, a mnie nie pozwoliłaś iść do Tanyi na całonocną prywatkę. Mówił, że chcesz, aby wszyscy pracowali osiem dni w tygodniu, tak jak ty. A kiedy próbował oponować, walnęłaś go dzbankiem i zagroziłaś, że jeśli znów będzie ci się stawiał, odrąbiesz mu głowę siekierą. W nocy, kiedy będzie spał.

Roześmiałabym się, Andy, gdyby to nie było tak tragiczne.

— Uwierzyłaś mu?

— Nie wiem — odparła. — Kiedy myślałam o siekierze, tak się bałam, że sama nie wiedziałam, w co wierzyć.

Swoimi słowami wbijała mi nóż w serce, ale nie dałam nic po sobie poznać.

— Seleno, okłamał cię.

— Zostaw mnie w spokoju! — zawołała.

Na jej twarzy znów pojawił się wyraz zaszczutego królika. Stopniowo nabierałam coraz większej pewności, że Selena ukrywa coś przede mną nie dlatego, że się wstydzi lub martwi, ale dlatego, że się śmiertelnie boi.

— Poradzę sobie sama! Nie chcę twojej pomocy, więc zostaw mnie w spokoju!

— Nie poradzisz sobie sama, Seleno. — Mówiłam cichym, kojącym tonem, jakim się przemawia do konia lub jagnięcia, które zaplątało się w kolczasty drut. — Gdybyś umiała poradzić sobie sama, już dawno byś rozwiązała wszystkie swoje kłopoty. A teraz słuchaj. Żałuję, że widziałaś mnie wtedy z siekierą; żałuję, że cokolwiek widziałaś lub słyszałaś tamtego wieczoru. Gdybym sądziła, że tak bardzo cię to przerazi i unieszczęśliwi, nie uderzyłabym go za żadne skarby, bez względu na to, co mi zrobił.

— Przestań, dobrze? — Wyszarpnęła wreszcie swoje dłonie

i zakryła nimi uszy. — Nie chcę nic więcej słyszeć. Nie słucham i koniec!

— Seleno, tamto stało się i się nie odstanie. Ale tobie, skarbie, mogę pomóc. Powiedz mi, o co chodzi. Proszę cię.

Wyciągnęłam rękę, żeby ją objąć i przytulić.

— Nie! Nie bij mnie! Nie próbuj mnie dotknąć, ty suko! — wrzasnęła i odskoczyła do tyłu.

Wpadła plecami na reling; przeraziłam się, że przekoziołkuje przez balustradę i wleci do wody. Serce mi zamarło, ale dzięki Bogu, nie spowolniło to moich rąk. Wyrzuciłam je przed siebie, chwyciłam Selenę za poły płaszcza i pociągnęłam w swoją stronę. W następnej sekundzie poślizgnęłam się na mokrym pokładzie i o mało nie rymnęłam. Kiedy odzyskałam równowagę i uniosłam głowę, Selena wyrwała mi się, po czym uderzyła mnie w twarz.

Nie zezłościłam się, tylko znów ją złapałam i przytuliłam mocno. Jeśli w takiej chwili człowiek odwraca się plecami do dziecka w wieku Seleny, może już nigdy nie nawiązać z nim kontaktu. Zresztą jej cios wcale mnie nie zabolał. Bałam się jedynie, że ją stracę — i to w sensie dosłownym. Bo przez moment byłam absolutnie pewna, że przeleci przez reling i spadnie głową w dół do morza. Miałam ten obraz przed oczami. To cud boski, że wtedy nie osiwiałam.

Po chwili Selena wybuchnęła płaczem i zaczęła mnie przepraszać: powtarzała, że nie chciała mnie uderzyć, naprawdę nie chciała; zapewniłam ją, że wiem o tym.

— Cicho, maleńka, już cicho.

A potem powiedziała coś, co sprawiło, że struchlałam.

— Trzeba mi było pozwolić wpaść do wody, mamusiu. Niepotrzebnie mnie złapałaś.

Odsunęłam ją od siebie na odległość ręki. Obie płakałyśmy.

— Nie przeżyłabym tego, kochanie — szepnęłam.

Potrząsnęła głową.

— Mamusiu, ja już nie wytrzymam... nie dam rady. Czuję się taka brudna, taka zagubiona, nic mi nie sprawia radości.

— O co chodzi, Seleno? — Znów zdjął mnie lęk. — O co chodzi, maleńka?

— Jeśli ci powiem, pewnie sama wyrzucisz mnie za burtę.

— Nie pleć bzdur, kochanie. I wiedz, że nie pozwolę ci zejść z promu, dopóki mi o wszystkim szczerze nie opowiesz. Będziemy pływać tam i z powrotem przez cały rok, jeśli będzie trzeba... o ile wcześniej nie zamarzniemy na kość albo nie umrzemy na zatrucie pokarmowe od tego żarcia, które serwują w bufecie pod pokładem.

Myślałam, że się roześmieje, ale nie. Schyliła tylko głowę, wbiła oczy w pokład i coś wyszeptała. Szum wiatru i dudnienie silników zagłuszyły jej słowa.

— Co takiego, kochanie?

Powtórzyła niewiele głośniej, lecz tym razem usłyszałam. I natychmiast wszystko zrozumiałam; od tej chwili dni Joego St. George'a były policzone.

— Nie chciałam. Zmusił mnie.

Tak właśnie powiedziała.

Przez moment stałam kompletnie nieruchomo, a kiedy w końcu wyciągnęłam do niej ręce, cofnęła się. Była biała jak płótno. Już i tak miałam wrażenie, że grunt ucieka mi spod nóg, a tu nagle prom — była to jeszcze stara „Island Princess" — zachybotał się gwałtownie. Pewnie bym upadła i stłukła swój chudy tyłek, gdyby Selena nie złapała mnie wpół.

— Chodź — powiedziałam. — Chodź, usiądziemy. Ty też już masz dość tego ciągłego kołysania, prawda?

Podeszłyśmy do ławki przy zejściówce na rufę, podtrzymując się nawzajem i powłócząc nogami jak dwie inwalidki. Nie wiem, czy Selena czuła się jak inwalidka, ale ja na pewno. Łzy płynęły mi z oczu, natomiast Selena szlochała tak spazmatycznie, że niemal bałam się, czy nie zerwie sobie czegoś w środku. W sumie jednak cieszyłam się, że płacze. Dopiero szloch córki i łzy toczące się po jej policzkach uświadomiły mi, że od dawna nie zdradzała żadnych uczuć, że znikły podobnie jak blask jej oczu i sylwetka, ukryta pod luźną sukienką. Do jasnej cholery, pewnie, że wolałabym słyszeć jej śmiech niż płacz, ale lepszy był smutek niż brak uczuć w ogóle.

Usiadłyśmy na ławce i pozwoliłam Selenie się wypłakać. Kiedy trochę zaczęła się uspokajać, wyjęłam z torebki chusteczkę. Nie od razu jej użyła. Patrzyła na mnie, z policzkami mokrymi od łez i zaczerwienionymi oczami.

— Nie czujesz do mnie nienawiści, mamo? Naprawdę?

— Ależ skądże! Nigdy nie będę cię nienawidzić — odparłam. — Przysięgam. Ale muszę znać całą prawdę. Musisz mi opowiedzieć wszystko od początku do końca. Pewnie boisz się, że nie starczy ci sił, co? Widzę to po twojej minie. Ale wiem, że sobie poradzisz. Pamiętaj jedno: już nigdy więcej nie będziesz musiała nikomu o tym opowiadać, nawet własnemu mężowi, jeśli nie będziesz chciała. I obiecuję ci, że wyrzucenie wszystkiego z siebie przyniesie ci ulgę, tak jak wyciągnięcie drzazgi. Rozumiesz?

— Tak, mamusiu, ale tata mówił, że jeśli pisnę... mówił, że łatwo wpadasz w furię... jak tego wieczoru, kiedy uderzyłaś go dzbankiem... mówił, że jak mi przyjdzie do głowy zwierzyć ci się, mam sobie przypomnieć siekierę... i...

— Nie, nie tak. Musisz zacząć od początku i opowiedzieć mi wszystko po kolei. Ale już teraz chcę mieć jasność co do jednego. Dobierał się do ciebie, prawda?

Po prostu zwiesiła głowę i milczała. Dla mnie była to wystarczająca odpowiedź, ale uznałam, że dla niej samej będzie lepiej, jeśli powie mi na głos. Ujęłam ją pod brodę i podniosłam jej głowę, aż patrzyłyśmy sobie prosto w oczy.

— Dobierał się?

— Tak — przyznała i znów zaczęła szlochać.

Tym razem nie łkała tak długo ani tak przejmująco. Ale nie przerywałam jej, bo chciałam się zastanowić, jak dalej poprowadzić rozmowę. Nie mogłam spytać ogólnikowo: „Co ci zrobił?", gdyż wątpiłam, czy będzie umiała dać jednoznaczną odpowiedź. Przez chwilę jedyne, co mi przychodziło na myśl, to: „Wypierdolił cię?", ale nawet gdybym zadała tak wulgarne pytanie, mogłaby nie do końca wiedzieć, o co faktycznie mi chodzi. A zabrzmiałoby ohydnie.

— Czy wsunął w ciebie swój członek? — spytałam wreszcie. — Czy włożył ci do cipci?

Pokręciła przecząco głową.

— Nie dałam mu. — Znów wstrząsnął nią szloch. — Jak dotąd.

No, po tych słowach Seleny obie mogłyśmy się nieco rozluźnić, a przynajmniej spokojniej rozmawiać. Wewnątrz jednak cała dygotałam z wściekłości. Nagle poczułam się tak, jakbym w środku głowy miała trzecie oko, z którego obecności nie zdawałam sobie wcześniej sprawy, i ujrzałam nim długą, końską twarz Joego o wiecznie spierzchniętych, czerwonych policzkach, wiecznie spękanych wargach i wiecznie żółtych sztucznych zębach. Od tej chwili bez przerwy widziałam twarz Joego, bo oko nie zamykało się nawet wtedy, gdy idąc spać zamykałam dwa pozostałe; w końcu pojęłam, że nie zamknie się aż do jego śmierci. Owładnęło mną uczucie równie silne jak miłość, choć stanowiące jej przeciwieństwo.

Selena opowiedziała mi całą historię od początku do końca; słuchałam jej, nie przerywając ani razu. Wszystko oczywiście zaczęło się tego wieczoru, kiedy uderzyłam Joego dzbanuszkiem; Selena pojawiła się w drzwiach akurat w chwili, gdy trzymał się za krwawiące ucho, a ja stałam nad nim z siekierą, jakbym naprawdę zamierzała odrąbać mu głowę. Chciałam po prostu, żeby przestał mnie bić, Andy, i zaryzykowałam życie, by postawić na swoim, ale ona nie zdawała sobie z tego sprawy. Wszystko, co widziała, przemawiało na moją niekorzyść. Mówi się, że droga do piekła wybrukowana jest dobrymi intencjami; to szczera prawda. Wiem to z własnego, gorzkiego doświadczenia. Nie wiem tylko, dlaczego tak właśnie się dzieje — dlaczego skutki są złe, skoro chce się dobrze? Ale to problem dla tęższych głów niż moja.

Nie powtórzę wam wszystkiego; nie dlatego, żebym chciała dochować tajemnicy Seleny, ale dlatego, że długo trzeba by o tym mówić, a wciąż — nawet po tylu latach — jest to dla mnie bolesne. Powtórzę wam jednak, co mi powiedziała od razu na początku. Nigdy nie zapomnę jej słów, bo jeszcze silniej mi uświadomiły, jak strasznie na opak można sobie tłumaczyć to, co się widzi... znów te cholerne dwie strony medalu.

— Wyglądał tak smutno! Krew ciekła mu między palcami, miał łzy w oczach i wyglądał tak potwornie smutno... Bardziej nienawidziłam cię za jego smutek niż za krew i łzy, mamo, i postanowiłam, że mu to wynagrodzę. Zanim poszłam spać, uklękłam przy łóżku i zaczęłam się modlić. „Boże, jeśli powstrzymasz ją od zrobienia mu krzywdy, postaram się mu wszystko wynagrodzić. Przysięgam na rany Chrystusa. Amen".

Wyobrażacie sobie, jak się musiałam czuć, słysząc te słowa z ust córki kilkanaście miesięcy po tym, gdy — jak sądziłam — udało mi się zamknąć sprawę raz na zawsze? Andy? Frank? A ty, Nancy Bannister z Kennebunk? Nie, widzę, że nie. I życzę wam, żebyście się nigdy nie przekonali na własnej skórze.

Selena zaczęła być miła dla Joego; przynosiła mu różne smakołyki, kiedy pracował na podwórku, reperując czyjś pojazd śniegowy albo silnik od motorówki, siadywała koło niego, kiedy wieczorami oglądaliśmy telewizję, kucała obok na stopniach ganku, kiedy strugał patyk, wysłuchiwała jego bzdur o polityce — że Kennedy pozwala się szarogęsić Żydom i katolikom, że komuniści chcą wpuścić czarnuchów do szkół i stołówek na Południu, że wkrótce cały kraj zostanie zrujnowany. Kiwała głową, uśmiechała się, kiedy opowiadał dowcipy, smarowała mu kremem spierzchnięte ręce, a Joe nie był tak głuchy, żeby nie słyszeć, kiedy okazja puka do drzwi. Przestał narzekać na Kennedy'ego i zaczął narzekać na mnie, że dostaję szału, jeśli coś dzieje się nie po mojej myśli, że nasze małżeństwo to jeden koszmar — oczywiście z mojej winy.

Późną wiosną sześćdziesiątego drugiego roku zaczął ją dotykać w sposób, który trudno uznać za ojcowski. To pogładził lekko po nodze, kiedy siedzieli razem na kanapie, a mnie nie było w pokoju, to poklepał po tyłku, kiedy przyniosła mu piwo do szopy. Z początku tylko tyle, ale stopniowo posuwał się coraz dalej. Zanim wreszcie wpadłam na pomysł, żeby popłynąć promem do Jonesport i wydusić z Seleny, co ją gnębi, bydlak zmusił córkę, by robiła z nim wszystko, co dziewczyna może robić z facetem oprócz samego pieprzenia... I tak ją nastraszył, że bała się mu odmówić.

Pewnie by ją rozprawiczył jeszcze w sierpniu, gdyby nie to, że Jim i mały Pete byli prawie cały czas w domu i wchodzili mu w drogę. Pete przeszkadzał nieświadomie, ale Jim chyba domyślał się, co jest grane, i specjalnie kręcił się ojcu pod nogami. Niech Bóg mu to wynagrodzi! Ze mnie biedaczka nie miała żadnego pożytku, bo pracowałam wtedy po dwanaście, a nawet czternaście godzin na dobę. Kiedy nie było mnie w domu, Joe nie odstępował Seleny na krok. Obmacywał ją, domagał się pocałunków, prosił, aby dotykała jego „skarb" (tak to nazywał); tłumaczył córce, że zwraca się do niej, bo ja nie jestem dla niego miła, a każdy mężczyzna ma swoje potrzeby. Ale nie mogła pisnąć mi o tym ani słowa. Bo jeśli się dowiem, mówił, zabiję ich oboje. Wciąż jej przypominał o dzbanku i siekierze. Powtarzał, że jestem podłą, nieczułą suką, i że on nie może się opanować, bo mężczyźni mają swoje potrzeby. Powtarzał jej to i powtarzał, Andy, aż niemal odchodziła od zmysłów. Czasami...

Co, Frank?

Tak, pracował, ale to mu nie przeszkadzało uganiać się za własną córką. Nazwałam go majster-klepką, gdyż imał się każdej roboty. Najchętniej reperował silniki, ale nie gardził też różnymi fuchami dla letników, opiekował się dwoma domami (mam nadzieję, że ludzie, którzy go wynajęli, dobrze sprawdzali, czy im niczego nie buchnął), ponadto w sezonie kilku rybaków zatrudniało go na swoich kutrach, bo — o ile nie był na kacu — potrafił całkiem sprawnie wyciągać więcierze z homarami. Pracował wyłącznie dorywczo, raz tu, raz tam, podobnie jak większość facetów na wyspie, choć nie tak ciężko jak inni. A ponieważ sam sobie ustalał godziny, to tamtego lata i wczesną jesienią umawiał się do roboty tak, żeby mieć czas wolny akurat wtedy, kiedy nie było mnie w domu. I mógł kręcić się koło Seleny.

Chciałabym, byście to dobrze zrozumieli: Joe równie wytrwale dobierał się do jej mózgu, co do jej majtek! Selenę tak potwornie przeraził widok matki z siekierą w dłoni, że właśnie do tego obrazu Joe odwoływał się najczęściej. Z początku po to, aby zyskać jej współczucie, a potem żeby ją nastraszyć. Powtarzał w kółko, że wypędzę ją z domu, jeśli się dowiem, co oboje robią.

O b o j e! Chryste!

Powiedziała, że nie chce tego więcej robić, a on na to, że trudno, ale za późno już, żeby przestać. Twierdził, że go kusiła, doprowadzała do szaleństwa, że zwykle przez takie zachowanie dochodzi do gwałtów i porządne kobiety (miał pewnie na myśli wredne suki wymachujące siekierami) dobrze o tym wiedzą. Powtarzał jej, że sam nie piśnie słowa, jeśli ona też będzie trzymała język za zębami...

— Zrozum, cukiereczku — mówił — jak jedna rzecz wyjdzie na jaw, wszystko wyjdzie na jaw.

Nie rozumiała, co miał na myśli mówiąc „wszystko" ani tego, jak podanie mu szklanki mrożonej herbaty lub opowiedzenie o szczeniaku Laurie Langill mogło być przyzwoleniem na to, by wsuwał rękę między jej uda i ściskał ją tam, ilekroć naszła go ochota, ale była przekonana, że widocznie zrobiła coś, co sprawiło, że zaczął się w ten sposób zachowywać, i czuła wstyd. To chyba było najgorsze — nie strach, a wstyd.

Powiedziała mi, że pewnego dnia postanowiła się zwierzyć pani Sheets, szkolnej psycholog. Nawet się do niej zapisała, ale stchórzyła, czekając na korytarzu, kiedy wizyta innej dziewczyny trochę się przeciągnęła. Było to niespełna miesiąc przed naszą rozmową, na samym początku roku szkolnego.

— Próbowałam sobie wyobrazić, co jej powiem — wyznała mi, gdy siedziałyśmy na ławce przy zejściówce.

Byłyśmy w połowie drogi przez przesmyk i widziałyśmy już Wschodni Cypel, zalany popołudniowym słońcem. Selena wreszcie przestała płakać. Wprawdzie co jakiś czas pociągała jeszcze nosem i przemoczyła na wylot moją chustkę, ale panowała nad sobą całkiem nieźle; byłam z niej autentycznie dumna. Wciąż jednak nie puszczała mojej ręki. Ściskała ją kurczowo przez całą rozmowę. Nazajutrz miałam sińce.

— Zastanawiałam się, jak to będzie, kiedy wejdę do gabinetu, usiądę i powiem: „Pani Sheets, mój tata chce mi coś zrobić... wie pani co". A ona jest taka ciemna i w dodatku taka stara, że pewnie powie: „Nie, Seleno, nie wiem. Co?". I spojrzy na mnie wyniośle, jak to ma w zwyczaju. I będę musiała jej tłumaczyć, że rodzony ojciec chce mnie wypierdolić, a ona mi nie uwierzy, bo w jej sferach nie dzieją się takie rzeczy.

— Chyba wszędzie się dzieją — oświadczyłam. — Smutne, ale prawdziwe. I wydaje mi się, że pani psycholog by o tym wiedziała, chyba że jest skończoną idiotką. Czy pani Sheets jest skończoną idiotką?

— Nie. Raczej nie, mamusiu, ale...

— Kochanie, czy myślałaś, że tobie pierwszej się to zdarzyło? — spytałam.

Odpowiedziała tak cicho, że nie usłyszałam i musiałam poprosić, żeby powtórzyła.

— Sama już nie wiedziałam... — szepnęła i objęła mnie mocno.

Ja też ją objęłam.

— W każdym razie siedząc tam na korytarzu, zrozumiałam, że nie dam rady jej tego powiedzieć — dodała po chwili. — Gdybym od razu weszła do środka, zapewne wyrzuciłabym to z siebie jednym tchem, ale kiedy tak siedziałam i dumałam, zaczęłam się wahać, że może jednak tata ma rację i ty rzeczywiście pomyślisz, że jestem złą dziewczyną...

— Do głowy by mi to nie przyszło — oświadczyłam i uścisnęłam ją mocno.

Uśmiechnęła się serdecznie i zrobiło mi się ciepło na sercu.

— Teraz wiem — rzekła — ale wtedy nie byłam pewna. I kiedy czekałam pod gabinetem, obserwując przez szybę, jak pani Sheets rozmawia z tamtą dziewczyną, wynalazłam sobie powód, żeby nie wchodzić.

— Jaki?

— Pani Sheets jest psychologiem szkolnym, a mój problem przecież nie dotyczył szkoły.

Wydało mi się to tak zabawne, że zaczęłam chichotać. Selena też, i chichotałyśmy coraz głośniej. Siedziałyśmy na ławce, trzymając się za ręce i zanosiłyśmy się śmiechem jak para kompletnych wariatek. Śmiałyśmy się tak głośno, że facet, który sprzedaje przekąski i papierosy w bufecie pod pokładem, wystawił na moment głowę przez iluminator, żeby zobaczyć, co się dzieje.

Zanim prom dobił do wyspy, Selena zdradziła mi jeszcze dwie rzeczy — o jednej mi powiedziała, drugą wyczytałam z jej oczu. Powiedziała, że miała ochotę spakować manatki i uciec; przynajmniej było to jakieś wyjście. Ucieczka nie jest jednak żadnym rozwiązaniem, jeśli ktoś został mocno skrzywdzony, bo przecież dokądkolwiek się ucieka, serce i umysł zabiera się ze sobą. Natomiast z oczu córki wyczytałam, że często przychodziła jej do głowy myśl o samobójstwie.

Dumając nad samobójczymi myślami Seleny, jeszcze wyraźniej widziałam wewnętrznym okiem twarz Joego. Widziałam też, jak uporczywie naprzykrzał się córce i wsuwał jej rękę pod spódnicę, aż w końcu, dla obrony, zaczęła nosić wyłącznie dżinsy. Nie udało mu się dopiąć celu (a w każdym razie nie całkiem), nie dlatego że za mało się starał, ale dlatego że nie dopisało mu szczęście. Zastanawiałam się, co by było, gdyby Jim kilka razy nie skrócił zabawy z Willym Bramhallem i nie wrócił wcześniej do domu albo gdyby mnie nie otworzyły się wreszcie oczy na to, jak bardzo Selena się zmieniła. Joe znęcał się nad nią okrutnie; był jak ktoś, kto okłada konia batem, nie dając zwierzęciu chwili wytchnienia i dopiero gdy zwierzę pada martwe na ziemię, dziwi się, co do cholery się stało. A wszystkiemu winna była moja chęć dotknięcia czoła Joego, sprawdzenia, czy rzeczywiście jest takie gładkie. W końcu łuski spadły mi z oczu i zrozumiałam, że żyję z człowiekiem pozbawionym uczuć i nie znającym litości, który uważa, że wszystko, co tylko zdoła chwycić w garść, jest do wzięcia, nawet jego rodzona córka.

Wtedy po raz pierwszy przyszło mi do głowy, że powinnam go zabić. Nie, nie podjęłam tam na promie żadnej konkretnej decyzji, ale skłamałabym, gdybym twierdziła, że była to tylko ulotna myśl. Bo nie była.

Selena musiała wyczytać coś w moich oczach, bo położyła mi rękę na ramieniu.

— Mamusiu, obiecaj, że nie zrobisz mu awantury, dobrze? — poprosiła. — Domyśli się, że ci o wszystkim powiedziałam, i będzie strasznie zły!

Chciałam ją uspokoić, przyrzec to, co pragnęła usłyszeć, ale nie mogłam. Awantura była nieunikniona, a jej przebieg i natężenie zależały od Joego. Tamtego dnia, gdy go uderzyłam dzbanuszkiem, Joe potulnie wycofał się z walki, ale to nie oznaczało, że teraz też się podda.

— Trudno mi przewidzieć, co się stanie, Seleno. Ale powiem ci dwie rzeczy: po pierwsze niczemu nie jesteś winna, a po drugie te jego podszczypywanki i macanki skończyły się raz na zawsze. Rozumiesz?

Jej oczy znów zaszły łzami; jedna kropla przelała się przez brzeg powieki i spłynęła po policzku.

— Nie chcę, żeby była awantura... — Na moment zamilkła; wargi jej drżały. Wreszcie krzyknęła: — Och, jakie to wszystko okropne! Dlaczego musiałaś go uderzyć? Dlaczego zaczął mnie dotykać? Dlaczego wszystko nie zostało po staremu?

Wzięłam ją za rękę.

— Nic nie zostaje po staremu, skarbie. Wszystko się zmienia, ale czasem zmienia się na gorsze i wtedy trzeba coś przedsięwziąć. Wiesz o tym, prawda?

Skinęła głową. Na jej twarzy malował się ból, ale nie wątpliwość.

— Tak — przyznała. — Chyba tak.

Prom przybijał do brzegu, więc musiałyśmy kończyć rozmowę. I dobrze, bo nie chciałam, żeby Selena dłużej wpatrywała się we mnie łzawym wzrokiem, marząc o tym, o czym marzy każde dziecko — aby znalazło się takie rozwiązanie, by nikt nie cierpiał i nikomu nie stała się krzywda. Pragnęła, żebym jej obiecała coś, czego nie mogłam obiecać, bo takiej obietnicy nie byłabym w stanie dotrzymać. Nie pozwoliłoby mi wewnętrze oko. Zeszłyśmy z promu, nie zamieniając więcej słowa; było mi to jak najbardziej na rękę.

Wieczorem, kiedy Joe wrócił od Carstairów, którym stawiał nową werandę z tyłu domu, wysłałam dzieci do supermarketu. Patrzyłam, jak idąc podjazdem, Selena co rusz zerka przez ramię; twarz miała białą jak płótno. Wiesz, Andy, za każdym razem gdy się odwracała, widziałam w jej oczach tę cholerną siekierę. Ale widziałam coś jeszcze: ulgę. I nadzieję, że wreszcie coś się zmieni. Tak, Selena bała się, a jednocześnie pragnęła odmiany.

Joe siedział przy kominku i jak co wieczór czytał „American". Kiedy go obserwowałam, stojąc przy skrzynce z opałem, moje wewnętrzne oko otworzyło się jeszcze szerzej. Co za drań, pomyślałam; siedzi zadowolony z siebie, jakby pozjadał wszystkie rozumy. Jakby w przeciwieństwie do innych facetów nie musiał wciągać portek nogawka po nogawce. Jakby obmacywanie własnej córki było najnormalniejszą rzeczą pod słońcem i ktoś, kto to robi, może spać spokojnie. Próbowałam sobie uzmysłowić, jak od balu maturalnego w Samoset Inn doszliśmy do obecnego etapu, kiedy on w starych, połatanych dżinsach i brudnym podkoszulku siedzi przy kominku i czyta gazetę, a ja stoję przy skrzynce z opałem i życzę mu, by go szlag trafił na miejscu. Ale nie potrafiłam. Czułam się tak, jakbym znalazła się w zaczarowanym lesie, gdzie człowiek ogląda się za siebie i widzi, że ścieżka, którą szedł, znikła bez śladu.

Tymczasem wewnętrze oko widziało coraz więcej. Widziało krzyżujące się blizny na uchu Joego, tam gdzie rąbnęłam go dzbanuszkiem do śmietanki; widziało pajęczynę żyłek na jego nosie; widziało, jak dolna warga wysuwa mu się do przodu, nadając twarzy grymas wiecznego niezadowolenia; widziało łupież na brwiach; widziało, jak Joe szarpie włosy wyrastające mu z nosa i co rusz poprawia portki w kroku.

W sumie nie widziało nic dobrego. Nagle zrozumiałam, że wyjście za Joego to nie tylko największy błąd w moim życiu, ale największy błąd w życiu całej naszej rodziny, bo w ostatecznym rozrachunku nie ja jedna będę płacić. Akurat teraz Joe interesował się Seleną, ale chłopcy też dorastali i skoro nic go nie powstrzymało przed próbami zgwałcenia własnej córki, kto wie, czy z nimi sytuacja się nie powtórzy.

Odwróciłam głowę i wewnętrzne oko spoczęło na siekierze leżącej jak zwykle na półce nad skrzynką z opałem. Sięgnęłam po nią i zacisnęłam palce na trzonku, myśląc: Tym razem ci jej nie podam, Joe. Ale stanął mi przed oczami obraz Seleny, jak idąc z braćmi podjazdem, ogląda się przez ramię, i postanowiłam, że bez względu na to, co zrobię, nie użyję tej cholernej siekiery. Schyliłam się i wzięłam ze skrzyni klonowe polano.

Siekiera czy polano, właściwie wszystko jedno — życie Joego wisiało na włosku. Im dłużej patrzyłam, jak siedzi w brudnym podkoszulku, szarpiąc szczecinę wyrastającą mu z nosa i czytając strony z komiksami, tym usilniej myślałam o tym, co wyprawiał z Seleną; a im usilniej o tym myślałam, tym większa wzbierała we mnie furia; a im bardziej byłam wściekła, tym większą miałam ochotę podejść do niego i roztrzaskać mu łeb. Wiedziałam nawet, gdzie zadam cios. Joemu zaczynały rzednąć włosy, zwłaszcza na ciemieniu, i światło lampy stojącej przy fotelu padało wprost na łysinę. Widać było piegi na skórze między rzadkimi kosmykami. Właśnie tam, myślałam, właśnie tam go trzasnę. Krew tryśnie i zachlapie klosz, ale co mi tam; jest stary i brzydki. Im dłużej się zastanawiałam, tym bardziej pragnęłam zobaczyć, jak krew bryzga na klosz. A potem przyszło mi do głowy, że krople krwi ochlapią też żarówkę i będą parować z sykiem. Myślałam o tym wszystkim, a im dłużej myślałam, tym mocniej zaciskałam palce na polanie. Byłam szalona, pewnie, ale nie potrafiłam oderwać wzroku od Joego; wiedziałam zresztą, że nawet jeśli odwrócę głowę, wewnętrzne oko nadal będzie go widzieć.

Upominałam siebie, że nie wolno mi zapominać o Selenie, o tym, co będzie czuła, jeśli zabiję Joego i potwierdzą się jej najgorsze obawy — ale bezskutecznie. Choć tak ogromnie ją kochałam i tak bardzo mi zależało na jej dobrej opinii, teraz nie liczyło się nic. Oko było silniejsze niż miłość. Nawet na myśl o tym, jak potoczą się losy dzieci, jeśli ukatrupię męża i wyląduję w kiciu, nie byłam w stanie zamknąć oka. Wciąż patrzyło szeroko otwarte i wciąż dostrzegało coraz więcej odrażających szczegółów w wyglądzie Joego. Białe płaty łuszczącej się skóry na policzkach. Zaschłą grudę musztardy na brodzie, nie zmytą po obiedzie. Wielkie, końskie, źle dopasowane sztuczne zęby, które kupił za zaliczeniem pocztowym. I ilekroć oko widziało coś nowego, moje palce jeszcze silniej zaciskały się na polanie.

W ostatnim momencie doznałam olśnienia. Zrozumiałam, że jeśli zabiję teraz Joego, zrobię to nie z powodu Seleny i nie z powodu chłopców, ale wyłącznie dlatego, że przez trzy miesiące obmacywał pod moim nosem córkę, a ja byłam tak durna, że tego nie zauważyłam. Jeśli chcesz go zabić, pójść do więzienia i widywać dzieciaki tylko w niedzielne popołudnia, powiedziałam sobie, wiedz przynajmniej, dlaczego to robisz: nie dlatego że dobierał się do Seleny, ale dlatego że udało mu się cię wykiwać. Jesteś jak Vera, nie możesz zdzierżyć myśli, że ktoś robi cię w konia.

Podziałało to na mnie jak kubeł zimnej wody. Wprawdzie wewnętrzne oko nie zamknęło się, ale straciło blask i moc. Usiłowałam rozluźnić palce i wrzucić polano do skrzynki, były jednak tak zaciśnięte, że nie mogłam ich rozewrzeć. Wreszcie drugą ręką podważyłam dwa palce i polano wpadło z powrotem do skrzynki; pozostałe trzy palce nadal miałam wygięte jak szpony. Musiałam kilka razy poruszyć dłonią, zanim wróciło w niej czucie.

Następnie podeszłam do Joego i stuknęłam go w ramię.

— Chcę z tobą pomówić — oznajmiłam.

— No to gadaj — burknął, nie odrywając wzroku od gazety. — Nikt cię nie powstrzymuje.

— Chcę, żebyś na mnie patrzył, kiedy do ciebie mówię — oświadczyłam. — Odłóż tego szmatławca.

Opuścił gazetę na kolana i podniósł wzrok.

— Że też ci się nie znudzi ciągle strzępić ozora!

— Mój ozór to moja sprawa, a ty trzymaj łapy przy sobie. Bo jak nie, to pożałujesz, żeś kiedykolwiek przyszedł na ten świat.

Zmarszczył czoło i zapytał, o co mi chodzi.

— O to, żebyś zostawił Selenę w spokoju — oznajmiłam.

Skrzywił się, jakbym walnęła go kolanem w krocze. W całej tej smutnej historii, Andy, to jedno sprawiło mi niekłamaną przyjemność — reakcja Joego, kiedy przekonał się, że wiem, co wyrabia. Zbladł jak ściana, szczęka mu opadła i aż podskoczył na tym swoim zafajdanym fotelu, tak jak się czasem podskakuje, kiedy już zapada się w sen i nagle coś koszmarnego jawi nam się przed oczami.

Chciał udać, że po prostu coś go zakłuło w krzyżu, ale nie nabrał ani mnie, ani siebie. Na jego gębie pojawiło się nawet jakby lekkie zawstydzenie, ale co z tego? Durny pies podwórkowy też ma dość rozumu, by się wstydzić, kiedy go przyłapią, jak wykrada jajka z kurnika.

— Nie wiem, o czym mówisz — wymamrotał.

— To dlaczego masz taką minę, jakby diabeł wsunął ci łapę w gacie i ścisnął za jaja? — spytałam.

Nastroszył się jak chmura gradowa.

— Jeśli ten głupek Jim wygadywał ci o mnie jakieś bzdury... — zaczął.

— Jim nie pisnął słowa, Joe — odparłam. — Ale nie próbuj

udawać niewiniątka. Selena mi się zwierzyła. Opowiedziała mi wszystko... o tym, jak od tego wieczoru, kiedy uderzyłam cię dzbankiem, chciała być dla ciebie miła, jak jej się odpłaciłeś i czym groziłeś, jeśli mi się poskarży.

— Wredna mała kłamczucha! — wrzasnął, ciskając gazetę na podłogę, jakby to miało mnie przekonać. — Kłamczucha, sama do mnie lazła! Ściągnę pasa, jak tylko wróci... jeśli w ogóle odważy się pokazać w domu...

Zaczął wstawać z fotela. Podniosłam dłoń i pchnęłam go. Bardzo łatwo jest usadzić z powrotem kogoś, kto usiłuje dźwignąć się z fotela na biegunach; aż sama się zdziwiłam jak łatwo. No ale parę minut temu o mało nie rozwaliłam mu łba polanem; może stąd się brała moja siła.

Oczy Joego zwęziły się w szparki.

— Lepiej ze mną nie zaczynaj — powiedział. — Raz wygrałaś, ale nie pozwolę ci ciągle włazić mi na głowę.

Trochę wcześniej sama o tym myślałam, tylko że to nie był odpowiedni moment, by przyznawać mu rację.

— Możesz zgrywać ważniaka przed swoimi kumplami, Joe, ale kiedy do ciebie mówię, masz milczeć i słuchać — oznajmiłam. — I dobrze zapamiętaj każde słowo, bo wcale nie żartuję. Jeśli jeszcze raz tkniesz Selenę, dopilnuję, żebyś wylądował w pierdlu. Za gwałt na nieletniej albo za kazirodztwo; zależy, za co wsadzają na dłużej.

Moje słowa zbiły go z pantałyku. Rozdziawił gębę i przez chwilę siedział bez ruchu, gapiąc się na mnie.

— Nie odważysz się... — zaczął i urwał, bo zdał sobie sprawę, że się odważę. Zrobił obrażoną minę, wysuwając dolną wargę jeszcze bardziej niż zwykle. — We wszystko jej uwierzyłaś, tak? Nawet nie spytałaś, jak to wygląda od mojej strony!

— A jak ma wyglądać? — warknęłam. — Jeśli facet, któremu za cztery lata stuknie czterdziestka, mówi czternastoletniej córce, żeby zdjęła majtki, bo chce zobaczyć, ile włosów jej wyrosło na cipce, to czego mi jeszcze trzeba, co?

— Za miesiąc skończy piętnaście — oświadczył takim tonem, jakby to wszystko zmieniało. Ale był z niego kawał sukinsyna!

— Zastanów się, co wygadujesz! Jak ci nie wstyd!

Przez chwilę wpatrywał się we mnie, po czym schylił się i podniósł z podłogi gazetę.

— Zostaw mnie w spokoju, Dolores — powiedział smętnym, obrażonym tonem. — Chcę doczytać artykuł.

Miałam ochotę wyrwać mu tę cholerną gazetę, zmiąć i cisnąć w pysk, wiedziałam jednak, że wtedy rzucilibyśmy się na siebie i krew lałaby się strumieniami, a nie chciałam, aby dzieci — zwłaszcza Selena — były świadkami bijatyki, gdyby nagle wróciły. Więc wyciągnęłam rękę, zahaczyłam łagodnie kciuk o brzeg gazety i opuściłam ją w dół.

— Najpierw obiecaj, że więcej nie tkniesz Seleny — powiedziałam. — Dopiero wtedy będziemy mogli zapomnieć raz na zawsze o tej obrzydliwej sprawie. Obiecaj, że już nigdy w życiu nie zbliżysz do niej łapy.

— Dolores, co ci... — zaczął.

— Obiecaj, Joe, bo zamienię twoje życie w piekło.

— Myślisz, że się boję? — ryknął. — Ty suko, już piętnaście lat temu zamieniłaś moje życie w piekło! Twoja ohydna gęba to jeszcze nic w porównaniu z twoim charakterem! Jeśli ci się nie podoba moje zachowanie, wiedz, że sama jesteś temu winna!

— Nawet nie masz pojęcia, co to jest piekło, Joe. Ale jeśli nie obiecasz, że zostawisz Selenę w spokoju, ręczę ci, że wnet się przekonasz.

— Dobra, dobra! — wrzasnął. — Dobra, obiecuję! Już, już! Jesteś zadowolona?

— Tak — oświadczyłam, chociaż nie było to zgodne z prawdą; Joe niczym nie był w stanie mnie zadowolić. Nawet gdyby dokonał cudownego pomnożenia ryb i chleba. Postanowiłam, że albo do końca roku wyniosę się z dziećmi z domu, albo Joe zginie. Nie robiło mi wielkiej różnicy, jak się wszystko zakończy, ale oczywiście nie zamierzałam Joemu nic wcześniej zdradzać, bo mógłby mi przeszkodzić.

— Dobra. Więc cała ta sprawa jest już za nami, tak, Dolores? — Spojrzał na mnie z dziwnym błyskiem w oku, który wydał mi się mocno podejrzany. — Myślisz, że taka jesteś mądra, co?

— Nie wiem. Kiedyś sądziłam, że jestem niegłupia, ale gdyby tak było, nie wylądowałabym z tobą.

— Och, nie udawaj! — zawołał. Wciąż patrzył na mnie z tym dziwnym, przebiegłym błyskiem w ślepiach. — Uważasz się za taką mądralę, że kiedy siadasz na kiblu, oglądasz się przez ramię, żeby sprawdzić, czy ci olej dupą nie wycieka. Ale nie wiesz wszystkiego.

— Co masz na myśli?

— Zgadnij — rzekł, podnosząc gazetę takim gestem, jakby był milionerem, który chce się upewnić, czy posiadane przez niego akcje przypadkiem nie spadły. — Dla takiej cwaniary jak ty to przecież pestka.

Nie spodobały mi się jego słowa, ale nic nie powiedziałam. Częściowo dlatego, że nierozsądnie jest bez potrzeby dźgać patykiem gniazdo os, ale nie tylko dlatego. Rzeczywiście uważałam, że jestem cwana, a przynajmniej mądrzejsza od męża; to był główny powód. Uważałam, że przejrzę go od razu, jeśli będzie chciał wyciąć mi jakiś numer, żeby się odegrać. Innymi słowy, kierowała mną duma, zwyczajna duma; nawet nie przyszło mi do głowy, że już udało mu się mnie wyrolować.

Kiedy dzieci wróciły ze sklepu, kazałam chłopcom wejść do środka, a sama poszłam z Seleną za dom. Rośnie tam plątanina jeżyn, które o tej porze roku nie miały już liści. Łodygi uderzały o siebie na wietrze. Grzechot, jaki się rozlegał, był tak ponury, że ciarki przechodziły mi po grzbiecie. Tuż obok sterczy z ziemi wielki biały kamień; usiadłyśmy na nim. Nad Wschodnim Cyplem unosił się sierp księżyca; kiedy Selena ujęła mnie za rękę, jej palce był zimne jak jego blask.

— Boję się wejść do domu, mamusiu — powiedziała drżącym głosem. — Pójdę do Tani, dobrze? Mogę?

— Już nie musisz się bać, kochanie — odparłam. — Wszystko załatwiłam.

— Nie wierzę — szepnęła, choć po jej minie widziałam, jak bardzo chce mi wierzyć; niczego na świecie nie pragnęła tak silnie.

— Naprawdę. Obiecał, że zostawi cię w spokoju. Nie zawsze dotrzymuje obietnic, ale tej dotrzyma, skoro wie, że mam go na oku i nie może dłużej liczyć na twoje milczenie. Poza tym piekielnie się boi.

— Piekielnie się... dlaczego?

— Bo zagroziłam, że dopilnuję, by trafił do więzienia, jeśli kiedykolwiek jeszcze cię tknie.

Wciągnęła gwałtownie powietrze i mocno ścisnęła moje dłonie.

— Zagroziłaś mu? Serio?

— Tak, i wcale nie żartowałam — oznajmiłam. — Lepiej, żebyś o tym wiedziała, Seleno. I na twoim miejscu zbytnio bym się nie martwiła. Przez następne cztery lata Joe na pewno będzie się trzymał od ciebie na odległość... a potem wyjedziesz na studia. On o nic się tak bardzo nie troszczy, jak o własną skórę.

Powoli zwolniła uścisk i puściła moje ręce. Widziałam, jak na jej twarzy pojawia się nadzieja, a także coś jeszcze: młodość; i dopiero wtedy, siedząc z nią w blasku księżyca obok krzaków jeżyn, zdałam sobie sprawę, jak staro wyglądała tej jesieni.

— Nie zbije mnie pasem ani nic? — upewniła się.

— Nie — odparłam. — Sprawa jest zamknięta.

Wreszcie mi uwierzyła; oparła głowę o moje ramię i zaczęła płakać. Płakała z ulgi. Wiedząc, że to Joe jest winien jej łez, znienawidziłam go jeszcze bardziej.

Myślę, że przez następnych kilka nocy moja córka spała lepiej niż przez ostatnie trzy miesiące lub dłużej... za to ja nie mogłam zmrużyć oka. Słuchałam, jak Joe chrapie koło mnie, patrzyłam na niego wewnętrznym okiem i miałam ochotę przekręcić się i przegryźć mu grdykę. Lecz nie było już we mnie tego obłędu co wtedy, gdy o mało nie roztrzaskałam mu głowy polanem. Wcześniej, nawet myśląc o dzieciach i o tym, co je czeka, jeśli zostanę skazana za morderstwo, nie potrafiłam zapanować nad wewnętrznym okiem, ale kiedy już zapewniłam Selenę, że nic jej nie grozi i kiedy sama nieco ochłonęłam, zyskałam nad nim władzę. Wiedziałam jednak, że to, czego córka pragnie najbardziej — żeby wszystko było jak dawniej, zanim ojciec zaczął się do niej dobierać — nie jest możliwe. Nie byłoby możliwe, nawet gdyby dotrzymał obietnicy i nigdy jej więcej nie dotknął... a mimo tego, co mówiłam Selenie, wcale nie byłam przekonana, czy Joe dotrzyma słowa. Faceci jego pokroju prędzej czy później dochodzą do wniosku, że tym razem na pewno im się uda, że jeśli będą tylko trochę ostrożniejsi, mogą mieć wszystko, czego zapragną.

Leżąc w mroku, nieco uspokojona, zrozumiałam, że mam jedno wyjście: wynieść się z dziećmi z wyspy, i to jak najszybciej. Akurat tego wieczoru cudem powściągnęłam swój gniew, lecz zdawałam sobie sprawę, że następnym razem nie zdołam się pohamować; wewnętrze oko mi na to nie pozwoli. Jeśli znów dostanę napadu szału, a oko jeszcze wyraźniej ujrzy całą podłość i ohydę Joego, żadna siła na ziemi nie powstrzyma mnie przed zrobieniem mu krzywdy. Nigdy przedtem nie wpadłam w podobnie straszliwą furię, ale widziałam jasno, że w takim stanie nie jestem zdolna panować nad sobą. Postanowiłam więc uciec z dziećmi z Little Tall, zanim będzie za późno. Kiedy jednak wykonałam pierwszy krok, mający nam umożliwić przeprowadzkę na kontynent, przekonałam się, co oznaczał ten dziwny błysk w oczach Joego. Oj, przekonałam!

Odczekałam, aż wszystko się trochę uspokoi, i w któryś piątek wybrałam się promem o jedenastej do Jonesport. Dzieci były w szkole, a Joe wypłynął w morze z Mike'em Stargillem i jego bratem Gordonem, zastawiać więcierze na homary —

nie spodziewałam się go wcześniej niż przed samym zachodem słońca.

Miałam ze sobą książeczki oszczędnościowe Seleny i chłopców. Odkładaliśmy pieniądze na studia dzieci od chwili, kiedy się urodziły... a przynajmniej ja odkładałam; Joemu wisiało, czy dzieci pójdą na studia. Kiedy poruszałam ten temat — bo oczywiście za każdym razem to ja go poruszałam — Joe zwykle siedział w fotelu na biegunach, z nosem w „American", i podnosił gębę tylko po to, żeby powiedzieć:

— Na chuj chcesz posyłać dzieciaki na studia, Dolores? Ja tam nie skończyłem żadnych studiów, a patrz, jak dobrze sobie radzę.

Z bałwanami nie ma co dyskutować, prawda? Skoro Joe uważał, że czytanie gazety, dłubanie w nosie i wycieranie glutów o bieżniki fotela oznacza pełnię sukcesu, dyskusja z nim po prostu mijała się z celem. Ale to mi nie przeszkadzało. Dopóki potrafiłam nakłonić go, by wpłacał coś na ich książeczki, ilekroć trafiała mu się dobra fucha, jak przy budowie drogi, gówno mnie obchodziło, że jego zdaniem wszystkie uczelnie w kraju są w rękach komunistów. Tamtej zimy, kiedy pracował na lądzie przy budowie drogi, zmusiłam go, żeby dał pięćset dolców, choć piszczał jak zarzynane prosię. Mówił, że nic mu nie zostało. Ale wiedziałam, Andy, że wciska mi ciemnotę. Jeśli ten skurwysyn nie zarobił wtedy dwóch tysięcy, a może nawet dwóch i pół, jestem gotowa wycałować knura.

— Dlaczego wiecznie się mnie czepiasz, Dolores? — pytał.

— Gdybyś troszczył się o przyszłość dzieci, jak na ojca przystało, tobym się nie czepiała — odpowiadałam.

I kłóciliśmy się tak w kółko. Czasami miałam po uszy tych targów, Andy, ale prawie za każdym razem udawało mi się w końcu coś z niego wyciągnąć. Więc nie mogłam się poddać, bo nikt inny nie zadbałby o przyszłość dzieci.

Jak na dzisiejsze realia, na ich trzech książeczkach nie było zbyt wiele forsy — jakieś dwa tysiące na książeczce Seleny, około osiemset na Jima, czterysta czy pięćset na małego

Pete'a — ale mówimy o sześćdziesiątym drugim roku, a na owe czasy to był kawał szmalu. Sporo więcej niż potrzebowałam, żeby zwiać z dziećmi z wyspy. Zamierzałam podjąć forsę z książeczki Pete'a w gotówce, a z pozostałych dwóch w czekach bankierskich. A potem wyjechać do Portland, wynająć tam mieszkanie i znaleźć sobie porządną pracę. Żadne z nas nie było przyzwyczajone do życia w mieście, ale jeśli trzeba, to do wszystkiego, czy prawie wszystkiego, można przywyknąć. Poza tym w latach sześćdziesiątych stolica stanu była małym miastem, nie taką metropolią jak dziś.

Kiedy byśmy już się jako tako urządzili, zaczęłabym z powrotem uzupełniać pieniądze na książeczkach dzieci; uważałam, że dam radę. Zresztą dzieciaki były bystre, więc gdyby mi się nie udało, mogłam liczyć, że dostaną stypendia. A jeśli i to by nie wypaliło, mogłam przełknąć swoją dumę i starać się o pożyczkę. Najważniejszy był jednak sam wyjazd z wyspy — wydawał mi się nawet ważniejszy od studiów dzieci. Uznałam, że innymi sprawami będę się martwić później.

Już od trzech kwadransów gadam jak najęta o Selenie, lecz nie tylko ona miała kłopoty z ojcem. Pewnie, że wycierpiała się najwięcej, ale Jimowi stary też dawał w kość. W sześćdziesiątym drugim Jim miał dwanaście lat; najcudowniejszy wiek dla chłopca, jednak nikomu, kto na niego patrzył, nie przyszłoby to do głowy. Prawie nigdy się nie śmiał i z rzadka tylko uśmiechał; właściwie trudno się dziwić. Ledwo wchodził do pokoju, Joe już się go czepiał: to mu kazał wpuścić koszulę w spodnie, to uczesać się, to przestać się garbić. Albo się złościł, że chłopak wiecznie tkwi z nosem w książce i wymyślał mu od maminsynków, powtarzając, że nigdy nie będzie z niego prawdziwy mężczyzna. Kiedy Jim nie zakwalifikował się do szkolnej drużyny baseballowej, po reakcji Joego można by pomyśleć, że wywalono go z olimpijskiej reprezentacji lekkoatletycznej za branie anabolików. Jeśli dodać do tego fakt, że Jim widział, jak ojciec dobiera się do jego siostry, chyba łatwo zrozumieć, dlaczego stale chodził ponury. Czasem obserwowałam go, gdy wpatrywał się w Joego, i widziałam nienawiść malującą się na jego twarzy — potworną nienawiść. W trakcie niespełna dwóch tygodni, jakie minęły, zanim pojechałam na ląd z książeczkami oszczędnościowymi dzieci w kieszeni, zdałam sobie sprawę, że jeśli chodzi o ojca, Jim również ma trzecie oko.

Był jeszcze mały Pete. Kiedy miał zaledwie cztery latka, wszędzie dreptał buńczucznie za Joem, podciągając portki tak jak on i szarpiąc się za koniec nosa i uszy. Oczywiście nie sterczały mu stamtąd żadne włosy, ale bardzo chciał naśladować ojca. Pierwszego dnia szkoły wrócił do domu z płaczem; miał zadrapanie na policzku i spodnie brudne na tyłku. Usiadłam obok niego na ganku, objęłam go i spytałam, co się stało. Odparł, że ten żydłak Dicky O'Hara pchnął go, cholera, i przewrócił na ziemię. Wyjaśniłam, że „cholera" to brzydkie słowo, którego ma więcej nie używać, i zapytałam, czy wie, co to znaczy „żydłak". Przyznam, że sama byłam ciekawa, co powie.

— Pewnie — oznajmił. — Żydłak to taki głupi gnój jak Dicky O'Hara.

Powiedziałam mu, że nie ma racji, a wtedy spytał, co to znaczy. Odparłam, że nieładnie jest tak o kimś mówić — ma przestać i już. Siedział, mierząc mnie gniewnie wzrokiem i wysuwając dolną wargę. Wyglądał jak wykapany tata. Selena bała się ojca, Jim go nienawidził, ale chyba najbardziej lękałam się o małego Pete'a, który chciał być dokładnie taki jak on.

Więc w piątek gdy Joe wypłynął w morze, wyjęłam książeczki dzieci z dolnej szuflady szkatułki na biżuterię (trzymałam je tam, bo szkatułka była zamykana na klucz, który nosiłam na łańcuszku na szyi) i mniej więcej o wpół do pierwszej wmaszerowałam do Coastal Northern Bank w Jonesport. Odstałam swoje w kolejce, a kiedy doszłam do okienka, podałam kasjerce wszystkie trzy książeczki i powiedziałam, że chcę je zlikwidować; część pieniędzy ma mi wypłacić w gotówce, część w czekach bankierskich.

— Proszę chwileczkę zaczekać, pani St. George — rzekła i przeszła na koniec sali, żeby sprawdzić stan kont. Było to na długo przed komputeryzacją, więc kasjerki musiały wszystko same sprawdzać i obliczać.

Wyjęła kolejno trzy teczki, otworzyła je i zaczęła oglądać. Na środku jej czoła pojawiła się zmarszczka. Po chwili kasjerka powiedziała coś do innej pracownicy. Przez kilka minut obie studiowały dokumenty, a ja stałam przy kontuarze, obserwując urzędniczki i powtarzając sobie, że przecież, do jasnej cholery, nie ma żadnego powodu, abym się denerwowała. Mimo to czułam narastający niepokój.

Zamiast wrócić do mnie, kasjerka znikła za drzwiami jednego z wydzielonych przepierzeniami pomieszczeń szumnie zwanych gabinetami. Ponieważ były oszklone, widziałam, jak gada z siedzącym w środku drobnym, łysym facetem w szarym garniturze i czarnym krawacie. Kiedy w końcu wróciła do okienka, nie miała ze sobą żadnych papierów. Zostawiła je na biurku łysego gościa.

— Sądzę, że powinna pani omówić stan kont dzieci z panem Pease'em, pani St. George — oświadczyła, zwracając mi książeczki. Pchnęła je w moją stronę kantem dłoni, jakby były zadżumione i mogłaby się zarazić, gdyby wzięła je do ręki.

— Dlaczego? — spytałam. — Co jest nie w porządku?

Wiedziałam już, że nie zdenerwowałam się bez powodu. Serce waliło mi dwa razy szybciej niż normalnie, w ustach mi zaschło.

— Nic, nic, zresztą pan Pease zaraz pani wszystko wyjaśni — oznajmiła, nie patrząc mi w oczy, więc z miejsca się zorientowałam, że łże jak najęta.

Idąc w stronę gabinetu, czułam się tak, jakbym do każdej stopy miała przytwierdzony dziesięciokilogramowy odważnik. Domyślałam się, co się stało, choć nie potrafiłam zrozumieć, jak do tego mogło dojść. Rany boskie, przecież cały czas nosiłam przy sobie kluczyk! Joe nie mógł wyjąć książeczek z mojej szkatułki i wsadzić ich z powrotem, bo musiałby wyważyć zamek, a ten był nieuszkodzony! Nawet gdyby zdołał otworzyć go wytrychem (dobry żart; Joe był taką niezgułą, że nie umiał donieść widelca z fasolą od talerza do gęby, nie rozsypując połowy na kolana), to albo w książeczkach byłyby adnotacje o wypłatach, albo na okładkach widniałby czerwony stempel bankowy z napisem ZLIKWIDOWANO... a nie było nic.

Wiedziałam, co pan Pease mi powie: że mąż wystrychnął mnie na dudka, i kiedy weszłam do środka, właśnie to usłyszałam. Urzędnik poinformował mnie, że książeczki Jima i małego Pete'a zostały zlikwidowane dwa miesiące temu, a książeczka Seleny przed niespełna dwoma tygodniami. Joe zrobił to akurat wtedy, bo wiedział, że poczynając od września, nie chodzę do banku, by wpłacać pieniądze na książeczki dzieci, dopóki nie mam pewności, że w garnku, który stoi na górnej półce w kuchni, udało mi się odłożyć tyle, aby starczyło na zapłacenie rachunków pod koniec roku.

Kiedy Pease pokazał mi zielone, liniowane arkusze papieru, na których notowane są wpłaty i wypłaty, zobaczyłam, że Joe podjął ostatnią sumę — pięćset dolców z konta Seleny — nazajutrz po tym, gdy mu zabroniłam zbliżać się do córki; nazajutrz po tym, gdy rozparty w fotelu na biegunach wykrzyczał mi, że nie wiem wszystkiego. Miał, sukinsyn, rację.

Długo patrzyłam na cyfry, a potem przeniosłam wzrok na pana Pease'a, który siedział naprzeciwko ze zmartwioną miną i pocierał dłonie. Widziałam kropelki potu na jego łysej głowie. Orientował się równie dobrze jak ja, co się stało.

— Jak pani widzi, pani St. George, pani mąż zlikwidował wszystkie trzy książeczki, więc...

— Jak to możliwe? — zapytałam i cisnęłam mu je na biurko; zamrugał oczami i aż podskoczył. — Jak to możliwe, skoro mam je przy sobie?!

— No więc — zaczął, oblizując wargi i mrużąc oczy niczym jaszczurka wygrzewająca się na ciepłym od słońca kamieniu — no więc zgodnie z przepisami w przypadku rachunków imiennych, których właściciele są niepełnoletni, rodzice mają prawo rozporządzać wkładem. Z czego chyba zdaje sobie pani sprawę, skoro zamierzała pani podjąć dziś pieniądze.

— Ale w książeczkach nie ma żadnych adnotacji o wypłatach! — zaprotestowałam; zapewne mówiłam podniesionym głosem, bo ludzie w banku patrzyli w naszą stronę. Widziałam przez szybę, że nas obserwują, ale nic mnie to nie obchodziło. — Jakim cudem mój mąż podjął pieniądze, nie mając tych cholernych książeczek?

Urzędnik coraz szybciej pocierał ręce. Szeleściły jak papier ścierny; gdyby trzymał między nimi suchy patyk, zdołałby podpalić opakowania po gumie do żucia leżące w popielniczce.

— Pani St. George, gdyby była pani uprzejma nie podnosić głosu...

— Nie podoba się panu mój głos?! — krzyknęłam jeszcze donośniej. — A mnie się nie podoba sposób, w jaki ten gówniany bank prowadzi interesy! Coś mi tu wyraźnie śmierdzi!

Urzędnik podniósł z biurka kartkę i popatrzył na nią.

— Jak z tego dokumentu wynika, pani mąż złożył nam oświadczenie, że książeczki uległy zgubieniu — oznajmił w końcu. — Poprosił, abyśmy wystawili mu nowe. Jest to zwykła praktyka w takich...

— Mam w dupie waszą zwykłą praktykę! — ryknęłam. — Nikt do mnie nie zadzwonił! Nikt z banku nie dał mi znać! Mówiono nam, kiedy zakładaliśmy dzieciom książeczki, Selenie i Jimowi w pięćdziesiątym pierwszym, a Pete'owi trzy lata później, że są one niezbędne przy podejmowaniu wypłaty! Czyżbyście zmienili od tamtego czasu przepisy?!

— Proszę pani... — zaczął Pease, ale równie dobrze mógłby próbować gwizdać z gębą pełną krakersów; nie zamierzałam go dopuścić do głosu, dopóki nie wygarnę, co myślę.

— Opowiedział wam bajeczkę, a wyście mu uwierzyli! Poprosił o nowe książeczki, a wyście dali mu je bez mrugnięcia okiem! Rany boskie! Jak wam się wydaje, do cholery, kto wpłacał pieniądze? Jeśli myślisz pan, że mój mąż, jesteś pan jeszcze większym osłem od niego!

Już nikt w banku nawet nie udawał, że pilnuje własnych spraw. Po prostu wszyscy stali i gapili się na nas. Sądząc po minach, mieli ubaw po pachy, ale ciekawe, czy też byłoby im tak wesoło, gdyby to pieniądze przeznaczone na studia ich dzieci znikły nagle jak kamfora. Pan Pease zrobił się czerwony jak burak. Nawet jego spocona łysina przybrała szkarłatną barwę.

— Pani St. George, bardzo panią proszę! — Miał taką minę, jakby chciał się rozpłakać. — Zaręczam pani, że nasze postępowanie w tej sprawie było nie tylko w pełni zgodne z prawem, ale stanowi ogólnie przyjętą praktykę.

Przestałam się wydzierać. Poczułam, jak opuszcza mnie ochota do walki. Dałam się Joemu wystrychnąć na dudka i nie było na to rady.

— Może zrobiliście wszystko zgodnie z prawem, a może nie — powiedziałam w końcu. — Musiałabym wytoczyć wam proces, żeby się o tym przekonać, a nie mam na to ani czasu, ani pieniędzy. Zresztą, tu nie chodzi o samo prawo. Chodzi o to, że nikomu z was nie przyszło do głowy, żeby poinformować mnie, co się dzieje. Czy ogólnie przyjęta praktyka zabrania wam, cholera, sięgnąć po telefon i zadzwonić do matki dzieci? Przecież macie aktualny numer w każdej teczce!

— Bardzo mi przykro, proszę pani, ale...

— A gdyby było odwrotnie, gdybym to ja twierdziła, że książeczki się zgubiły i chcę otrzymać nowe, po czym zaczęła wycofywać forsę wpłacaną wam od dziesięciu lat, nie zadzwonilibyście do Joego? No niech pan powie: gdyby forsa wciąż leżała na książeczkach i ja bym je dzisiaj zlikwidowała, to czy po moim wyjściu nie zadzwonilibyście do mojego męża powiadomić go, że podjęłam wszystkie pieniądze? Ot tak, ze zwykłej przyzwoitości?!

Bo spodziewałam się, Andy, że tak właśnie postąpią, i dlatego wybrałam się do banku w dniu, w którym Joe popłynął ze Stargillami. Zamierzałam wrócić na wyspę, zabrać dzieci i zniknąć, zanim pojawi się na podjeździe z blaszanym pudełkiem na drugie śniadanie w prawej ręce, a sześcioma piwami w lewej.

Pease spojrzał na mnie i otworzył usta. Potem zamknął je bez słowa. Nie musiał nic mówić; odpowiedź miał wypisaną na twarzy. Jasne, że on albo inny pracownik banku zadzwoniłby do Joego — i wydzwaniałby wytrwale, ażby się z nim wreszcie połączył. Dlaczego? Bo Joe był głową domu. A kto by się tam przejmował żoną! W końcu cóż, do diabła, mogą żonę obchodzić sprawy finansowe? Jedyne, co musi wiedzieć o forsie, to jak ją zarabiać, szorując na kolanach posadzki i klozety! Jeśli ojciec decyduje się wycofać z banku pieniądze przeznaczone na studia dzieci, pewnie ma ku temu bardzo ważny powód, a jeśli nie ma, to i tak może robić, co chce, bo jest głową domu i sam wszystkim zarządza. Żona natomiast jest od tego, by szorować posadzki i klozety oraz gotować niedzielne obiadki.

— Jeśli coś się stało nie podług pani myśli, bardzo mi przykro, ale...

— Jak jeszcze raz usłyszę, że panu przykro, to tak pana kopnę w tyłek, że przesunie się panu na plecy i będzie pan wyglądał jak garbus — zagroziłam, ale mógł się nie obawiać. Czułam się tak wypompowana, że nie miałabym siły kopnąć pustej puszki na drugą stronę ulicy. — Proszę mi powiedzieć jedno i przestanę wiercić panu dziurę w brzuchu: czy Joe przehulał już całą forsę?

— Skąd mam wiedzieć takie rzeczy! — obruszył się.

Myślałby kto, że zaproponowałam mu zabawę w doktorka.

— Joe zawsze u was miał rachunek — wyjaśniłam. — Wprawdzie mógł pojechać do Machias albo Columbia Falls i ulokować forsę w jednym z tamtejszych banków, ale wiem, że tego nie zrobił; jest za głupi, za leniwy, a ponadto nie lubi zmian. Więc albo wsadził pieniądze do słoika i gdzieś zakopał, albo otworzył u was jeszcze jedno konto. Chcę wiedzieć, czy mój mąż założył u was nowe konto w ciągu ostatnich dwóch miesięcy.

Nie tyle chciałam wiedzieć, Andy, co po prostu musiałam. Odkąd przekonałam się, że Joe mnie wykiwał, wszystko wywracało mi się w środku i czułam, że umrę, jeśli zaraz się nie dowiem, czy przehulał już całe oszczędności.

— Jeśli nawet, to... to są poufne informacje! — zawołał Pease takim tonem, jakbym nie tylko zaproponowała mu zabawę w doktorka, ale jeszcze nalegała, żeby mnie zaraz pomacał.

— Aha. Tak myślałam. Więc chcę, żeby zdradził mi pan poufne informacje. Patrząc na pana, wiem, że to wbrew pańskim zasadom. Ale tu chodzi o pieniądze moich dzieci, panie Pease. Mój mąż okłamał bank, żeby je dostać w swoje ręce, i pan dobrze o tym wie, bo ma pan dowód na biurku: książeczki. A szydło wyszłoby z worka, gdyby bank wykonał jeden grzecznościowy telefon i powiadomił mnie, co się stało.

Pease chrząknął, żeby przeczyścić gardło.

— Regulamin nie wymaga, żebyśmy...

— Wiem, wiem — przerwałam mu. Miałam ochotę chwycić go za klapy marynarki i mocno nim potrząsnąć, ale zdawałam sobie sprawę, że tą metodą nic nie wskóram. Zresztą, moja mama zawsze powtarzała, że można złapać więcej much, wabiąc je miodem niż octem, i nieraz przekonałam się, że miała rację. — Wiem, że regulamin tego nie wymaga, ale niech pan pomyśli, ile cierpienia i bólu oszczędziłby mi jeden pański telefon. Gdyby chciał mi pan to jakoś wynagrodzić... nie musi pan, ale gdyby pan chciał, proszę mi powiedzieć, czy mąż otworzył u was nowy rachunek, czy mam zacząć rozkopywać teren dookoła domu. Bardzo pana proszę... Nikomu nic nie powiem. Przysięgam na wszystkie świętości, że nie powiem.

Patrzył na mnie, bębniąc palcami w zielone kartki na biurku. Paznokcie miał czyste, ręce wypielęgnowane, jakby dbała o nie zawodowa manikiurzystka, choć to było raczej mało prawdopodobne, bo w końcu mówimy o Jonesport przed trzydziestu laty. Pewnie manikiur robiła mu żona. Te ładne, zadbane paznokcie uderzały cicho w kartki, a ja myślałam sobie: Nie pomoże mi, za nic w świecie mi nie pomoże. Cóż go obchodzą wyspiarze i ich kłopoty? Całe życie troszczy się wyłącznie o swój tyłek, a w tej sprawie jest akurat kryty.

Nigdy nie miałam dobrego zdania o mężczyznach, więc kiedy wreszcie się odezwał, zawstydziłam się, że tak źle o nim myślałam.

— Nie mogę sprawdzić tego w pani obecności, pani St. George — powiedział. — Umówmy się tak: pójdzie pani do Chatty Buoy i zamówi sobie faworki oraz filiżankę pysznej, gorącej kawy, która na pewno dobrze pani zrobi, a ja wpadnę tam za kwadrans. No, może za pół godziny.

— Dziękuję. Bardzo panu dziękuję.

Westchnął, zgarniając z biurka papiery.

— Chyba zgłupiałem do reszty — oznajmił z nerwowym śmiechem.

— Nie — powiedziałam. — Po prostu pomaga pan kobiecie, która nie ma się do kogo zwrócić.

— Zawsze miałem słabość do dam w potrzebie. Przyjdę za pół godziny. Może trochę później.

— Ale zjawi się pan?

— Tak. Na pewno.

I rzeczywiście przyszedł, choć dopiero po trzech kwadransach; już zaczynałam się obawiać, że go nie zobaczę. Kiedy wreszcie stanął w drzwiach, byłam przekonana, że przynosi złe wieści. Wydawało mi się, że ma to wypisane na twarzy.

Przez kilka chwil rozglądał się dookoła, żeby się upewnić, czy w lokalu nie ma nikogo, kto widział, jak awanturowałam się w banku i mógłby mu przysporzyć kłopotów, gdyby zobaczył nas razem. Potem jednak podszedł do znajdującego się w rogu stolika, przy którym siedziałam, i zajął miejsce naprzeciwko.

— Pieniądze nadal są w banku. Przynajmniej większość. Prawie trzy tysiące dolarów.

— Dzięki Bogu!

— Ale mam i złe wiadomości. Nowe konto pani męża zostało założone wyłącznie na niego.

— Tego się spodziewałam — rzekłam. — Przecież nie dawał mi nic do podpisania. Inaczej dawno bym się wszystkiego domyśliła.

— Większość kobiet nie domyśliłaby się niczego. — Chrząknął, rozluźnił krawat, po czym obejrzał się szybko, żeby sprawdzić, kto wchodzi, bo akurat zabrzęczał dzwonek zawieszony nad drzwiami. — Bez czytania podpisują wszystko, co im mąż podsuwa.

— Nie jestem taka jak większość kobiet.

— Zauważyłem — powiedział nieco cierpkim tonem. — W każdym razie spełniłem pani prośbę, a teraz muszę wracać do banku. Żałuję, że nie mam czasu wypić z panią kawy.

— Wątpię — stwierdziłam.

— Rzeczywiście, nie żałuję — oświadczył. Ale podał mi rękę i uścisnął mocno, jakbym była mężczyzną, co potraktowałam jako swojego rodzaju komplement.

Siedziałam w restauracji, dopóki nie zniknął za drzwiami, a kiedy podeszła kelnerka, pytając, czy chcę jeszcze kawy, odparłam, że nie, bo już po pierwszej filiżance mam zgagę. I faktycznie miałam, ale nie od kawy.

Człowiek zawsze wynajdzie sobie coś, za co może być wdzięczny losowi, bez względu na to, jak źle mu się w życiu układa; podobnie i ja, wracając promem, byłam wdzięczna, że przynajmniej nie popakowałam rzeczy, bo teraz musiałabym wszystko rozpakowywać. I cieszyłam się, że nie powiedziałam nic Selenie. Zamierzałam zdradzić jej swoje plany, ale w końcu przestraszyłam się, że jeśli nie zdoła utrzymać tajemnicy i zwierzy się którejś z przyjaciółek, wieść może dotrzeć do Joego. Bałam się też, co będzie, jeśli Selena uprze się, że nie chce wyjeżdżać. Było to raczej mało prawdopodobne, bo wzdrygała się, ilekroć Joe się do niej zbliżał, ale kiedy ma się do czynienia z nastolatką, wszystko jest możliwe — dosłownie wszystko.

Więc miałam z czego się cieszyć, ale nie miałam żadnych pomysłów, co robić. Podjęcie pieniędzy ze wspólnej książeczki nie wchodziło w grę, bo było na niej czterdzieści sześć dolarów, a na koncie czekowym — dobre żarty! — jeszcze mniej, o ile w ogóle nie znajdowaliśmy się pod kreską. Niby mogłam zabrać dzieci i nie przejmując się niczym, uciec z wyspy, ale to byłoby kretyńskie posunięcie. Wtedy Joe przehulałby całą forsę po prostu mi na złość. Pewna sprawa. Według tego, co mówił pan Pease, już przepuścił trzysta dolców... a z pozostałych trzech tysięcy ja sama odłożyłam przynajmniej dwa i pół. Bądź co bądź każdego roku, przez kilka letnich miesięcy, zarabiałam szorując podłogi, myjąc okna i wieszając pranie tej cholernej suki Very — w dodatku używając sześciu, a nie czterech spinaczy na prześcieradło. Nie była to tak ciężka praca jak w zimie, o czym się później przekonałam, ale bynajmniej nie należała do przyjemności.

Czyli byłam zdecydowana wynieść się z wyspy razem z dziećmi, ale nie zamierzałam uciekać bez grosza przy duszy. W końcu były to pieniądze dzieci! W drodze powrotnej z Jonesport, kiedy stałam na pokładzie dziobowym „Island Princess", smagana podmuchami wiatru, które zgarniały mi do tyłu włosy, wiedziałam, że odzyskam tę forsę. Nie wiedziałam tylko jak.

Życie toczyło się dalej. Z pozoru nic nie uległo zmianie. Zresztą na wyspie zwykle odnosi się wrażenie, że wszystko jest po staremu... I jeśli patrzy się tylko po wierzchu, to rzeczywiście tak jest. Ale jeśli zajrzy się pod tę zewnętrzną powłokę, to nagle widzi się wszystko inaczej. Tamtej jesieni zmienił się sposób, w jaki patrzyłam na świat. Nie mówię o swoim trzecim oku; kiedy papierowa wiedźma znikła z okna i Pete — szykując się do Dnia Dziękczynienia — powiesił na jej miejsce obrazki indyków i pierwszych kolonistów, widziałam wystarczająco dużo swoimi dwoma normalnymi oczami.

Pożądliwy, obleśny sposób, w jaki Joe przyglądał się Selenie, kiedy była w szlafroku; jak zerkał na jej tyłek, gdy schylała się, żeby wziąć ścierkę spod zlewu. Jakim szerokim łukiem go obchodziła, kiedy musiała przejść obok jego fotela, żeby udać się do swojego pokoju; jak pilnowała się, żeby przypadkiem nie dotknąć jego dłoni, podając mu przy kolacji półmisek. Serce kłuło mnie ze wstydu i żalu, a jednocześnie czułam taką złość, że bezustannie bolał mnie brzuch. Cholera jasna, był przecież jej rodzonym ojcem, w jej żyłach płynęła jego własna krew, miała jego czarne irlandzkie włosy i jego palce, ale ilekroć ramiączko stanika zsuwało się jej z ramienia, Joemu gały niemal wyskakiwały z orbit!

Widziałam, że Jim również omija ojca z daleka i ignoruje jego pytania, jeśli tylko uzna, że ujdzie mu to na sucho, albo mruczy coś pod nosem, kiedy nie ma innego wyjścia. Pamiętam, jak któregoś dnia przyniósł mi swoje wypracowanie o prezydencie Roosevelcie. Nauczycielka postawiła mu piątkę z plusem i napisała u góry, że jest to pierwsza piątka z plusem, jaką postawiła w ciągu dwudziestu lat nauczania historii, i że jej zdaniem wypracowanie zasługuje na to, by ukazać się w gazecie. Spytałam Jima, czy chce je wysłać do „American" w Ellsworth albo do „Timesa" w Bar Harbor. Powiedziałam, że chętnie zapłacę za znaczki. Potrząsnął głową i roześmiał się. Nie spodobał mi się jego śmiech; był twardy i cyniczny, jak śmiech Joego.

— Żeby ojciec znęcał się nade mną przez najbliższe pół roku? — spytał. — Nie, dziękuję. Nie słyszałaś, jak go nazywał Franklinem Żydoveltem?

Widzę go, jakby to było dziś, Andy; widzę, jak stoi na ganku, z rękami głęboko w kieszeniach, i spogląda z góry na mnie — bo choć miał dopiero dwanaście lat, mierzył już metr osiemdziesiąt — i na moje ręce, w których trzymam jego wypracowanie ocenione na piątkę z plusem. Pamiętam cień uśmiechu unoszący mu kąciki warg. Nie było w nim dobrej woli, humoru, radości; był to uśmiech jego taty, choć nie mogłam mu tego powiedzieć.

— Ojciec nienawidzi Roosevelta najbardziej ze wszystkich prezydentów — oświadczył. — Dlatego właśnie o nim napisałem wypracowanie. Daj, spalę je w kominku.

— Nie zrobisz tego, Jim. A jeśli chcesz się przekonać, co to znaczy być znokautowanym przez rodzoną matkę, spróbuj mi je zabrać.

Wzruszył ramionami. Znów tak samo jak Joe, ale jego uśmiech stał się szeroki i słodki; Joe ani razu nie uśmiechnął się w ten sposób.

— W porządku — powiedział. — Tylko mu tego nie pokazuj, dobrze?

Obiecałam, że nie pokażę, i pobiegł grać w koszykówkę z kolegą, Randym Gigeure. Patrzyłam za nim, trzymając wypracowanie i myśląc o naszej rozmowie. Głównie dumałam nad tym, że dostał jedyną piątkę z plusem, jaką nauczycielka historii postawiła w ciągu dwudziestu lat pracy, i że dostał ją za wypracowanie napisane o prezydencie znienawidzonym przez jego ojca.

Niepokoił mnie też mały Pete, który zawsze chodził zawadiackim krokiem, z wysuniętą dolną wargą i wymyślał kolegom od żydłaków. Tak potwornie rozrabiał, że co najmniej trzy razy w tygodniu zatrzymywano go za karę po lekcjach. Któregoś dnia wezwano mnie do szkoły, bo wdał się w bójkę z innym chłopcem i uderzył tamtego mocno w bok głowy, aż krew mu poszła z ucha.

— Odtąd będzie wiedział, że ma ci schodzić z drogi, co Pete? — skomentował to wieczorem Joe.

Widziałam, jak małemu oczy rozbłysły po słowach ojca, widziałam, jak czule Joe niósł go potem do łóżka. Tej jesieni widziałam wszystko niezwykle wyraźnie, ale cały czas nie widziałam jednego: sposobu, w jaki mogłabym uwolnić się od męża.

Jak myślicie, kto w końcu podsunął mi pomysł? Vera. Tak jest, Vera Donovan. Była jedyną osobą, która wiedziała, co zrobiłam. I tą, która podsunęła mi pomysł.

W latach pięćdziesiątych Donovanowie — a przynajmniej Vera z dziećmi — należeli do najwierniejszych letników: zjawiali się pierwszego czerwca, przez całe lato nie ruszali się z wyspy i wracali do Baltimore dopiero w pierwszy weekend września. Nie wiem, czy można by według nich regulować zegarek, ale na pewno kalendarz. W środę po ich wyjeździe wkraczałam do domu z ekipą sprzątaczek i porządkowałyśmy dom od piwnicy po strych; ściągałyśmy pościel, zakrywały meble, zbierały zabawki, zanosiły łamigłówki do piwnicy. W tysiąc dziewięćset sześćdziesiątym roku, kiedy zmarł pan Donovan, było ich chyba z trzysta; leżały jedna na drugiej, na arkuszach dykty, i powoli zarastały pleśnią. Mogłam robić generalne porządki, bo wiedziałam, że właściwie nie ma takiej możliwości, żeby Donovanowie pojawili się znów na wyspie przed pierwszym czerwca.

Było oczywiście parę wyjątków; na przykład tego roku, kiedy urodził się mały Pete, przyjechali spędzić na wyspie Dzień Dziękczynienia (dom nadawał się do zamieszkania przez okrągły rok, więc wydawało nam się dziwne, że kupili akurat taką chałupę, skoro korzystali z niej tylko w lecie, ale wszystko dotyczące wczasowiczów wydawało nam się dziwne), a kilka lat później przybyli na Boże Narodzenie. Pamiętam, że przed Wigilią dzieci Donovanów wzięły Selenę i Jima na sanki; po trzech godzinach zjeżdżania z Sunrise Hill Selena wróciła do domu z policzkami czerwonymi jak jabłka i oczami iskrzącymi się jak brylanty. Miała wtedy najwyżej dziewięć lat, ale kochała się na zabój w Donaldzie Donovanie.

No więc jednego roku Donovanowie spędzili na wyspie Dzień Dziękczynienia, innego Boże Narodzenie, ale to wszystko. Byli typowymi letnikami... przynajmniej Michael Donovan i dzieci. Vera też z początku była tylko letniczką, z czasem jednak stała się taką samą wyspiarką jak ja. Może nawet większą.

W sześćdziesiątym pierwszym niby wszystko było jak za dawnych lat; Vera pojawiła się z dziećmi pierwszego czerwca — tyle że bez męża, który zginął rok wcześniej w wypadku samochodowym — i od razu wzięła się za układanie łamigłówek, szydełkowanie i zbieranie muszli; nadal kopciła jak smok i jak co roku między piątą a wpół do dziesiątej z lubością oddawała się piciu koktajli. Ale coś się zmieniło i nawet ja, gospodyni, to widziałam. Dzieci były zamknięte w sobie i ciche, pewnie wciąż opłakiwały ojca. Wkrótce po Święcie Czwartego Lipca, kiedy wybrali się w trójkę na obiad do Harborside, wybuchła między nimi potworna awantura. Jimmy DeWitt, który pracował tam wtedy jako kelner, mówił, że poszło im o jakiś samochód.

W każdym razie o coś się pokłócili i nazajutrz dzieci wyjechały. Fagas zawiózł je na ląd ogromną motorówką należącą do męża Very i pewnie inny służący już tam na nie czekał. Od tego czasu nie widziałam ich więcej na oczy. Vera została. Widać było, że nie jest szczęśliwa, ale nie skróciła pobytu na wyspie. Tego lata najlepiej było trzymać się od niej z daleka. Zanim nadciągnął wrzesień, zwolniła z pięć dziewczyn wynajętych do pomocy. Patrząc, jak odpływa na pokładzie „Island Princess", pomyślałam sobie, że w następnym roku chyba nie pojawi się na wyspie, a przynajmniej nie zabawi tu tak długo. Pogodzi się z dzieciakami — w końcu po śmierci męża były jej jedyną rodziną — i skoro miały po dziurki w nosie Little Tall, zabierze je na lato gdzie indziej. Po prostu zrozumie, że teraz ich potrzeby są najważniejsze.

To tylko świadczy o tym, jak słabo wówczas znałam Verę Donovan. Nie dawała sobie nikomu w kaszę dmuchać i nie zamierzała godzić się z czymkolwiek, co jej nie odpowiadało. Przyjechała popołudniowym promem pierwszego czerwca — sama — i została aż do września. Przez całe lato nie powiedziała nikomu dobrego słowa, piła więcej niż kiedykolwiek i większość czasu wyglądała jak śmierć, ale przyjechała, układała te swoje łamigłówki i jak co roku chodziła na plażę zbierać muszle, tyle że teraz chodziła w pojedynkę. Któregoś dnia napomknęła, że Donald i Helga najprawdopodobniej w sierpniu przyjadą Pod Sosny (tak nazywali swój dom; ty, Andy, pewnie o tym wiesz, ale wątpię, żeby Nancy wiedziała), jednak się nie zjawili.

Od sześćdziesiątego drugiego wizyty Very na Little Tall przestały się ograniczać do letnich wakacji. Na początku września wróciła do Baltimore, a już w połowie października zadzwoniła i poleciła mi przygotować dom na jej przyjazd. Co też zrobiłam. Była tylko trzy dni — razem z tym swoim fagasem, który wprowadził się do mieszkania nad garażem — po czym wyjechała. Ale przed wyjazdem zadzwoniła powiedzieć, żebym kazała Dougiemu Tappertowi sprawdzić piec i żebym nie zakładała pokrowców na meble.

— Teraz, kiedy uporałam się ze sprawami męża, będziesz mnie widywać znacznie częściej — oświadczyła. — Może częściej niżbyś chciała, Dolores. Helgę i Donalda też.

Lecz słyszałam w jej głosie nutę wahania, jakby sama wątpiła w to, co mówi.

Następny raz przyjechała pod koniec listopada, mniej więcej tydzień po Dniu Dziękczynienia, i od razu zadzwoniła, żebym przyszła odkurzyć dom i posłać łóżka. Przyjechała oczywiście bez dzieci — i nic dziwnego, bo przecież trwał rok szkolny — ale powiedziała, że może w ostatniej chwili zdecydują się spędzić weekend na wyspie zamiast w internacie. Pewnie się domyślała, że nic z tego nie wyjdzie, jednakże niczym dobra skautka wierzyła, że należy być przygotowanym na każdą ewentualność.

Ponieważ byłam wolna — o tej porze roku dla takich jak ja nie ma wiele pracy — obiecałam, że wkrótce się zjawię. Wlokłam się w zimnym deszczu, z pochyloną nisko głową, pełna jak najczarniejszych myśli. Minął już prawie miesiąc od mojej wizyty w banku, ale sprawa pieniędzy dzieci cały czas nie dawała mi spokoju; czułam, jak wypala mi dziurę w mózgu — niby żrący kwas.

Nie potrafiłam zjeść spokojnie posiłku ani zasnąć na dłużej niż trzy godziny, bo budziły mnie koszmary; zapominałam nawet zmienić majtki na tyłku. Bez przerwy myślałam o tym, że Joe dobierał się do Seleny, że wykradł z banku pieniądze, i zachodziłam w głowę, jak je odzyskać. Wiedziałam, że jeśli chcę znaleźć odpowiedź, muszę skupić się na czymś innym — wtedy najczęściej pojawia się jakieś rozwiązanie — ale nie umiałam. Nawet jeśli udawało mi się na krótko zająć myśli innymi sprawami, wystarczył byle drobiazg, żeby wróciły na dawny tor. Nie potrafiłam nic wydumać, choć odchodziłam od zmysłów; pewnie dlatego w końcu opowiedziałam Verze o wszystkim, co się stało.

Wcale nie zamierzałam jej nic mówić. Od śmierci męża chodziła rozdrażniona jak lwica z drzazgą w łapie, a ja bynajmniej nie miałam ochoty zwierzać się komuś, kto zachowuje się tak, jakby świat dookoła był jednym śmierdzącym gównem. Ale tego dnia Vera miała znacznie lepszy nastrój.

Stała w kuchni, przypinając artykuł wycięty z pierwszej strony bostońskiego „Globe" do korkowej tablicy wiszącej na ścianie przy drzwiach do spiżarni.

— Spójrz na to, Dolores. Jeśli dopisze nam szczęście i nie będzie lało, w lecie zobaczymy coś naprawdę niezwykłego.

Wciąż, po tych wszystkich latach, pamiętam słowo w słowo tytuł artykułu, bo kiedy go czytałam, przebiegł mnie dziwny dreszcz. CAŁKOWITE ZAĆMIENIE NAD PÓŁNOCNĄ NOWĄ ANGLIĄ. Poniżej widniała mapka, na której zakreślono tę część stanu Maine, gdzie zaćmienie miało być całkowite, a Vera zaznaczyła czerwonym długopisem Little Tall.

— Kolejne zaćmienie nastąpi dopiero pod koniec przyszłego stulecia — dodała. — Może je zobaczą nasze prawnuki, Dolores, ale ciebie i mnie już dawno nie będzie... więc to nasza jedyna okazja!

— Mogę się założyć, że będzie lało jak z cebra — rzekłam bez zastanowienia, a po chwili pomyślałam sobie, że skoro od śmierci męża Vera wścieka się o byle co, pewnie zaraz na mnie naskoczy.

Ale jedynie roześmiała się i poszła na górę, nucąc coś pod nosem. Zdziwiła mnie ta nagła odmiana. Bo Vera nie tylko nuciła, ale w dodatku nie było po niej widać, żeby miała kaca.

Mniej więcej dwie godziny później poszłam do jej pokoju zmienić pościel na tym samym łóżku, na którym na starość przeleżała bezradnie tyle lat. Siedziała przy oknie, robiąc na drutach ozdobną poszewkę i wciąż nuciła. W piecu na dole buzował ogień, ale w domu jeszcze nie czuło się ciepła — nagrzanie takiej wielkiej chałupy trwa całe wieki — więc miała na ramionach różowy szal. Od zachodu wiał silny wiatr i krople deszczu tak głośno tłukły w okno, jakby ktoś ciskał w nie garściami piachu. Kiedy wyjrzałam na zewnątrz, zobaczyłam, że nad garażem pali się światło; w taką pogodę fagas Very też nie zamierzał wystawiać nosa na dwór.

Właśnie zawijałam brzegi prześcieradła pod materac (Vera nie uznawała prześcieradeł obszytych gumką, bo i czemu miałaby ułatwiać służbie życie), po raz pierwszy od dawna nie myśląc o Joem i dzieciach, gdy wtem dolna warga zaczęła mi drżeć. Przestań, powiedziałam do siebie. Przestań natychmiast! Ale warga wciąż mi drżała. Potem górna też zaczęła się trząść. Nagle oczy wypełniły mi się łzami, a nogi ugięły pode mną; usiadłam na łóżku i rozpłakałam się.

Nie. Nie.

Skoro mam mówić prawdę, nie będę niczego ukrywać. Nie rozpłakałam się, a po prostu zaczęłam ryczeć, zarzucając sobie fartuch na głowę. Byłam zmęczona, skołowana, nie potrafiłam nic wydumać. Od tygodni nie przespałam spokojnie ani jednej nocy i nie miałam pojęcia, co dalej począć. Pomyliłaś się, Dolores, przemknęło mi przez głowę, bo jednak myślałaś o Joem i dzieciach. No jasne, że myślałam. Doszło do tego, że nie byłam w stanie myśleć o niczym innym, i pewnie dlatego się pobeczałam.

Nie wiem, jak długo trwał ten atak histerii, ale kiedy w końcu ucichłam, miałam całą twarz w glutach, zatkany nos i tak urywany oddech, jakbym właśnie pobiła rekord na setkę. Bałam się zdjąć z głowy fartuch, wiedząc, co usłyszę od Very: „Piękny popis, Dolores. W piątek możesz odebrać kopertę z wypłatą. Wręczy ci ją Kenopensky".

Nareszcie sobie przypomniałam, Andy; ten jej fagas nazywał się Kenopensky. W każdym razie taka reakcja idealnie mi do Very pasowała. Tyle że Vera zawsze była nieobliczalna. Zanim jej mózg zmienił się w galaretę, nie sposób było przewidzieć, jak się zachowa.

Kiedy zsunęłam fartuch z twarzy, Vera siedziała przy oknie z robótką na kolanach i patrzyła na mnie jak na nieznany, interesujący gatunek owada. Strugi deszczu spływające po szybach rzucały podłużne cienie na jej czoło i policzki.

— Dolores, przyznaj się: chyba nie byłaś tak nieostrożna, by znów dać się nadmuchać temu łajdakowi, za którego wyszłaś?

W pierwszej chwili pomyślałam, że Vera cudem odgadła, w jaki sposób dałam się Joemu zrobić w balona. A potem zrozumiałam, o co jej chodzi, i zaczęłam chichotać. Wkrótce śmiałam się równie głośno, jak wcześniej beczałam, i tak samo nie potrafiłam powstrzymać się od śmiechu, jak wcześniej od płaczu. Wiedziałam, że głównie śmieję się z nerwów — możliwość ponownego zajścia w ciążę była najgorszym koszmarem, jaki mogłam sobie wyobrazić, więc całe szczęście, że Joe i ja od dawna nie robiliśmy tych rzeczy. Ale co z tego, że wiedziałam, dlaczego śmieję się jak wariatka, skoro i tak nie umiałam przestać.

Vera patrzyła na mnie przez dłuższą chwilę, po czym podniosła z kolan robótkę i jak gdyby nigdy nic wzięła się z powrotem do pracy. Nawet znów zaczęła nucić. Zupełnie jakby widok gospodyni, która siedzi u niej w sypialni na nieposłanym łóżku i śmieje się jak hiena, był czymś najnormalniejszym w świecie. Sądząc po tej reakcji, musiała zatrudniać u siebie w Baltimore bardzo dziwną służbę!

Po kilku minutach mój śmiech przeszedł w płacz, tak jak deszcz przechodzi w śnieg podczas zimowych nawałnic, kiedy wiatr zmienia nagle kierunek. W końcu jednak przestałam beczeć i po prostu siedziałam na łóżku, zawstydzona, wyżęta z sił... ale jakby trochę oczyszczona.

— Bardzo panią przepraszam, pani Donovan — powiedziałam. — Naprawdę przepraszam.

— Vero — rzekła.

— Słucham? — zapytałam.

— Vero — powtórzyła. — Wymagam, żeby wszystkie kobiety, które dostają na moim łóżku ataku histerii, mówiły mi od tej pory po imieniu.

— Nie wiem, co mi się stało...

— Och, a mnie się wydaje, że wiesz doskonale — oznajmiła. — Umyj się, Dolores; wyglądasz tak, jakbyś zanurzyła twarz w misce z rozgotowanym szpinakiem. Skorzystaj z mojej łazienki.

Więc umyłam twarz, ale długo nie wychodziłam ze środka. Prawdę mówiąc, trochę bałam się wyjść. Przestałam się martwić, że Vera mnie wyleje, kiedy powiedziała, żebym zwracała się do niej po imieniu — bądź co bądź nie przechodzi się na ty z kimś, kogo za pięć minut zamierza się zwolnić — ale nie wiedziałam, co knuje. Potrafiła być okrutna; jeśli jeszcze na to nie wpadliście po tym wszystkim, co wam opowiedziałam, chyba niepotrzebnie strzępię sobie język. Każdemu umiała dopiec do żywego i nie cackała się z nikim.

— Utopiłaś się, czy co, Dolores? — zawołała w końcu, więc wiedziałam, że dłużej nie mogę zwlekać.

Zakręciłam kran, wytarłam twarz i wróciłam do pokoju. Zaczęłam ją znów przepraszać, ale Vera machnęła ręką. Nadal patrzyła na mnie tak, jakbym była nieznanym gatunkiem owada.

— Tak mnie przeraziłaś, kobieto, że ze strachu o mało nie narobiłam w gacie — powiedziała. — Przez te wszystkie lata byłam przekonana, że nie potrafisz płakać; myślałam, że jesteś z kamienia.

Wymamrotałam, że ostatnio ciągle chodzę niewyspana.

— To widać. Pod oczami masz sakwojaże, a ręce drżą ci nader intrygująco.

— Co mam pod oczami? — zapytałam.

— Nieważne. Powiedz, co się stało. Jedyny powód takiego płaczu, jaki przyszedł mi do głowy, to że Joe zmajstrował ci kolejnego bachora. Przyznaję, że nic więcej nie umiem wymyślić. Więc gadaj, Dolores.

— Nie mogę — rzekłam i jak Boga kocham, poczułam, że znów mi się zbiera na płacz. Wiedziałam, że jeśli natychmiast się nie opamiętam, zarzucę ponownie fartuch na łeb i zacznę wyć jak syrena strażacka.

— Możesz. Wyrzuć to z siebie. Przecież nie będziesz cały dzień beczeć. Bo w końcu rozboli mnie głowa i będę musiała łyknąć aspirynę. Nie cierpię brać aspiryny. Podrażnia mi żołądek.

Usiadłam na skraju łóżka i spojrzałam na Verę. Otworzyłam usta, nie mając najmniejszego pojęcia, co powiem. Moje słowa brzmiały następująco:

— Mój mąż chce wyruchać własną córkę, a kiedy poszłam wyjąć z banku pieniądze odłożone na studia dzieci, żeby uciec z Seleną i chłopcami z wyspy, okazało się, że zwinął całą forsę. Nie, nie jestem z kamienia. Naprawdę nie jestem.

Znów się rozpłakałam i płakałam przez dłuższy czas, ale nie tak spazmatycznie jak przedtem i tym razem nie czułam potrzeby zasłonięcia twarzy fartuchem. Kiedy wreszcie przestałam łkać i tylko pociągałam nosem, Vera kazała opowiedzieć sobie wszystko od samego początku, nie pomijając niczego.

Spełniłam jej prośbę. Nigdy nie sądziłam, że będę w stanie komukolwiek to opowiedzieć, a zwłaszcza Verze Donovan, babie z kupą szmalu, z domem w Baltimore i fagasem, którego rola bynajmniej nie ograniczała się do woskowania samochodu, a jednak opowiedziałam, i czułam, jak z każdym słowem lżej mi się robi na sercu. Wyrzuciłam z siebie wszystko, tak jak chciała.

— I teraz jestem w kropce. Nie wiem, jak się uwolnić od tego skurwysyna. Pewnie mogłabym załapać jakąś robotę, gdybym po prostu zabrała dzieci i przeniosła się na kontynent, bo nigdy nie bałam się ciężkiej pracy, ale nie o to przecież chodzi.

— W takim razie o co? — zapytała. Już prawie skończyła poszewkę; mało kto robił na drutach tak szybko jak ona.

— Niewiele brakowało, a zgwałciłby własną córkę. Tak ją przeraził, że nie wiem, czy dziewczyna kiedykolwiek dojdzie do siebie, i jeszcze w nagrodę wypłacił sobie blisko trzy tysiące zielonych. I właśnie o to chodzi: nie mogę pozwolić, cholera jasna, żeby łajdakowi uszło wszystko na sucho!

— O to? — zapytała spokojnie.

Stuk-stuk-stuk — stukotały jej druty, a deszcz spływał po szybach, rzucając na czoło i policzki Very cienie, które wiły się i skręcały na kształt ciemnych żył. Gdy tak na nią patrzyłam, przypomniała mi się legenda, którą opowiadała moja babka, o trzech siostrach wśród gwiazd, które przędą nić naszego życia... jedna wije nić, druga ją trzyma, a trzecia puszcza w ruch nożyce, ilekroć przyjdzie jej ochota. Chyba ta trzecia ma na imię Atropos. A może jakoś inaczej, ale na sam dźwięk tego imienia zawsze przechodzą mnie ciarki.

— Tak, o to — odparłam. — Ale niech mnie diabli porwą, jeśli wiem, jak mu się odpłacić.

Stuk-stuk-stuk. Obok stała filiżanka; na moment Vera przerwała pracę i wypiła łyk. Później doszło do tego, że gotowa była pić herbatę uchem i lała ją sobie po włosach, ale tego jesiennego dnia w sześćdziesiątym drugim miała umysł ostry jak brzytwa mojego taty. Kiedy spojrzała na mnie, wydało mi się, że jej oczy przewiercają mnie na wylot.

— Co w tym wszystkim jest najgorsze? — zapytała wreszcie, odstawiając filiżankę i znów podnosząc robótkę. — Co, według ciebie, jest najgorsze? Nie dla Seleny i chłopców, a dla ciebie?

Nawet nie musiałam się zastanawiać.

— Że skurwysyn się ze mnie śmieje — powiedziałam. — To jest najgorsze. Widzę czasem po jego twarzy, że śmieje się ze mnie w kułak. Nie mówiłam mu o wizycie w banku, ale skurwysyn wie, że tam byłam, i wie, czego się dowiedziałam.

— Może tak ci się tylko wydaje.

— Wydaje mi się czy nie, właśnie to mnie wkurwia najbardziej!

— Zatem masz rację, Dolores. Mów dalej.

Co znaczy, mów dalej? miałam ochotę zapytać. Przecież to już wszystko. A jednak się myliłam, bo nagle jeszcze coś wyskoczyło ze mnie, niczym kukułka z zegara.

— Nie śmiałby się, gdyby wiedział, ile razy mnie korciło, żeby zaszlachtować go jak prosiaka!

Siedziała i przyglądała mi się bez słowa, a ponieważ na jej twarzy wciąż migotały ciemne cienie, nic nie mogłam wyczytać z jej oczu. Znów pomyślałam o siostrach, które przędą pośród gwiazd. Zwłaszcza o tej, która dzierży nożyce.

— Boję się — ciągnęłam. — Nie jego. Siebie. Jeśli wkrótce nie wyjadę z dzieciakami, stanie się jakieś nieszczęście. Wiem to na pewno. Bo coś się we mnie otworzyło. I patrzy...

— Takie wewnętrzne oko? — spytała spokojnie, a mnie aż przeszły ciarki; zupełnie jakby znalazła szparę w mojej czaszce i widziała przez nią moje myśli! — Masz jakby trzecie oko?

— Skąd wiesz? — szepnęłam. Na ramionach wystąpiła mi gęsia skórka, drżałam na całym ciele.

— Wiem. — Zaczęła nabierać kolejny rząd oczek. — Zawsze o tym wiedziałam, Dolores.

— Chyba... w końcu go zabiję, jeśli nie uda mi się nad sobą zapanować. Tego się boję. Wtedy już nie będę musiała się martwić o forsę. Ani o nic, bo wyląduję w pierdlu!

— Bzdura — powiedziała, stukając drutami. — Mężowie umierają codziennie, Dolores. Pewnie jakiś umiera w tej chwili, kiedy siedzimy tu sobie i gadamy. Umierają i zostawiają cały majątek żonom.

Skończyła następny rząd oczek i podniosła na mnie wzrok, ale cienie rzucane przez deszcz, które niczym węże wiły się po jej policzkach, sprawiały, że wciąż nie widziałam wyrazu jej twarzy.

— Dobrze wiem, o czym mówię — dodała. — W końcu coś takiego stało się z moim.

Nie mogłam wydusić z siebie słowa. Język przykleił mi się do podniebienia jak mucha do lepu.

— Nieszczęśliwy wypadek jest czasem niezmiernie na rękę nieszczęśliwej kobiecie — powiedziała tonem nauczycielki przekazującej uczniom ważną informację.

— Co masz na myśli? — spytałam. Mój głos był cichszy od szeptu, ale i tak byłam zdziwiona, że w ogóle zdołałam przemówić.

— A jak ci się wydaje? — Wyszczerzyła zęby. Nie uśmiechnęła się, a właśnie wyszczerzyła zęby. Wierz mi, Andy, był to mrożący krew w żyłach widok. — Musisz pamiętać, że wszystko, co należy do ciebie, jest także własnością twojego męża, a wszystko, co należy do męża, jest również twoją własnością. Gdyby Joego spotkał nieszczęśliwy wypadek, pieniądze z jego konta automatycznie przeszłyby na ciebie. Tak stanowi prawo naszego wspaniałego kraju.

Wpiła we mnie spojrzenie i na sekundę cienie znikły. Dostrzegłam wyraźnie jej oczy, a to, co w nich ujrzałam, sprawiło, że czym prędzej odwróciłam wzrok. Bo z zewnątrz Vera wydawała się chłodna jak niemowlę siedzące na bryle lodu, lecz z jej oczu bił niesamowity żar. Poczułam się tak, jakbym patrzyła w samo jądro pożaru. I nie wytrzymałam gorąca.

— Prawo jest wspaniałe, Dolores. A kiedy łajdakowi przytrafia się nieszczęśliwy wypadek, czasem również to może być wspaniałe.

— Czy chcesz powiedzieć... — zaczęłam głosem ciut donośniejszym od szeptu.

— Nic więcej nie chcę powiedzieć — oznajmiła, chowając robótkę do koszyka i wstając. Kiedy Vera uznawała temat za wyczerpany, nie było dalszej rozmowy. — Ale wiedz jedno... póki siedzisz na łóżku, nigdy go nie pościelisz. No dobra, schodzę do kuchni nastawić czajnik na herbatę. Jak skończysz i będziesz miała ochotę skosztować szarlotki, którą przywiozłam z Jonesport, zejdź na dół. Może nawet dodam ci do niej porcję lodów waniliowych.

— Dobrze.

W głowie mi wirowało; jedyne, czego byłam pewna, to że kawałek szarlotki z cukierni w Jonesport dobrze mi zrobi. Po raz pierwszy od ponad czterech tygodni czułam głód — wyrzucenie wszystkiego z siebie przynajmniej tyle mi dało.

Vera doszła do drzwi i odwróciła się.

— Nie współczuję ci, Dolores — rzekła. — Nie mówiłaś mi, że byłaś w ciąży, kiedy za niego wychodziłaś, ale nie szkodzi; nawet ktoś tak tępy do matematyki jak ja umie dodawać i odejmować. Byłaś w trzecim miesiącu, tak?

— Nie, w szóstym tygodniu — odparłam głosem, który znów opadł do szeptu. — Selena była wcześniaczką.

Skinęła głową.

— Co robi przeciętna dziewczyna, kiedy dowiaduje się, że rośnie jej brzuch? Pędzi, oczywiście, do ołtarza... ale co nagle, to po diable, zwłaszcza gdy chodzi o małżeństwo, jak się sama przekonałaś. Szkoda, że twoja świętej pamięci matka nie nauczyła cię tego, a tylko kilku takich powiedzonek jak: co dwie głowy, to nie jedna lub kto ma w głowie, nie musi mieć w nogach. Ale coś ci powiem, Dolores: wypłakując sobie oczy pod fartuchem, nie uchronisz ani cnoty swojej córki, jeśli ten stary cap rzeczywiście na nią dybie, ani pieniędzy dzieci, jeśli rzeczywiście zechce je przehulać. Lecz mężczyznom, zwłaszcza takim, którzy lubią zajrzeć do butelki, zdarzają się nieszczęśliwe wypadki. Zlatują ze schodów, poślizgują się w wannie, a czasem gdy spieszą się do domu od kochanki mieszkającej w przytulnym gniazdku w Arlington Heights, zawodzą ich hamulce i wpadają swoim BMW na drzewo.

Wyszła i zamknęła za sobą drzwi. Słałam łóżko, myśląc o tym, co mi powiedziała... że nieszczęśliwy wypadek, w którym ginie zły człowiek, może być całkiem przyjemnym zbiegiem okoliczności. Zaczęłam wreszcie dostrzegać to, co cały czas miałam przed nosem, a co ujrzałabym znacznie wcześniej, gdyby moje myśli nie szamotały się panicznie niczym wróbel, który nie potrafi się wyplątać z matni.

Kiedy skończyłyśmy szarlotkę i odprowadziłam Verę na górę — zawsze ucinała sobie popołudniową drzemkę — wiedziałam już, co powinno się stać. Pragnęłam uwolnić się od Joego, pragnęłam odzyskać pieniądze dzieci, a przede wszystkim pragnęłam, żeby spotkała go kara za nasze — zwłaszcza Seleny — cierpienia. Gdyby skurwysyn zginął w wypadku — nieszczęśliwym wypadku — moje trzy marzenia by się spełniły. Pieniądze, do których nie miałam dojścia, póki żył, stałyby się moje. Bo choć Joe wybrał się cichaczem do Jonesport, żeby zlikwidować książeczki, na pewno nie sporządził testamentu i mnie nie wykluczył. Nie z głupoty — to, w jaki sposób położył łapę na forsie, udowodniło mi, że jest znacznie bardziej cwany, niż podejrzewałam — ale dlatego, że po prostu nie rozważał ewentualności swojej śmierci. W głębi duszy był święcie przekonany, że nigdy nie umrze.

Więc ja, jego żona, dziedziczyłam wszystko.

Kiedy późnym popołudniem opuściłam Pod Sosnami, deszcz już nie padał. Szłam bardzo powoli. Zanim pokonałam pół drogi, przypomniałam sobie o starej studni za szopą.

W domu nie było nikogo — chłopcy bawili się gdzieś z kolegami, a Selena zostawiła kartkę, że idzie do pani Devereaux pomóc jej z praniem... w tym czasie pani Devereaux prała całą pościel z hotelu Harborside. Nie wiedziałam, gdzie się Joe podziewa, ale niewiele mnie to obchodziło. Najważniejsze, że nie było jego ciężarówki, a ponieważ miała naderwany tłumik, sądziłam, że usłyszę głośny warkot, zanim mąż się zjawi w domu.

Przez chwilę stałam, patrząc na kartkę pozostawioną przez Selenę. To dziwne, jak czasem wystarczy drobiazg, żeby zdopingować człowieka, pchnąć go od słowa czy myśli do czynu, od „może zrobię" do „na pewno zrobię". Wciąż nie jestem całkiem pewna, czy wracając od Very byłam naprawdę zdecydowana zabić Joego. Owszem, chciałam obejrzeć studnię, ale to mogła być tylko taka gra z samą sobą, zwykłe udawanie. Gdyby Selena nie zostawiła mi kartki, może nic bym nie zrobiła... i bez względu na to, co się wydarzy po naszej rozmowie, Andy, o tym jednym Selena nie może się nigdy dowiedzieć.

Treść kartki była mniej więcej następująca:

"Mamo, poszłam z Cindy Babcock do pani Devereaux, żeby pomóc jej z hotelowym praniem — mieli przez weekend znacznie więcej gości, niż się spodziewali, a sama wiesz, jak pani D. dokucza artretyzm. Biedaczka była zupełnie załamana, kiedy rozmawiała ze mną przez telefon. Potem pomogę Ci z kolacją. Całuję Cię bardzo mocno, Sela".

Wiedziałam, że Selena zarobi nie więcej niż pięć czy siedem dolarów, ale wróci szczęśliwa i wesoła jak szczygiełek. I poleci w podskokach, jeśli pani Devereaux albo Cindy znów ją wezwą, a jeśli latem hotel zaproponuje jej pracę pokojówki na pół etatu, na pewno będzie chciała ją przyjąć. Bo pieniądz to pieniądz, a na wyspie, gdzie na ogół kwitł handel wymienny, niewiele było okazji, żeby zarobić trochę gotówki. Wiedziałam, że pani Devereaux jeszcze nieraz będzie dzwonić i z radością poleci Selenę do pracy w hotelu, jeśli córka ją o to poprosi, bo Selena nigdy nie bała się ubrudzić sobie rąk — zawsze chętnie zakasywała rękawy i brała się do roboty.

Innymi słowy, była dokładnie taka jak ja w jej wieku, ale patrzcie tylko, co mi z tego przyszło — z miotłą w garści wyglądam jak stara wiedźma, chodzę przygarbiona, a połowę domowej apteczki zajmują środki przeciwbólowe, które muszę łykać na łamanie w krzyżu. Selena nie widziała nic złego w pracy fizycznej, ale miała dopiero piętnaście lat, a w tym wieku nie dostrzega się wielu rzeczy, nawet jeśli się gapi w coś jak sroka w gnat. Czytałam w kółko kartkę od córki i myślałam sobie: Cholera jasna, nie chcę, żeby Selena skończyła tak jak ja, żeby w wieku trzydziestu pięciu lat była stara i niemal doszczętnie zniszczona. Nie pozwolę, choćbym miała przypłacić to życiem! Ale wiesz co, Andy? Nie bałam się, że do tego dojdzie. Spodziewałam się, że jak Joe pożegna się z tym padołem łez, to ja nie będę musiała.

Położyłam kartkę na stole, zapięłam płaszcz nieprzemakalny

na zatrzaski, wciągnęłam z powrotem kalosze. Po czym wyszłam na tył domu i stanęłam przy wielkim białym kamieniu, na którym siedziałyśmy z Seleną tamtego wieczoru, kiedy tłumaczyłam jej, że może się więcej nie obawiać Joego, bo obiecał zostawić ją w spokoju. Przestało padać, ale słyszałam, jak woda skapuje ze splątanych krzaków jeżyn, widziałam krople zwisające z gałązek. Wyglądały jak brylantowe kolczyki Very, choć były od nich sporo mniejsze.

Jeżyny zajmowały ponad pół akra; zagłębiając się w nie, cieszyłam się, że mam na sobie płaszcz nieprzemakalny i wysokie kalosze. Nie dlatego, że krzaki były mokre od deszczu, ale ponieważ miały ostre jak igły kolce. Pod koniec lat czterdziestych na tym skrawku ziemi rosły kwiaty i trawa, a pośrodku — na tyłach szopy — znajdowała się studnia, ale jakieś sześć lat po tym, jak Joe i ja pobraliśmy się i tu zamieszkali — jego stryj Freddy zostawił mu tę chałupę w spadku — studnia nagle wyschła. Joe sprowadził Petera Doyona, który zbadał teren różdżką i poradził nam wykopać nową po zachodniej stronie domu. Od tego czasu nie mieliśmy kłopotów z wodą.

Kiedy przestaliśmy korzystać ze starej studni, półakrowy spłachetek za szopą zarósł sięgającymi piersi, splątanymi krzakami jeżyn. Ich kolce czepiały się mojego płaszcza, kiedy chodziłam tam i nazad, szukając drewnianej pokrywy, którą zasłoniliśmy otwór studni. Ponieważ kolce podrapały mi już w kilku miejscach dłonie, zsunęłam na nie rękawy płaszcza.

Wreszcie znalazłam tę cholerną studnię, o mało sama nie wpadając przy okazji do środka. Stanęłam jedną nogą na czymś ruchomym i jakby gąbczastym; rozległ się chrobot, więc szybko cofnęłam stopę, zanim złamała się deska. Miałam szczęście, bo gdybym stąpnęła mocniej, pokrywa pewnie zawaliłaby się pode mną. Poszedł kołowrotek, do studni wpadł kotek...

Uklękłam, zasłaniając twarz ręką, żeby nie pokłuły mnie kolce, i przyjrzałam się z bliska pokrywie.

Mierzyła metr dwadzieścia na półtora; deski były szare, wypaczone i przegniłe. Nacisnęłam jedną z nich ręką i poczułam, jak się ugina miękko. Ta, na której stanęłam, pękła pod moim ciężarem; widziałam wyraźne wklęśnięcie i świeże drzazgi. Wpadłabym do środka jak nic, choć w tamtych czasach ważyłam pięćdziesiąt pięć kilo. Joe ważył ze dwadzieścia pięć więcej.

Wyjęłam z kieszeni chustkę do nosa i przywiązałam ją do krzaka rosnącego przy studni od strony szopy, żebym łatwo mogła odszukać to miejsce. Następnie wróciłam do domu. Tej nocy spałam jak suseł i po raz pierwszy, odkąd Selena powiedziała mi, co jej kochany tatko wyprawiał, nie męczyły mnie żadne koszmary.

Było to pod koniec listopada; na razie nie zamierzałam nic robić. Pewnie zgadliście dlaczego, ale i tak wam powiem: gdyby Joemu przydarzyło się nieszczęście tak szybko po naszej rozmowie na promie, Selena podejrzewałaby, że maczałam w tym palce. Nie chciałam tego, ponieważ jakąś drobną cząstką swojego serduszka nadal kochała ojca — to się chyba nigdy nie zmieni — i bałam się, co będzie czuła, jeśli domyśli się prawdy. Co będzie czuła do mnie, a także — rzecz o stokroć ważniejsza — co będzie czuła wobec siebie. Jak się później okazało... no, ale wszystko w swoim czasie. Dojdę i do tego.

Więc uzbroiłam się w cierpliwość i czekałam, choć bardzo nie lubię czekać, kiedy już raz podejmę decyzję. Ale dni przechodziły w tygodnie i czas jakoś płynął. Regularnie pytałam Selenę o ojca: „Tata dobrze cię traktuje?". Obie wiedziałyśmy, co mam na myśli. Mówiła że tak, i całe szczęście, bo inaczej natychmiast wyprawiłabym go na tamten świat, nie bacząc na ryzyko i konsekwencje.

Ale miałam inne zmartwienia. Jednym z nich była forsa — minęło Boże Narodzenie i nastał tysiąc dziewięćset sześćdziesiąty trzeci rok, a ja codziennie budziłam się z myślą, że może właśnie dziś Joe zacznie wydawać oszczędności dzieci. Trudno się było tym nie przejmować, w końcu przepuścił już trzysta dolców i nie miałam jak go powstrzymać od przehulania reszty; mogłam tylko biernie czekać. Nawet nie wiecie, ile razy szukałam tej cholernej książeczki, na którą przeniósł skradzione pieniądze. Niestety, nie udało mi się jej znaleźć. Więc jedynie patrzyłam, czy nie wraca do domu z nową piłą łańcuchową lub z drogim zegarkiem na ręce, i modliłam się, aby w Ellsworth albo w Bangor, gdzie podobno w każdy weekend toczyła się gra o duże stawki, nie przerżnął wszystkiego w pokera. Nigdy w życiu nie czułam się taka bezradna.

Pozostawała kwestia, kiedy i jak zabić Joego... jeśli oczywiście starczy mi odwagi. Pomysł wykorzystania starej studni nie był zły, ale nie rozwiązywał całej sprawy. Najlepiej by było, gdyby Joe zginął od razu, tak jak ludzie na filmach w telewizji. Jednakże nawet trzydzieści lat temu dość się napatrzyłam na życie, by wiedzieć, że w rzeczywistości nic nie dzieje się tak łatwo i prosto jak na małym ekranie.

Myślałam sobie: a co jeśli wpadnie do studni i zacznie krzyczeć? Wyspa nie była wówczas tak zabudowana jak dziś, ale na naszym odcinku East Lane mieszkały jeszcze trzy rodziny — Caronowie, Langillowie i Jolanderowie. Jasne, że mogliby nie usłyszeć krzyków dochodzących z kęp jeżyn za domem, ale nie miałam żadnych gwarancji — zwłaszcza gdyby wiatr wiał w ich stronę. W dodatku na East Lane, łączącej miasteczko ze Wschodnim Cyplem, często bywał spory ruch. Obok naszego domostwa ciągle przejeżdżały ciężarówki i wozy osobowe; wprawdzie nie było ich tyle co teraz, ale dostatecznie dużo, aby mogły mi pokrzyżować plany.

Już prawie chciałam zrezygnować z pomysłu wykorzystania studni, uznawszy, że jest zbyt ryzykowny, kiedy znalazłam rozwiązanie. Podsunęła mi je Vera — chyba całkiem nieświadomie.

Nie zdajecie sobie sprawy, jak strasznie fascynowało ją zaćmienie. Tamtej zimy regularnie odwiedzała wyspę, i gdy śniegi stopniały, niemal co tydzień przypinała do tablicy w kuchni jakiś wycinek z gazety. Kiedy nadeszła wiosna, jak zwykle chłodna i wietrzna, Vera przyjeżdżała jeszcze częściej i co drugi dzień wieszała coś nowego. Były to artykuły z lokalnych gazet, z bostońskiego „Globe”, z „New York Times” oraz z takich pism jak „Scientific American”.

Była podniecona, bo wierzyła, że Donald i Helga dadzą się skusić zaćmieniem i przybędą Pod Sosny — mówiła mi o tym wiele razy — a poza tym ogromnie ekscytowała ją myśl, że zobaczy coś tak niezwykłego. W połowie maja, kiedy wreszcie zaczęło się ocieplać, właściwie zamieszkała tu na stałe — przestała nawet wspominać Baltimore. To cholerne zaćmienie było jedyną rzeczą, o jakiej gadała. W szafie przy drzwiach frontowych czekały już cztery aparaty fotograficzne — naprawdę wysokiej klasy sprzęt, a nie jakieś tam zabawki dla dzieci — z tego trzy na statywach. Kupiła również z dziesięć par specjalnych okularów przeciwsłonecznych, specjalnie skonstruowane pudełka do oglądania zaćmienia, zwane „odbłyśnikami”, oglądacze o specjalnie przyciemnionych lusterkach i Bóg wie, co jeszcze.

Któregoś dnia pod koniec maja zobaczyłam na tablicy artykuł wycięty z naszej miejscowej gazetki „The Weekly Tide”. Tytuł brzmiał: HOTEL HARBORSIDE SZYKUJE SIĘ DO ZAĆMIENIA. Na zamieszczonym obok zdjęciu widać było, jak Jimmy Gagnon i Harley Fox wznoszą coś z desek na płaskim dachu budynku. I wiecie co? Przebiegł mnie taki sam dziwny dreszcz jak wtedy, gdy ujrzałam pierwszą informację, którą Vera przyczepiła do tablicy.

Z artykułu wynikało, że w dniu zaćmienia właściciele hotelu zamierzają urządzić na dachu obserwatorium — oczywiście chodziło im głównie o to, żeby ściągnąć do siebie jak najwięcej klientów. Przeczytałam, że dach zostanie „odpowiednio przygotowany” (a to dobre! Jimmy Gagnon i Harley Fox jeszcze w życiu niczego odpowiednio nie przygotowali) i że właściciele spodziewają się sprzedać trzysta pięćdziesiąt biletów wstępu. Pierwszeństwo będą mieli letnicy i stali mieszkańcy. Cena nie była zbyt wygórowana — dwa dolce od łebka — lecz naturalnie planowano serwować na dachu posiłki oraz urządzić bar, a właśnie na sprzedaży alkoholu zarabia się najwięcej. Nie ma lepszej metody, by oskubać klienta.

Zanim skończyłam czytać artykuł, do kuchni weszła Vera. Nie słyszałam jej kroków, więc kiedy się odezwała, podskoczyłam w górę z pół metra.

— No więc jak, Dolores, na co się decydujesz? Na dach Harborside czy na „Island Princess"? — zapytała.

— Jak to na „Island Princess"?

— Wynajęłam ją na popołudnie w dniu zaćmienia — oświadczyła.

— Niemożliwe! — zawołałam, ale w następnej sekundzie uzmysłowiłam sobie, że jednak było to całkiem możliwe; Vera nie rzucała słów na wiatr i nie bawiła się w czcze przechwałki. Lecz na wieść, że wynajęła prom, aż mi odjęło mowę.

— Tak, tak — rzekła. — Kosztuje mnie to ładny kawał grosza, z czego większość idzie na opłacenie innego promu, który w tym dniu zastąpi „Island Princess". Jeśli wybierzesz się ze mną, masz darmowy wstęp. I darmowe trunki. — Po czym zerkając na mnie spod oka, dodała: — Zwłaszcza ta ostatnia wiadomość powinna się spodobać twojemu mężulkowi, co?

— O mój Boże! Po jakie licho wynajęłaś cały prom, Vero? — Wciąż się dziwnie czułam, zwracając się do niej po imieniu, ale wyjaśniła mi, że bynajmniej wtedy nie żartowała i choćbym bardzo chciała — a czasem rzeczywiście miałam ochotę — nie pozwoli mi dłużej używać formy „pani". — Wiem, że jesteś potwornie przejęta tym zaćmieniem i w ogóle, ale za tę samą cenę, a pewnie nawet za połowę, mogłabyś wyczarterować statek wycieczkowy i popłynąć aż na Vinalhaven.

Wzruszyła ramionami i odrzuciła do tyłu swoje długie włosy, zupełnie jakby chciała powiedzieć: „Całuj mnie w tyłek".

— Wynajęłam „Island Princess", bo kocham tę starą dziwkę. A Little Tall jest moim ulubionym miejscem na ziemi, czyżbyś nie wiedziała, Dolores?

Wiedziałam, więc tylko skinęłam głową.

— Oczywiście, że wiesz. I niemal za każdym razem przywozi mnie tu właśnie „Island Princess", śmieszna, kaczkowata stara łajba. Powiedziano mi, że wygodnie i bezpiecznie pomieści się na niej czterysta osób, czyli o pięćdziesiąt więcej niż na dachu hotelu; zamierzam zabrać każdego, kto zechce obejrzeć zaćmienie ze mną i moimi dziećmi. — Wyszczerzyła zęby, ale tym razem był to prawdziwy uśmiech; uśmiech osoby, która cieszy się z życia. — I wiesz co jeszcze, Dolores?

— Nie — odparłam. — Mam w głowie kompletną sieczkę.

— Nie będziesz musiała się nikomu kłaniać, jeśli... — Nagle urwała i popatrzyła na mnie zaniepokojona. — Dolores? Co ci jest?

Ale nie byłam w stanie odpowiedzieć. Straszny, a zarazem wspaniały obraz wypełnił moje myśli. Ujrzałam wielki płaski dach hotelu Harborside, na którym tłoczą się ludzie z zadartymi głowami, ujrzałam „Island Princess" zakotwiczoną w połowie drogi między wyspą i lądem, także pełną ludzi patrzących do góry, a nad nimi — na niebie usianym gwiazdami mimo popołudniowej pory — ogromny czarny krąg otoczony ogniem. Był to przerażający obraz, na którego widok nawet umarłemu włosy stanęłyby dęba, ale mnie uradowała myśl, jak w tym czasie będzie wyglądać reszta wyspy.

— Dolores? — Vera położyła mi dłoń na ramieniu. — Chwycił cię skurcz? Słabo ci? Chodź i usiądź przy stole, przyniosę ci szklankę wody.

Nie chwycił mnie żaden skurcz, ale tak, zrobiło mi się słabo, więc podeszłam do stołu... ponieważ jednak nogi miałam jak z waty, nie tyle usiadłam, co opadłam na krzesło. Patrząc, jak Vera nalewa wodę do szklanki, przypomniałam sobie coś, co powiedziała jeszcze w listopadzie — że nawet ktoś tak tępy do matematyki jak ona potrafi dodawać i odejmować. No więc dodałam trzysta pięćdziesiąt miejsc na dachu i czterysta na „Island Princess" i wyszło mi siedemset pięćdziesiąt. W połowie lipca bywało na wyspie więcej osób, ale jak mi Bóg miły, po odjęciu siedmiuset pięćdziesięciu zostawało naprawdę niewiele. Reszta albo będzie wyciągać więcierze, albo obserwować zaćmienie z dachów własnych domów lub z przystani.

Vera podała mi szklankę, którą opróżniłam duszkiem, po czym usiadła naprzeciwko z zatroskaną miną.

— Nic ci nie jest, Dolores? — zapytała. — Może chcesz się położyć?

— Nie — odparłam. — Po prostu zakręciło mi się w głowie.

Fakt. Każdemu, kto się w końcu zdecyduje, którego dnia zabije męża, ma prawo zakręcić się w głowie.

Mniej więcej trzy godziny później, gdy uporałam się z praniem, zrobiłam zakupy i pochowałam wszystko gdzie trzeba, gdy odkurzyłam dywany i wstawiłam do lodówki niedużą zapiekankę, żeby Vera miała co zjeść na kolację (nawet jeśli od czasu do czasu dzieliła łóżko z tym swoim fagasem, to nigdy nie dopuszczała go do stołu), zaczęłam zbierać się do wyjścia. Vera siedziała przy stole, rozwiązując krzyżówkę w gazecie.

— Zastanów się, czy dwudziestego lipca nie wolałabyś być z nami na promie. Wierz mi, Dolores, na wodzie będzie znacznie przyjemniej niż na nagrzanym dachu.

— Dzięki, Vero, ale jeśli tego dnia będę miała wolne, wątpię, żeby chciało mi się ruszać z domu; po prostu zostanę u siebie.

— Mam nadzieję, że się nie obrazisz, ale twój plan pachnie piekielną nudą — oznajmiła, podnosząc na mnie wzrok.

A kiedy cię obchodziło, czy kogoś obrazisz czy nie, ty zarozumiała suko? Tak sobie pomyślałam, ale oczywiście nie powiedziałam tego na głos. Co prawda przejęła się, kiedy sądziła, że mogę zemdleć, lecz kto wie, czy jej troska nie wynikała z obawy, że jeśli upadnę na nos, zakrwawię całą podłogę w kuchni, którą nawoskowałam zaledwie dzień wcześniej.

— Nie, Vero — odparłam. — A nuda mi nie przeszkadza; sama też jestem nudna jak flaki z olejem.

Popatrzyła na mnie spod oka.

— Naprawdę? — spytała. — Czasem tak mi się wydaje... a czasami wcale nie jestem pewna.

Pożegnałam się i ruszyłam do siebie; przez całą drogę roztrząsałam w głowie swój nowy pomysł, szukając w nim dziur.

Nie znalazłam ani jednej. Wprawdzie miałam parę wątpliwości, ale kto ich nie ma? Zawsze może coś nie wypalić, ale gdyby się człowiek z góry tym przejmował, nigdy by niczego nie osiągnął. Zresztą, pomyślałam sobie, jeśli coś będzie nie tak, mogę przecież zrezygnować. Mogę zrezygnować niemal w ostatniej chwili.

Minął maj, nastał czerwiec, a wraz z nim koniec roku szkolnego. Szykowałam się odmówić Selenie, jeśli zacznie prosić, żebym pozwoliła jej nająć się do Harborside, ale zanim w ogóle doszło do sprzeczki, wydarzyło się coś nieoczekiwanego. Wielebny Huff, który był wówczas pastorem metodystów, przyszedł do nas na rozmowę. Powiedział, że kościół metodystów w Winthrop organizuje kolonie letnie i potrzebuje do opieki nad dziećmi dwóch dziewcząt, które potrafią dobrze pływać. Huff orientował się, że Selena i Tanya Caron pływają jak ryby, więc żeby nie przedłużać i tak długiej gadki, powiem tylko, że tydzień po zakończeniu szkoły obie z Melissą Caron odprowadziłyśmy córki na prom; machały do nas z pokładu, a my do nich z przystani i wszystkie cztery ryczałyśmy jak bobry. Selena ubrana była w śliczny różowy kostium i wtedy po raz pierwszy uświadomiłam sobie, jaka będzie z niej wkrótce urodziwa kobieta. Wzruszyłam się; teraz też na samo wspomnienie łzy mi stają w oczach. Może któreś z was ma papierową chustkę?

Dziękuję, Nancy. Dziękuję. O czym to ja mówiłam?

A tak.

Selena wyjechała, ale miałam jeszcze na głowie chłopców. Przekonałam Joego, żeby zadzwonił do swojej siostry w New Gloucester i spytał, czy nie wzięłaby ich na ostatnie trzy tygodnie lipca i pierwszy tydzień sierpnia; w końcu myśmy gościli ich rozrabiaków przez miesiąc czy dwa, kiedy byli młodsi. Sądziłam, że Joe nie będzie chciał się rozstać z małym Pete'em, ale nawet nie zaprotestował — pewnie wyobraził sobie, jaki spokój zapanuje w domu, i spodobał mu się pomysł.

Alicja Forbert — tak ma na nazwisko po mężu siostra

Joego — powiedziała, że bardzo chętnie przyjmą do siebie chłopców. Podejrzewałam, że Jack Forbert ma mniejszą ochotę na ich towarzystwo, ale to Alicja zawsze decydowała o wszystkim, więc nie było problemu. Przynajmniej od tamtej strony.

Kłopot polegał na tym, że ani Jim, ani mały Pete nie palili się do wyjazdu. Nic dziwnego; synowie Forbertów byli o kilka lat starsi i moich dwóch traktowali jak smarkaczy. Ale nie zamierzałam pozwolić, żeby fochy dzieci pokrzyżowały mi plany — co to, to nie! Uparłam się i postawiłam na swoim. Jim okazał się twardszym orzechem do zgryzienia niż mały Pete. Wreszcie wzięłam go na bok i powiedziałam:

— Pomyśl o tym jako o wakacjach z dala od ojca.

To go przekonało, choć wcześniej żadne argumenty nie odnosiły skutku. Bardzo smutne, jeśli się nad tym zastanowić, prawda?

Kiedy już wszystko ustaliliśmy, nie pozostało mi nic innego, jak czekać, aż chłopcy wyjadą. W sumie byli chyba całkiem zadowoleni, że spędzą miesiąc u ciotki, bo Joe właściwie nie przestawał pić od Święta Czwartego Lipca i nawet wobec małego Pete'a zachowywał się niemiło.

Jego pijaństwo nie stanowiło dla mnie niespodzianki; przyznam się, że nawet zachęcałam go do picia. Kiedy po raz pierwszy otworzył szafkę pod zlewem i zobaczył nienapoczętą flaszkę whisky, zdziwił się i spytał, co mi odbiło. Ale potem już nie pytał. Bo dlaczego miałby pytać? Od czwartego lipca aż do dnia swojej śmierci Joe St. George chodził doszczętnie pijany przez część czasu, przez resztę mocno wstawiony, a człowiek w tym stanie wkrótce zaczyna traktować każdy uśmiech losu jako swój przywilej... zwłaszcza człowiek pokroju Joego.

Nie miałam nic przeciwko temu, ale dni po czwartym lipca — tydzień do wyjazdu chłopców i tydzień po ich wyjeździe — bynajmniej nie należały do przyjemności. Kiedy wychodziłam do Very o siódmej, Joe wciąż chrapał w najlepsze; zmierzwione włosy sterczały mu dziko na wszystkie strony, a wokół roztaczał się zapach podobny do woni skwaśniałego sera. Kiedy wracałam o drugiej lub trzeciej, Joe siedział rozwalony w fotelu na biegunach, który wyciągnął sobie na ganek, trzymając „American" w jednej ręce, a szklanką whisky w drugiej. Nigdy nikogo nie zapraszał, żeby razem opróżnić butelkę; mój Joe nie lubił się niczym dzielić.

W lipcu „American" niemal codziennie zamieszczał na pierwszej stronie informacje na temat zaćmienia, ale wydaje mi się, że choć Joe ciągle studiował gazetę, słabo się orientował, że w drugiej połowie miesiąca ma się wydarzyć coś niezwykłego. Bo takie rzeczy gówno go obchodziły. Interesowali go wyłącznie komuniści, murzyńscy bojownicy o równouprawnienie (tyle że zwał ich „bezczelnymi czarnuchami") i ten cholerny katolik rozmiłowany w Żydach, który zamieszkał w Białym Domu. Gdyby Joe wiedział, co za cztery miesiące przydarzy się Kennedy'emu, pewnie umierałby z uśmiechem na ustach, taki był z niego wredny typ.

Ale siadałam przy nim na ganku i słuchałam, jak się wścieka, ilekroć zirytowało go coś, co wyczytał w gazecie. Wierzcie mi, nie było to łatwe, ale chciałam, by przywykł do tego, że ma mnie koło siebie, kiedy wracam do domu. Słowo daję, mniej by mi przeszkadzało jego chlanie, gdyby przynajmniej upijał się na wesoło. Niektórym dopisuje humor, kiedy sobie golną, ale mój mąż do nich nie należał. Alkohol uwydatniał jego kobiece cechy, co w wypadku Joego oznaczało, że wiecznie czuł się tak podle jak baba na dwa dni przed bolesnym okresem.

W miarę jak zbliżał się dzień zaćmienia, z coraz większą ulgą wychodziłam od Very, mimo że w domu czekał na mnie cuchnący wódą mąż. Przez cały czerwiec Vera kręciła się jak fryga, gadała bez przerwy, sprawdzała sprzęt do oglądania zaćmienia i ciągle wisiała na telefonie — co najmniej dwa razy dziennie dzwoniła do firmy, która miała się zająć urządzeniem przyjęcia na promie, a był to zaledwie jeden z wielu numerów na jej długiej liście.

W czerwcu pracowało pode mną sześć dziewcząt, a po

czwartym lipca osiem; nawet za życia męża Vera nie zatrudniała tyle służby. Dom wyszorowano od strychu po piwnice, aż cały lśnił czystością, i w oczekiwaniu na gości posłano wszystkie łóżka. Cholera jasna, jakby tego było mało, ustawiono dodatkowe łóżka na oszklonych werandach na parterze i piętrze. Na weekend, w którym miało nastąpić zaćmienie, Vera spodziewała się kilkunastu, może nawet dwudziestu osób. Dni stały się dla niej za krótkie; od świtu do nocy zwijała się jak w ukropie, ale była szczęśliwa.

A potem, mniej więcej w tym czasie, kiedy wyprawiłam chłopców do ciotki i wuja — około dziesiątego lub jedenastego lipca, ponad tydzień przed zaćmieniem — jej dobry nastrój nagle się ulotnił.

Ulotnił? Kurwa, nie. To nie najlepsze słowo. Po prostu prysnął jak bańka mydlana! Jednego dnia Vera śmigała po domu niczym odrzutowiec, a następnego gęba tak jej się wydłużyła, że niemal deptała sobie po brodzie, oczy zaś znów przybrały nieprzyjemny, zastraszony wyraz, jaki często miewały, odkąd zaczęła samotnie spędzać tyle czasu na wyspie. Tego dnia zwolniła dwie dziewczyny, jedną za to, że stanęła na podnóżku, aby umyć okna w salonie, drugą za to, że śmiała się, rozmawiając w kuchni z dostawcą. Współczułam zwłaszcza tej drugiej, bo dziewczyna się rozpłakała; tłumaczyła Verze, że zna chłopaka jeszcze ze szkoły i dawno go nie widziała, więc po prostu chciała dowiedzieć się, co u niego słychać. Przepraszała i prosiła, żeby jej nie zwalniać, bo matka będzie wściekła jak osa.

Jednakże na Verze łzy Sandry Mulcahey nie zrobiły najmniejszego wrażenia.

— Popatrz na to od innej strony, moja droga — rzekła zgryźliwym, szyderczym tonem. — Może matka będzie na ciebie wściekła, ale za to ile będziesz miała wolnego czasu, żeby wspominać miłe chwile ze szkoły w Jonesport!

Sandra Mulcahey zwiesiła nisko głowę i ruszyła podjazdem, łkając tak, jakby serce miało jej pęknąć. Vera stała w holu i obserwowała ją, lekko pochylona, przez okno znajdujące się obok drzwi frontowych. Aż mnie świerzbiło, żeby kopnąć ją w tyłek, kiedy stała tak wypięta... ale jednocześnie było mi jej żal. Nietrudno się domyślić, co wpłynęło na zmianę jej nastroju; wkrótce wiedziałam już na pewno. Syn i córka nie zamierzali przyjechać na wyspę, żeby obejrzeć z matką zaćmienie; nie obchodziło ich, że wynajęła na tę okazję prom. Podejrzewałam, że albo wcześniej zaplanowali sobie coś innego, jak to dzieci nie zważając na uczucia rodziców, albo wciąż byli z nią skłóceni od czasu tamtej awantury w restauracji.

Humor Very poprawił się, kiedy szesnastego i siedemnastego zaczęli się zjeżdżać pierwsi goście, ale i tak z ulgą wracałam do domu po pracy. W czwartek, osiemnastego, zwolniła jeszcze jedną dziewczynę — Karen Jolander. Jej przestępstwo polegało na tym, że upuściła talerz, zresztą pęknięty. Karen nie płakała, kiedy szła podjazdem, ale widać było, że stara się panować nad sobą, dopóki nie oddali się za wzgórze, żeby wybuchnąć szlochem.

Zachowałam się wtedy idiotycznie. Ale musicie pamiętać, w jakim sama żyłam wówczas napięciu. Poczekałam, aż Karen zniknie mi z oczu, po czym poleciałam szukać Very. Znalazłam ją w ogrodzie za domem. W kapeluszu słomkowym nasadzonym tak głęboko na czoło, że rondo dotykało jej uszu, z zapiekłą furią ciachała sekatorem, jakby była oprawczynią pozbawiającą ludzi głów, a nie panią domu ścinającą kwiaty do salonu i jadalni.

Podeszłam do niej i rzekłam:

— Podle postąpiłaś, zwalniając tę dziewczynę.

Wyprostowała się i spojrzała na mnie jak wielka dama.

— Tak uważasz, Dolores? Jestem ci niezmiernie wdzięczna za tę uwagę. Wiesz, jak ogromnie interesuje mnie to, co myślisz; kiedy kładę się wieczorem do łóżka, zawsze leżę przez wiele godzin, analizując kolejno wszystkie wydarzenia minionego dnia i zastanawiając się, co też Dolores St. George uczyniłaby na moim miejscu.

No, to dopiero mnie rozeźliło.

— Powiem ci, czego Dolores Claiborne na pewno by nie zrobiła — oznajmiłam. — Nie wyładowywałaby na kimś własnych zawodów i frustracji. Nie jest aż taką bezduszną jędzą.

Szczęka jej opadła, jakby ktoś wyciągnął podtrzymujący ją bolec. Chyba po raz pierwszy tak naprawdę zaskoczyłam czymś Verę. Odmaszerowałam szybko, żeby nie spostrzegła, jak bardzo się przeraziłam tego, co zrobiłam. Nogi tak się pode mną trzęsły, że po wejściu do kuchni natychmiast musiałam usiąść. Chyba oszalałaś, Dolores! Po jakie licho ciągnąć lwa za ogon, zbeształam się w myśli. Podniosłam się, żeby wyjrzeć przez okno nad zlewem, ale Vera stała zwrócona do mnie plecami; widziałam tylko, że z jeszcze większą furią wymachuje sekatorem; róże spadały do koszyka niczym martwi żołnierze z okrwawionymi głowami.

Kiedy później szykowałam się do wyjścia, podeszła do mnie od tyłu i mruknęła, bym chwilę zaczekała, bo chce mi coś powiedzieć. Serce zaczęło walić mi młotem. Nie miałam żadnych wątpliwości, co się za moment wydarzy — najpierw Vera oznajmi, że nie potrzebuje już korzystać z moich usług, potem spojrzy na mnie z wyższością, jakby mówiła „Całuj mnie w dupę!", i wreszcie pozwoli mi odejść, tyle że na dobre. Pewnie waszym zdaniem powinnam odczuć ulgę, że więcej nie będę miała z nią do czynienia? Może i tak, lecz czułam jedynie, jak żelazna obręcz zaciska mi się wokół serca. Miałam trzydzieści sześć lat, pracowałam ciężko, odkąd skończyłam szesnaście, i jeszcze nigdy nie zostałam wyrzucona z roboty. Ale nie należy dawać sobą pomiatać i potulnie słuchać wymysłów, więc uznałam, że nie pozostanę Verze dłużna i też jej co nieco wygarnę.

Kiedy odwróciłam się i zobaczyłam jej twarz, z miejsca się jednak zorientowałam, że wcale nie zamierza mnie wylać. Choć rano chodziła umalowana, teraz miała zmyty makijaż, a oczy tak podpuchnięte, jakby płakała u siebie w pokoju albo jakby przed chwilą zbudziła się z drzemki. Ściskała oburącz brązową papierową torbę.

— Trzymaj — powiedziała, wyciągając ją w moją stronę.

— Co to? — zapytałam.

— Dwa oglądacze i dwa odbłyśniki. Pomyślałam, że mogą się przydać tobie i Joemu. Tak się złożyło...

Urwała i kaszlnęła w zwiniętą pięść, po czym znów spojrzała mi w oczy. To jedno zawsze w niej podziwiałam, Andy; niezależnie od tego, co mówiła i jak bardzo to ją musiało boleć, zawsze patrzyła ci prosto w twarz.

— Tak się złożyło, że mam dwa zbędne komplety — zakończyła.

— Naprawdę? Strasznie mi przykro, Vero — powiedziałam.

Machnęła ręką, jakby odganiała muchę, po czym spytała, czy nie zmieniłam zdania i czy na pewno nie chcę oglądać zaćmienia z promu wraz z nią i jej gośćmi.

— Nie — odparłam. — Chyba usiądę na ganku, oprę nogi o balustradę i razem z Joem popatrzę w niebo. A gdyby się brzydko zachowywał, pójdę sobie na Wschodni Cypel.

— Skoro mowa o brzydkim zachowaniu... przepraszam cię za dzisiejszy ranek — oznajmiła, wciąż patrząc mi w oczy. — I gdybyś mogła, zadzwoń do Mabel Jolander i powiedz, że zmieniłam zdanie.

Kosztowało to Verę sporo wysiłku; nie znałeś jej tak jak ja, Andy, więc musisz mi wierzyć na słowo, ale przepraszanie kogokolwiek po prostu nie leżało w jej stylu.

— Zadzwonię, oczywiście. — Miałam ochotę wyciągnąć rękę i uścisnąć mocno jej dłoń, ale się powstrzymałam. — Tyle że ta dziewczyna nazywa się Karen, nie Mabel. Mabel pracowała tu sześć czy siedem lat temu. Jej matka mówiła mi, że obecnie pracuje w New Hampshire, w jakiejś firmie telefonicznej, i świetnie się jej powodzi.

— To zadzwoń do Karen. I powiedz, żeby wróciła. Powiedz, że zmieniłam zdanie, Dolores, ale nic więcej, rozumiesz?

— Tak, Vero. I dziękuję za te sprzęty do oglądania zaćmienia. Na pewno się przydadzą.

— Cieszę się.

Otworzyłam drzwi frontowe.

— Dolores?

Obejrzałam się; kiwnęła jakoś tak dziwnie głową, jakby wiedziała o czymś, o czym absolutnie nie powinna wiedzieć.

— Czasem trzeba być bezduszną jędzą, żeby dać sobie radę w życiu — oznajmiła. — Czasem tylko to daje ci siłę...

I zamknęła za mną drzwi... ale bardzo łagodnie. Nie trzasnęła nimi.

No dobra. Doszłam do dnia zaćmienia, ale jeśli mam wam opowiedzieć, co się stało — wszystko, co się stało — nie zamierzam robić tego o suchym gardle. Widzę po zegarku, że gadam już dwie godziny bez przerwy, każdemu by w tym czasie zaschło w gardle, a jeszcze daleko mi do końca. Więc umówmy się, Andy: albo nalejesz zaraz mi porcję whisky z butelki, którą trzymasz w szufladzie biurka, albo kończę na dzisiaj. Wybieraj.

No! Dziękuję. Właśnie tego było mi trzeba! Ależ nie, nie! Schowaj butelkę. Jedna porcja doskonale naoliwi mi język; dwie mogłyby sprawić, że zaczęłabym pleść trzy po trzy.

Dobra, wracam do opowieści.

Kiedy wieczorem dziewiętnastego lipca położyłam się do łóżka, ze zdenerwowania aż rozbolał mnie brzuch, bo podali w radiu wiadomość, że nazajutrz może padać. Zajęta obmyślaniem planu i zbieraniem w sobie odwagi, nie pomyślałam o tym, że zła pogoda może wszystko pokrzyżować. Cholera, już widziałam, jak przez całą noc ciskam się z boku na bok, nie mogąc zasnąć, gdy nagle usłyszałam własny głos: Nie będziesz się ciskać, Dolores, i powiem ci dlaczego. Bo nic nie poradzisz na pogodę, ale pogoda i tak nie ma znaczenia. Przecież wiesz, że zamierzasz wreszcie załatwić tego skurwysyna, choćby od rana do wieczora lało jak z cebra. Za daleko zaszłaś, żeby się teraz cofnąć. I tak było rzeczywiście, więc zamknęłam oczy i zasnęłam jak kamień.

W sobotę rano dwudziestego lipca tysiąc dziewięćset sześćdziesiątego trzeciego roku było gorąco, wilgotno i pochmurnie.

W radiu powiedzieli, że wieczorem mogą wystąpić burze z piorunami, ale w ciągu dnia nie powinno padać. Jednakże przez większość czasu niebo miało być zasnute, toteż szansa, że mieszkańcy wybrzeża zdołają obejrzeć zaćmienie, wahała się w granicach pięćdziesięciu procent.

Czułam się tak, jakby zdjęto mi z pleców wielki ciężar, i kiedy poszłam do Very, żeby pomóc w przygotowaniu bufetu dla gości, byłam zupełnie spokojna; nie miałam się o co martwić. Nie robiło mi różnicy, że dzień będzie pochmurny; nawet gdyby trochę padało, też bym się tym zbytnio nie przejęła. Wiedziałam, że o ile nie będzie lało jak z cebra, ludzie będą czekać na dachu hotelu albo na środku przesmyku na promie wynajętym przez Verę, wszyscy w nadziei, że niebo rozpogodzi się na tyle, by mogli ujrzeć to, co za ich życia nigdy się już nie powtórzy, przynajmniej w stanie Maine. Nadzieja jest istotną częścią ludzkiej natury; nikt nie wie o tym lepiej niż ja.

Jeśli dobrze pamiętam, z piątku na sobotę nocowało u Very osiemnaście osób, ale na poranny bufet przybyło znacznie więcej, niemal czterdzieści. Reszta ludzi, którzy chcieli z promu oglądać zaćmienie — w większości wyspiarze — miała zacząć się zbierać o pierwszej na przystani — stara „Island Princess" wypływała około drugiej. Spodziewałam się, że zanim o czwartej trzydzieści nastąpi początek zaćmienia, zdążą opróżnić ze trzy beczułki piwa.

Sądziłam, że Vera od rana będzie się skręcać z niecierpliwości, ale nic podobnego; czasami myślę, że po prostu lubiła mnie zaskakiwać. Miała na sobie luźną, biało-czerwoną kieckę bardziej przypominającą płaszcz niż sukienkę — coś jakby arabski burnus — a włosy ściągnięte w prosty koński ogon, który wyraźnie odstawał od fryzur za pięćdziesiąt dolców, jakie najczęściej nosiła w tamtych latach.

Przechadzała się wzdłuż długiego stołu, który poleciła ustawić na trawniku za domem przy grządkach z różami, śmiała się i rozmawiała z przyjaciółmi, którzy — sądząc po ich wyglądzie i mowie — przybyli z Baltimore, ale była zupełnie inna tego dnia niż przez cały tydzień poprzedzający zaćmienie. Pamiętacie, jak mówiłam, że śmigała jak odrzutowiec? W dniu zaćmienia przypominała raczej motyla przenoszącego się z kwiatka na kwiatek, a jej śmiech nie był ani przenikliwy, ani zbyt głośny.

Zobaczywszy, jak wynoszę tacę z jajecznicą, ruszyła w moją stronę, żeby wydać mi jakieś polecenia, ale szła znacznie spokojniej niż w ciągu ostatnich kilku dni, kiedy to zdawało się, że wolałaby biegać, a potem, gdy ze mną rozmawiała, cały czas uśmiechała się promiennie. Pomyślałam sobie: jest szczęśliwa. Po prostu szczęśliwa. Pogodziła się z myślą, że dzieci nie przyjadą. I to wystarczyło... A jednak tak rzadko się zdarzało, żeby Vera Donovan była szczęśliwa! Powiem ci coś, Andy — od tamtej pory spędziłam z nią blisko trzydzieści lat, a już chyba nigdy nie widziałam jej szczęśliwej. Zadowoloną, pogodzoną z losem, ale szczęśliwą?! Szczęśliwą i rozpromienioną, podobną do motyla unoszącego się nad polem pełnym kwiatów w gorące letnie popołudnie? Nie sądzę.

— Dolores! — zawołała. — Dolores Claiborne!

Dopiero później zdałam sobie sprawę, że choć nie robiła tego nigdy wcześniej, posłużyła się moim panieńskim nazwiskiem, mimo że Joe jeszcze żył i miał się całkiem dobrze. Kiedy to sobie uzmysłowiłam, dreszcz przebiegł mnie po całym ciele, jak to się podobno dzieje, gdy gęś przechodzi przez miejsce, w którym zostaniesz pogrzebany.

— Dzień dobry, Vero — powiedziałam. — Szkoda, że jest tak pochmurno.

Spojrzała na niebo, na którym wisiały nisko ciężkie, przepojone wilgocią letnie chmury, i uśmiechnęła się.

— Słońce wyjdzie o trzeciej — oświadczyła.

— Mówisz to takim tonem, jakbyś sobie zamówiła pogodę.

Tylko żartowałam, oczywiście, ale skinęła z powagą głową.

— Bo tak też zrobiłam. A teraz biegnij do kuchni, Dolores, i sprawdź, dlaczego ten głupi kelner nie przynosi nowego dzbanka kawy.

Ruszyłam spełnić jej polecenie, ale zanim uszłam cztery kroki, zawołała mnie, tak jak dwa dni temu, kiedy to oznajmiła mi, że czasem kobieta musi być bezduszną jędzą, żeby dać sobie radę w życiu. Kiedy się odwracałam, byłam pewna, że usłyszę to samo. Ale nie. Stała w swojej ślicznej szerokiej biało-czerwonej sukience, z rękami na biodrach, z końskim ogonem spływającym na ramię i w jasnym, porannym świetle wyglądała na nie więcej niż dwadzieścia jeden lat.

— Słońce wyjdzie o trzeciej, Dolores! — zawołała. — Przekonasz się, że mam rację.

Bufet zakończył się o jedenastej; już w południe miałyśmy z dziewczynami kuchnię dla siebie, bo ludzie z firmy organizującej przyjęcie przenieśli się na prom, żeby przygotować się do drugiego aktu. Vera wyruszyła dość późno, kwadrans po dwunastej; wsiadła do starego forda kombi, którego trzymała na wyspie, i sama zawiozła ostatnich troje gości na przystań. Do pierwszej zmywałam naczynia, po czym powiedziałam Gail Lavesque, która tego dnia była moją zastępczynią, że boli mnie głowa i brzuch, więc skoro odwaliłyśmy już większość roboty, idę do domu. Kiedy wychodziłam, Karen Jolander rzuciła mi się na szyję i zaczęła dziękować. Beczała. Słowo daję, odkąd znam tę dziewczynę, zawsze ciekną jej ślozy.

— Nie wiem, kto ci co naopowiadał, Karen, ale nie musisz mi dziękować — rzekłam. — Naprawdę nic nie zrobiłam.

— Nikt mi nic nie mówił. Ale tylko pani mogła się za mną wstawić, pani St. George. Nikt inny nie odważyłby się odezwać do tej wiedźmy.

Cmoknęłam ją w policzek, powiedziałam, żeby się nie martwiła, musi tylko bardziej uważać i nie upuszczać więcej talerzy, po czym ruszyłam w stronę domu.

Pamiętam wszystko, Andy — każdy szczegół! — ale od chwili kiedy zeszłam z podjazdu pod domem Very i skręciłam w Center Drive, pamiętam to jak coś, co wydarzyło się w najbardziej jasnym i wyrazistym śnie, jaki miałam w życiu. Powtarzałam w myślach: Idę do domu zamordować męża... idę do domu zamordować męża... Zupełnie jakbym chciała wbić to sobie do głowy, tak jak — uderzając wiele razy młotkiem — wbija się gwóźdź w kawałek twardego drewna: teku albo mahoniu. Kiedy jednak teraz o tym myślę, wydaje mi się, że chyba niepotrzebnie traciłam czas. Bo to nie głowa, lecz serce nie mogło zaakceptować tego, co zamierzałam zrobić.

Chociaż był dopiero kwadrans po pierwszej, kiedy dotarłam do miasteczka, a zaćmienie miało się zacząć za trzy godziny z okładem, ulice tak opustoszały, że aż poczułam się nieswojo. Pomyślałam o mieścinie w południowej części stanu, gdzie podobno nikt nie mieszka. Po czym spojrzałam na dach Harborside i to wydało mi się jeszcze bardziej niesamowite. Na górze znajdowało się już ze sto osób; chodzili po dachu i patrzyli w niebo jak rolnicy przed sadzeniem. Skierowałam wzrok w stronę przystani i zobaczyłam „Island Princess"; trap miała spuszczony, a na pokładzie, na którym przewozi się auta, nie było ani jednego samochodu, tylko mnóstwo ludzi. Spacerowali z kieliszkami w dłoni niczym goście na przyjęciu w ogrodzie. Sama przystań też była pełna ludzi. Z pięćset małych łodzi — a przynajmniej więcej, niż widziałam tam kiedykolwiek w życiu — stało zakotwiczonych w przesmyku, czekając na zaćmienie. I każdy, dosłownie każdy, czy to na dachu hotelu, czy to na przystani, czy na pokładzie „Island Princess" miał ciemne okulary albo trzymał oglądacz z zadymionego szkła lub odbłyśnik. Nigdy wcześniej ani nigdy później nie widziałam na wyspie czegoś podobnego, więc nawet gdybym nie myślała o tym, co zamierzam zrobić, i tak miałabym wrażenie, że wszystko jest snem.

Bez względu na zaćmienie sklep alkoholowy był jednak otwarty — pewnie ten dupek, właściciel, nie zrezygnowałby z otwarcia interesu nawet w dzień Sądu Ostatecznego. Kupiłam butelkę whisky Johnny Walker z czerwoną nalepką, po czym ruszyłam East Lane w stronę domu. Od razu dałam butelkę Joemu — nie bawiłam się w żadne ceregiele, po prostu rzuciłam mu ją na kolana. Potem weszłam do domu i wzięłam torbę, którą dała mi Vera, tę z oglądaczami i odbłyśnikami. Kiedy znów wyszłam na ganek, Joe trzymał flaszkę w powietrzu i badał jej kolor.

— Zamierzasz pić czy tylko podziwiać? — zapytałam.

Spojrzał na mnie jakoś tak podejrzliwie.

— Co to ma być, do cholery, Dolores?

— Prezent z okazji zaćmienia — odparłam. — Jak ci nie odpowiada, mogę ją wylać do zlewu.

Wyciągnęłam rękę, a wtedy szybko przytulił butelkę do siebie.

— Ostatnio coś często dajesz mi prezenty. Nie stać nas na whisky tej marki, nawet w dzień zaćmienia.

Co go jednak nie powstrzymało od tego, żeby wyjąć z kieszeni scyzoryk i naciąć zakrętkę; nawet nie spowolniło jego ruchów.

— No, jeśli mam być szczera, nie chodzi o samo zaćmienie. Czuję się zadowolona i szczęśliwa, więc chciałam podzielić się z tobą moją radością. A ponieważ wiem, że jedyne, co ci sprawia radość, to pełna butelka...

Patrzyłam, jak zdejmuje zakrętkę i nalewa sobie trunek. Ręka mu trochę drżała, ale wcale mnie to nie zmartwiło. W im gorszym jest stanie, tym łatwiej mi pójdzie, pomyślałam.

— A z czego się, kurwa, cieszysz? — spytał. — Czyżby ktoś wynalazł pigułkę, po której twoja morda przestanie być ohydna?

— Brzydko tak mówić do kogoś, kto ci podarował butelkę dobrej szkockiej. Może powinnam ci ją zabrać.

Wyciągnęłam rękę, a wtedy znów przytulił flaszkę do piersi.

— Tylko spróbuj!

— Więc zachowuj się — upomniałam go. — Gdzie się podziała cała ta twoja wdzięczność, jakiej mieli cię nauczyć na spotkaniach Anonimowych Alkoholików?

Puścił moje pytanie mimo uszu; wciąż gapił się na mnie jak sklepikarz, któremu się wydaje, że ktoś chce mu wcisnąć lewy banknot.

— Z czego, cholera, się tak cieszysz? — spytał ponownie. — Że pozbyłaś się z domu bachorów? Co?

— Nie, już się stęskniłam za dziećmi — powiedziałam. Była to szczera prawda.

— Cała ty — stwierdził, pociągając haust. — Więc o co chodzi?

— Później ci powiem. — Podniosłam się.

Złapał mnie za ramię.

— Teraz. Powiedz teraz, Dolores. Wiesz, jak nie cierpię, kiedy mi się stawiasz.

Spojrzałam w dół.

— Lepiej zabierz rękę, bo rozwalę tę butelkę drogiej whisky o twoją głowę. Nie chcę się z tobą kłócić, Joe, zwłaszcza dziś. Mamy trochę ładnego salami, trochę szwajcarskiego sera i krakersy...

— Szwajcarski ser! Czyś ty doszczętnie skretyniała, kobieto?!

— Nie krzycz. Przyrządzę nam tacę koreczków równie eleganckich i smacznych jak te, które goście Very będą jedli na promie.

— Od takiego żarcia tylko dostanę sraczki. Nie zamierzam wpieprzać żadnych korków. Zrób mi kanapkę i już!

Pewnie wzmianka o promie skłoniła go do tego, by spojrzeć w stronę przesmyku i przez chwilę wpatrywał się tam, z dolną wargą wysuniętą w typowy dla siebie, nieprzyjemny sposób. Na wodzie unosiło się więcej łodzi niż kiedykolwiek, a niebo nad nimi jakby się nieco rozjaśniło.

— Patrz na nich! — zawołał szyderczym tonem, który jego młodszy syn tak bardzo starał się naśladować. — Nie zobaczą nic ciekawszego niż parę błyskawic, a prawie szczają w portki z niecierpliwości. Mam nadzieję, że będzie lało! Mam nadzieję, że będzie taka burza, że potopią się wszyscy, a zwłaszcza ta zarozumiała pizda, dla której pracujesz!

— Ot i cały ty. Jak zawsze pogodny i życzliwie usposobiony do ludzi.

Spojrzał na mnie, tuląc butelkę do piersi niczym niedźwiedź plaster miodu.

— O co ci znów chodzi, do cholery, stara?

— O nic. Idę do środka przygotować jedzenie. Kanapkę dla ciebie i koreczki dla mnie. A potem usiądziemy razem, napijemy się i obejrzymy zaćmienie; Vera dała nam po oglądaczu i odbłyśniku. A kiedy już będzie po wszystkim, powiem ci, dlaczego jestem taka szczęśliwa. To będzie niespodzianka.

— Nie lubię, kurwa, niespodzianek!

— Wiem. Ale ta ci się spodoba, Joe. Choćbyś myślał przez tysiąc lat, nie odgadłbyś, o co chodzi.

Wróciłam do kuchni, zostawiając go samego, żeby mógł się wziąć za opróżnianie butelki. Chciałam, żeby miał z tego przyjemność — naprawdę mi na tym zależało. Bo wiedziałam, że pije po raz ostatni. I już nigdy nie będzie musiał chodzić na spotkania AA, żeby odzwyczaić się od chlania. Zresztą tam, gdzie miał wkrótce trafić, pewnie się nawet nie odbywały.

Było to najdłuższe popołudnie mojego życia, a zarazem najdziwniejsze. Joe siedział na ganku, w fotelu na biegunach, w jednej ręce trzymając gazetę, w drugiej szklankę, i gadał do mnie przez otwarte okno, wściekając się na demokratów z senatu stanowego. Zapomniał o swoim pytaniu — o powód mej radości — zapomniał o zaćmieniu. A ja szykowałam mu w kuchni kanapkę, nucąc pod nosem i myśląc sobie: Tylko zrób smaczną, Dolores; dorzuć trochę czerwonej cebuli, którą tak lubi, i nie przesadzaj z musztardą. Postaraj się, bo to ostatnia rzecz, jaką zje w życiu.

Z miejsca, gdzie stałam, widziałam skraj szopy, biały kamień i splątane jeżyny. Widziałam również chustkę, którą przywiązałam do jednego z krzaków. Kołysała się na wietrze. Patrząc na nią, myślałam o spróchniałej pokrywie na studni.

Pamiętam, jak ptaki śpiewały tego popołudnia; słyszałam, jak ludzie na wodzie pokrzykują do siebie — ich głosy ledwo docierały z oddali, zupełnie jakby rozlegały się z grającego cichutko radia. Pamiętam nawet, co nuciłam: „Niezmierzona jest łaska Pana". Nuciłam, przygotowując sobie krakersy z serem (nie miałam na nie większej ochoty niż kot na śliwkę, ale nie chciałam, żeby Joe się zastanawiał, dlaczego nic nie jem). Kilkanaście minut po drugiej znów wyszłam na ganek, w jednej ręce niczym kelnerka balansując tacą, w drugiej trzymając torbę od Very. Chmury wciąż zasnuwały niebo, ale mniej liczne niż rano.

Jedzenie było całkiem niezłe. Joe nigdy nie lubił szafować komplementami, ale po tym, jak odłożył gazetę i co rusz spoglądał na swoją kanapkę, widziałam, że mu smakuje. Przypomniało mi się zdanie, które przeczytałam w jakiejś książce albo usłyszałam na filmie: „Skazaniec zjadł obfity posiłek". Wciąż brzęczało mi w głowie, nie mogłam się go pozbyć.

Co mi jednak nie przeszkodziło zabrać się raźno do jedzenia i gdy już zaczęłam się posilać, nie przerwałam, dopóki nie znikły wszystkie krakersy. Wypiłam do tego całą butelkę pepsi. Raz czy dwa razy przeleciało mi przez myśl pytanie, czy kat zawsze ma dobry apetyt w dniu, w którym wykonuje wyrok. To śmieszne, jakie rzeczy przychodzą człowiekowi do głowy, kiedy usiłuje zebrać w sobie dość siły, żeby wykonać ważne zadanie, prawda?

Akurat kończyliśmy jeść, kiedy słońce wreszcie przebiło się przez chmury. Pomyślałam o tym, co rano powiedziała mi Vera; spojrzałam na zegarek i uśmiechnęłam się. Była trzecia, równo co do minuty. Po chwili ujrzałam wóz Dave'a Pelletiera, rozwożącego w tamtych czasach na wyspie pocztę; mknął w stronę miasteczka, aż się za nim kurzyło. Nie widziałam żadnego innego samochodu na East Lane, dopóki się całkiem nie ściemniło.

Schyliłam się, żeby postawić talerze i pustą butelkę po pepsi na tacy, i zanim wstałam, Joe zrobił coś, czego nie robił od lat: położył rękę na moim karku i mnie pocałował. Cuchnął alkoholem, cebulą i salami, w dodatku był nieogolony, ale w jego geście nie było nic podłego ani przykrego. Był to całkiem normalny pocałunek; nie potrafiłam sobie przypomnieć, kiedy ostatni raz Joe mnie całował. Zamknęłam oczy i nie protestowałam. Dokładnie pamiętam, że zamknęłam oczy i czułam na ustach jego wargi, a na czole ciepłe promienie słoneczne. Pocałunek był nie mniej miły od nich.

— Nie było złe — powiedział mój mąż, co jak na niego stanowiło najwyższą pochwałę.

Przyznam wam się, że na moment się zawahałam. Przez krótką chwilę nie widziałam rąk Joego na Selenie, ale jego czoło, tak jak wyglądało po lekcjach w świetlicy w czterdziestym piątym; przypomniało mi się, jak bardzo pragnęłam, żeby mnie pocałował — właśnie tak, jak to uczynił teraz — i jak myślałam sobie: Gdyby mnie pocałował, dotknęłabym jego czoła... i sprawdziła, czy w dotyku jest równie gładkie.

Wyciągnęłam dłoń i dotknęłam je, tak jak marzyłam o tym przed laty, kiedy byłam jeszcze głupią gąską, ale prawie natychmiast otworzyło się moje wewnętrzne oko. I zobaczyłam, co się stanie, jeśli nie powstrzymam męża — nie tylko dopnie swego z Seleną i wyda forsę, którą ukradł z książeczek oszczędnościowych dzieci, ale będzie nadal urabiał chłopaków, szydząc z dobrych stopni Jima i jego umiłowania historii, a Pete'a klepiąc po plecach, ilekroć ten nazwie kolegę żydłakiem albo powie o kimś, że jest leniwy jak czarnuch. Jeśli go nie powstrzymam, będzie ich urabiał, urabiał, aż jednego złamie, drugiego zaś rozpuści jak dziadowski bicz, a kiedy w końcu i tak umrze, zostaną nam po nim tylko długi i dół, w którym go pochowają.

No, miałam już dla niego dół, głęboki na dziewięć metrów, a nie zaledwie dwa, w dodatku nie tylko wykopany w ziemi, lecz jeszcze wyłożony kamieniami. Tak, miałam przygotowany dół i jeden pocałunek po trzech czy pięciu latach nie mógł tego zmienić. Ani dotknięcie ręką czoła, które było znacznie bardziej odpowiedzialne za wszystkie moje kłopoty niż jego nędzny fiut... Mimo to znów je dotknęłam; przejechałam po nim opuszkiem palca, przypominając sobie, jak Joe pocałował mnie na tarasie Samoset Inn, kiedy orkiestra grała „Moonlight

Cocktail", i jak poczułam wtedy na jego policzkach zapach wody kolońskiej, którą pożyczył od ojca.

A potem moje serce ponownie stwardniało.

— Cieszę się — powiedziałam, podnosząc tacę. — Pójdę umyć talerze, a ty sprawdź, jak działają te oglądacze i odbłyśniki, dobrze?

— Gówno mnie obchodzi szmelc, który ci dała ta nadziana pizda. I gówno mnie obchodzi to cholerne zaćmienie. Co w tym takiego nadzwyczajnego, że nagle zrobi się ciemno? Ciemno robi się co noc!

— Dobra. Twoja sprawa.

Doszłam do drzwi.

— Może chcesz, żebym ci potem dogodził, Do? Masz ochotę?

— Zobaczymy — odparłam, myśląc sobie, że to ja mu dogodzę. Zanim się po raz drugi ściemni tego dnia, tak mu dogodzę, że mu się nawet nie śni.

Stojąc przy zlewie i zmywając naczynia, co rusz zerkałam na Joego. Od lat jedyne, co robił w łóżku, to spał, chrapał i pierdział, i chyba równie dobrze jak ja wiedział, że powodem jest nie tyle moja wredna gęba, co alkohol. Wystraszyłam się, czy przypadkiem chęć „dogodzenia mi" nie sprawi, że odstawi butelkę, ale niepotrzebnie się lękałam. Dla Joego myśl o pierdoleniu (przepraszam cię, Nancy) była czymś ulotnym, podobnie jak ten pocałunek. Natomiast butelka była konkretnym przedmiotem. Miał ją w zasięgu łapy. Wyciągnął z torby jeden z oglądaczy Very i trzymał go za rączkę, obracając na wszystkie strony i spozierając przez niego na słońce. Przypomniał mi się szympans, którego widziałam kiedyś w telewizji, jak próbował nastawić radio. Potem Joe odłożył oglądacz i znów napełnił sobie szklankę.

Kiedy wróciłam na ganek, niosąc koszyk z szyciem, zobaczyłam, że Joe ma zaczerwienioną skórę wokół oczu; zaczynał upodabniać się do sowy — jak zwykle gdy już miał dobrze w czubie i był na najlepszej drodze do schlania się na umór.

Spojrzał na mnie spode łba, jakby w obawie, że zaraz usłyszy docinki.

— Nie przejmuj się mną — powiedziałam tonem słodkim jak miód — po prostu posiedzę tu sobie i połatam trochę ciuchów, czekając na zaćmienie. Miło, że słońce jednak wyszło, prawda?

— Chryste, Dolores, zachowujesz się tak, jakby dziś były moje urodziny — mruknął; jego głos stawał się bełkotliwy.

— No, może nie urodziny, ale coś w tym rodzaju — odparłam, biorąc się do zszywania rozdartych dżinsów małego Pete'a.

Przez następne półtorej godziny czas płynął tak wolno jak wtedy, gdy byłam małą dziewczynką i czekałam na ciocię Cloris, która obiecała, że przyjdzie i zabierze mnie do kina w Ellsworth na mój pierwszy w życiu film. Skończyłam dżinsy Pete'a, naszyłam łaty na dwóch parach spodni Jima (nawet jako nastolatek nie chciał nosić dżinsów — pewnie już wtenczas przeczuwał, że kiedy dorośnie, zostanie politykiem) i obrębiłam dwie spódnice Seleny. Na końcu wszyłam nowy rozporek do spodni od garnituru Joego. Były już stare, ale niezbyt wytarte. W sam raz na pochówek.

Gdy już niemal zwątpiłam, czy zaćmienie rzeczywiście nastąpi, zauważyłam, że światło padające na moje dłonie staje się coraz bardziej nikłe.

— Dolores? Chyba właśnie zaczyna się to, na co czekasz z tą całą bandą osłów — powiedział Joe.

— Chyba tak.

Światło przed gankiem zmieniło odcień z jasnożółtego, jaki normalnie miewa w lipcowe popołudnie, na wyblakły róż, a cień domu padający na podjazd jakby zbladł; nigdy wcześniej ani nigdy później nie widziałam czegoś podobnego.

Wydobyłam z torby jeden z odbłyśników i kiedy ujęłam go tak, jak Vera pokazywała mi pewnie ze sto razy w ciągu ostatniego tygodnia, nagle przedziwna myśl przyszła mi do głowy: Ta mała dziewczynka robi teraz to samo. Ta, która siedzi u ojca na kolanach. Robi dokładnie to samo.

Nie wiedziałam, Andy, skąd się ta myśl w ogóle wzięła, i nie wiem do tej pory, ale wspominam wam o tym, bo po pierwsze postanowiłam niczego nie pomijać, a po drugie dlatego, że później znów mnie naszła. W następnej sekundzie nie tyle myślałam o tej dziewczynce, co ją widziałam, tak jak się widzi kogoś we śnie czy może tak jak prorocy ze Starego Testamentu widzieli różne rzeczy, kiedy mieli wizje: widziałam mniej więcej dziesięcioletnią dziewczynkę trzymającą w ręce odbłyśnik. Ubrana była w krótką letnią sukienkę na ramiączkach, w czerwone i żółte pasy, usta miała pociągnięte różową szminką, a jasne włosy zaczesane do tyłu, jakby chciała dodać sobie lat. Zobaczyłam coś jeszcze, coś, co sprawiło, że znów pomyślałam o Joem: ręka jej taty spoczywała wysoko na jej udzie. Chyba wyżej niż powinna. Potem ten obraz znikł.

— Dolores? Nic ci nie jest? — spytał Joe.

— Pewnie, że nie. A dlaczego?

— Przez chwilę jakoś dziwnie wyglądałaś.

— To przez zaćmienie — odpowiedziałam, i naprawdę tak myślałam, Andy, ale wydaje mi się również, że ta dziewczynka, którą widziałam wtedy, a także trochę później, była prawdziwym dzieckiem, siedzącym z tatą gdzieś na trasie zaćmienia w tym samym czasie co ja z Joem na ganku.

Zerknęłam do odbłyśnika i ujrzałam maleńkie białe słońce, tak jasne, jakby było płonącą półdolarówką, z wąskim ciemnym wcięciem z jednej strony. Patrzyłam na nie przez chwilę, a potem przeniosłam wzrok na Joego. Trzymał w górze oglądacz i też obserwował niebo.

— Cholera, znika rzeczywiście — rzekł.

Wtedy właśnie z traw rozległo się ćwierkanie świerszczy; pewnie doszły do wniosku, że słońce zachodzi tego dnia wcześniej i czas brać się do muzykowania. Spojrzałam na przesmyk: woda, na której unosiły się łodzie, miała bardziej granatową barwę niż zwykle — było w tym coś przejmującego i wspaniałego zarazem. Mój umysł z całej siły starał się mnie przekonać, że łodzie pod dziwnie pociemniałym letnim niebem to jedynie halucynacja.

Zegarek wskazywał za dziesięć piątą. A to oznaczało, że co najmniej przez następną godzinę wszyscy na wyspie będą myśleli o zaćmieniu i tylko na tym będą skupiać uwagę. East Lane było kompletnie wymarłe — nasi sąsiedzi znajdowali się albo na „Island Princess", albo na dachu hotelu — więc jeśli rzeczywiście chciałam się pozbyć Joego, była to najwłaściwsza pora. Czułam się tak, jakby wszystkie moje wnętrzności skręciły się w jedną wielką sprężynę, wciąż też dumałam o tej dziewczynce na kolanach ojca, którą przed chwilą widziałam w myślach, jednakże nie mogłam pozwolić, aby cokolwiek mnie powstrzymało, czy choćby opóźniło. Wiedziałam, że jeśli teraz nie zrobię tego, co sobie zaplanowałam, nie zrobię nigdy.

Położyłam odbłyśnik przy koszyku z szyciem.

— Joe.

— Co? — spytał.

Przedtem wyśmiewał się ze wszystkich, którzy przejawiali najmniejsze zainteresowanie zaćmieniem, ale teraz, kiedy się zaczęło, niemal nie potrafił oderwać oczu od nieba. Głowę miał odchyloną do tyłu, więc oglądacz, przez który patrzył, rzucał na jego twarz dziwny, jakby wyblakły cień.

— Czas na niespodziankę — oznajmiłam.

— Jaką niespodziankę?

Opuścił oglądacz — dwie szybki specjalnego, polaryzacyjnego szkła w oprawce — i kiedy na mnie spojrzał, nagle spostrzegłam, że wcale nie jest tak zafascynowany zaćmieniem, jak mi się zdawało. Był po prostu na najlepszej drodze do zalania się w trupa i tak niewiele mu brakowało, że aż się przeraziłam. Bo gdyby nie zrozumiał, co do niego mówię, mój plan spaliłby na panewce. I co wtedy? Nie miałam zielonego pojęcia. Ale wiedziałam jedno i to mnie przeraziło jeszcze bardziej: że nie zamierzam zrezygnować. Bez względu na to, jaki obrót przyjmą sprawy i co się później wydarzy, nie zrezygnuję z zabicia Joego.

Wyciągnął rękę, chwycił mnie mocno za ramię i potrząsnął.

— O czym ty, do licha, bredzisz, kobieto?

— O pieniądzach na książeczkach oszczędnościowych dzieci.

Oczy Joego zwęziły się w szparki; zrozumiałam, że jednak nie jest tak pijany, jak sądziłam. Zrozumiałam jeszcze coś: jeden pocałunek niczego nie zmienia. W końcu każdy każdego może pocałować: właśnie pocałunkiem Judasz wskazał Rzymianom Jezusa.

— Co takiego?

— Wziąłeś je.

— Nie gadaj głupot!

— Wziąłeś! — powtórzyłam. — Kiedy się dowiedziałam, że próbujesz dobrać się do Seleny, udałam się do banku w Jonesport. Chciałam podjąć pieniądze i wyjechać z dziećmi. Zostawić cię.

Szczęka mu opadła i przez kilka chwil gapił się na mnie bez słowa. Potem zaczął się śmiać — odchylił się w fotelu i śmiał się do rozpuku, podczas gdy wszystko dookoła stawało się coraz ciemniejsze.

— Ale cię wykiwałem, co? — Łyknął szkockiej i znów spojrzał w niebo przez oglądacz. Tym razem na jego twarzy nie było widać cienia. — Połowa już zniknęła, Dolores. Połowa, może więcej!

Podniosłam do oczu odbłyśnik i przekonałam się, że ma rację; widziałam tylko pół jasnej półdolarówki, po chwili jeszcze mniej.

— Tak — potwierdziłam. — Rzeczywiście połowa zniknęła. Ale co się tyczy pieniędzy, Joe...

— Nie przejmuj się. Nie łam sobie głowy. Prawie ich nie uszczknąłem.

— Nie tym się przejmuję — oświadczyłam. — Bynajmniej. Wiesz, co nie daje mi spokoju? To, że tak ci się udało mnie nabrać.

Skinął głową, z powagą i rozmysłem, jakby chciał mi pokazać, że rozumie, lecz nie potrafił długo zachować powagi, i znów parsknął śmiechem, jak dzieciak, który nie boi się łajającej go nauczycielki. Kropelki śliny tryskały mu z ust.

— Przepraszam, Dolores, że tak się rechoczę — powiedział, kiedy wreszcie był w stanie mówić. — Ale niezły wyciąłem ci numer, co?

— Owszem — przyznałam. Bądź co bądź to była prawda.

— Zrobiłem cię na szaro! — zawołał, ponownie zanosząc się śmiechem i potrząsając głową, jakby usłyszał świetny kawał.

— Fakt. Ale wiesz, co mówią.

— Nie. — Położył oglądacz na kolanach i obrócił się w moją stronę. Śmiał się tak mocno, że jego małe świńskie oczka zwilgotniały od łez. — To ty, Dolores, znasz powiedzenia na wszystkie okazje. Co mówi mądrość ludowa o mężach, którym wreszcie udaje się utrzeć nosa przemądrzałym żonom?

— Dasz się nabrać raz, zmądrzeć szybko czas, dasz się nabrać dwa razy, jesteś cymbał bez skazy — odparłam. — Nabrałeś mnie raz, dobierając się do Seleny, i nabrałeś mnie znów, dobierając się do forsy, ale w końcu przejrzałam na oczy.

— Może tak, może nie. Ale jeśli boisz się, że przepuściłem forsę, to możesz przestać się martwić, bo...

— Wcale się nie martwię — przerwałam mu. — Już ci to mówiłam. Wcale, a wcale.

Popatrzył na mnie twardo, Andy, i uśmiech powoli zaczął mu spełzać z ust.

— Masz taką minę, jakbyś pozjadała wszystkie rozumy — rzekł. — Nie podoba mi się.

— Gówno mnie to obchodzi.

Przyglądał mi się długo, usiłując odgadnąć, co wymyśliłam, lecz było to dla niego kompletną zagadką. Po chwili wysunął dolną wargę i westchnął tak mocno, że wydmuchane z ust powietrze poruszyło włosami, które opadły mu na czoło.

— Kobiety nie znają się na pieniądzach i pod tym względem nie jesteś żadnym wyjątkiem, Dolores. Po prostu umieściłem całą forsę na jednym koncie, to wszystko... w ten sposób jest wyżej oprocentowana. Nic ci nie mówiłem, bo nie chciałem wysłuchiwać jakichś głupich bredni. I tak uszy mi puchną od twojego gadania.

Uniósł do oczu oglądacz, jakby chciał mi pokazać, że temat został wyczerpany.

— Na jednym koncie, ale twoim, tak? — zapytałam.

— Co z tego?

Było ciemno, jakby nastał głęboki zmierzch; przestaliśmy nawet widzieć kontury drzew na tle nieba. Słyszałam za domem śpiew lelka, a z oddali niósł się głos puszczyka. Temperatura też zaczęła spadać. Miałam przedziwne uczucie, że znajduję się we śnie... który w jakiś niesamowity sposób obrócił się w rzeczywistość.

— Zresztą dlaczego forsa ma nie być na moim koncie? Przecież jestem ich ojcem!

— Mają twoją krew. Jeśli to wystarczy, to istotnie jesteś ich ojcem.

Widziałam, że zastanawia się, czy podjąć wątek i wdawać się ze mną w sprzeczkę, ale w końcu uznał, że nie warto.

— Nie chcę więcej o tym mówić, Dolores — oznajmił. — Ostrzegam cię.

— No, może jednak pomówmy chwilę dłużej — powiedziałam, uśmiechając się. — Bo widzisz, całkiem zapomniałeś o mojej niespodziance.

Spojrzał na mnie podejrzliwie.

— O czym ty, kurwa, pieprzysz, Dolores?

— Wiesz, wybrałam się do osoby, która w Coastal Northern Bank w Jonesport zajmuje się wszystkimi rachunkami oszczędnościowymi. To pan Pease, wyjątkowo miły człowiek. Bardzo się przejął, kiedy wyjaśniłam mu, co się stało. A już zwłaszcza wtedy, gdy pokazałam mu książeczki oszczędnościowe, które wbrew temu, co mówiłeś, wcale nie zaginęły.

W tym momencie Joe do reszty stracił swoje i tak niewielkie zainteresowanie zaćmieniem. Znieruchomiał na tym zasranym fotelu na biegunach, wybałuszał gały, nachmurzył gniewnie czoło — wyglądał niemal jak burza gradowa — i tak mocno zacisnął wargi, że tworzyły wąską białą krechę podobną do blizny. Opuścił oglądacz na kolana i na zmianę to zwijał dłonie w pięści, to prostował palce, bardzo, bardzo powoli.

— Celowo oszukałeś bank, a tego nie wolno robić. Pan Pease sprawdził, czy pieniądze nadal się u nich znajdują. Kiedy okazało się, że tak, oboje odetchnęliśmy z ulgą. Spytał mnie, czy chcę, żeby wezwał gliny i powiedział im, co się stało. Ale widziałam po jego minie, że wolałby uniknąć kłopotów. Więc zapytałam, czy może wypłacić mi te pieniądze. Sprawdził w papierach i okazało się, że tak. Więc oświadczyłam: „Proszę to zatem uczynić". I posłuchał. Dlatego nie martwię się, Joe, o pieniądze dzieci. Teraz ja je mam, nie ty. Prawda, że to znakomita niespodzianka?

— Kłamiesz! — krzyknął i poderwał się na nogi, o mało nie wywracając fotela.

Oglądacz spadł mu z kolan i połamał się na kawałki. Żałuję, że nie mam zdjęcia Joego tak, jak wtedy wyglądał; naprawdę udało mi się dopiec mu do żywego. Mina tego skurwysyna była dla mnie niemal dostateczną nagrodą za wszystko, co się wycierpiałam od czasu rozmowy z Seleną na promie.

— Kurwa, nie mogą tego zrobić! — wrzasnął. — Nie mogą ci dać ani centa z tej forsy! Nie mogą ci nawet podać stanu mojego konta...

— Nie mogą? — zapytałam. — To skąd wiem, że wydałeś już trzysta dolców? Całe szczęście, że nie więcej, ale i tak szlag mnie trafia, kiedy o tym myślę. Jesteś po prostu złodziejem, Joe St. George; najpodlejszym złodziejem, który okrada własne dzieci!

Twarz mu pobladła i w mroku przypominała twarz trupa. Tylko oczy nadal były żywe; płonęły nienawiścią. Ręce trzymał przed sobą i wciąż to zaciskał dłonie w pięści, to je prostował. Na moment spojrzałam w dół i ujrzałam słońce — przypominające gruby rożek — odbite wielokrotnie w połamanych kawałkach zadymionego szkła leżących u stóp Joego. Potem znów podniosłam wzrok na drania. Lepiej było nie spuszczać go z oka, zwłaszcza kiedy miotała nim furia.

— Na co poszły te trzy stówy, Joe? Na kurwy? Na pokera? Na jedno i drugie? Wiem, że nie na kolejnego gruchota, bo na podwórku nie ma żadnych nowych.

Nic nie powiedział, tylko stał zaciskając dłonie, a za nim pierwsze świetliki znaczyły trasę swego lotu. Patrząc na ledwo widoczne w przesmyku łodzie, tak podobne do duchów, pomyślałam o Verze. Jeśli jeszcze nie była w siódmym niebie, to pewnie już w piątym lub szóstym. Ale nie miałam czasu zastanawiać się nad nią; musiałam myśleć o Joem. Chciałam, żeby się naprawdę wściekł, i widziałam, że muszę go nieco bardziej sprowokować.

— Zresztą, wcale mnie nie obchodzi, na co je przepuściłeś — oświadczyłam. — Mam resztę forsy i to mi wystarczy. A wątpię, żebyś wydał na kurwy, bo ten mokry klusek przecież by ci nie stanął. Baba jesteś, nie facet!

Rzucił się chwiejnie w moją stronę, depcząc pod nogami kawałki szkła i chwycił mnie za ramiona. Mogłam mu się wyszarpnąć, ale nie chciałam. Jeszcze nie.

— Zamknij mordę — warknął, dmuchając mi w twarz oparami szkockiej. — Bo sam ci ją zamknę!

— Pan Pease zaproponował, żebym założyła sobie własną książeczkę, ale odmówiłam; uznałam, że skoro zdołałeś podjąć forsę z książeczek dzieci, może zdołasz podjąć i z mojej. Potem zaproponował, że da mi czek, ale przestraszyłam się, że jeśli zorientujesz się, co zrobiłam, będziesz mógł wstrzymać wypłatę, zanim go zrealizuję. Więc powiedziałam panu Pease'owi, żeby wypłacił mi pieniądze w gotówce. Nie był zadowolony, ale w końcu się zgodził i teraz mam całą forsę. Oczywiście ukryłam ją w bezpiecznym miejscu.

Joe chwycił mnie za gardło. Spodziewałam się tego i chociaż odczuwałam lęk, chciałam, żeby zaczął mnie dusić, bo wiedziałam, że tylko wtedy uwierzy w to, co mu powiem. Ale był też drugi, znacznie ważniejszy powód: miałam świadomość, że jak będzie mnie dusił, wówczas moje zachowanie podpadnie pod samoobronę. I rzeczywiście była to samoobrona, nawet jeśli prawo uważałoby inaczej; ale ja tam byłam, nie prawo. I broniłam siebie, broniłam swoich dzieci.

Ścisnął mnie tak, że nie mogłam złapać tchu, i dusił, szarpiąc mną na wszystkie strony i wrzeszcząc. Nie pamiętam wszystkiego dokładnie; chyba raz czy dwa rąbnął moją głową o słup ganku. Krzyczał, że jestem podstępną suką i że mnie zabije, jeśli nie oddam mu forsy, że forsa należy do niego i inne takie głupoty. Wystraszyłam się, że naprawdę mnie udusi, zanim zdołam mu powiedzieć to, co chce usłyszeć. Na dworze jeszcze bardziej pociemniało, ale mrok przecinały błyski, jakby w powietrzu fruwały nie setki, lecz tysiące świetlików. Głos Joego zdawał się docierać z oddali i nagle pomyślałam sobie, że chyba zaszła jakaś ogromna pomyłka i to ja, nie on, wpadłam do studni.

W końcu mnie puścił. Próbowałam utrzymać się na nogach, lecz nie byłam w stanie. Chciałam opaść na krzesło, na którym wcześniej siedziałam, ale ponieważ w trakcie szarpaniny Joe pociągnął mnie w przód, jedynie otarłam się o nie tyłkiem i wylądowałam na deskach obok kawałków szkła ze stłuczonego oglądacza. W jednym dużym odłamku rożek słońca połyskiwał niczym klejnot. Wyciągnęłam rękę, ale szybko ją cofnęłam. Nawet gdyby mi się udało dźgnąć Joego, nie mogłam sobie na to pozwolić. Po prostu nie mogłam. Rana zadana kawałkiem szkła, nawet drobna, wyglądałaby podejrzanie. Widzicie, jakim torem biegły moje myśli... nie ma żadnych wątpliwości, czy działałam z premedytacją, prawda, Andy? Zamiast kawałka szkła chwyciłam ciężki, drewniany odbłyśnik. Może na wszelki wypadek chciałam mieć coś pod ręką, żeby zdzielić Joego w łeb, ale sama nie wiem. Bo w tamtej chwili nie myślałam o tym, co robię.

I kasłałam — tak potwornie kasłałam, że aż nie wiem, jakim cudem z ust leciały mi tylko kropelki śliny, a nie strugi krwi. Gardło paliło mnie, jakby było w ogniu.

Joe pociągnął mnie w górę jednym mocnym szarpnięciem, od którego pękło mi ramiączko halki. Następnie otoczył mi szyję ramieniem i trzymając moją głowę w zgięciu łokcia, przysunął blisko do siebie, jakby chciał mnie pocałować — tyle że szło mu zupełnie o co innego.

— Uprzedzałem cię, co się stanie, jeśli będziesz mi się stawiać — wycedził. Jego oczy wyglądały dziwnie; były wilgotne, jakby płakał, ale najbardziej przeraziłam się tym, że patrzyły przeze mnie na wylot, jakbym nie istniała. — Powtarzałem ci tysiące razy, Dolores. Teraz mi wierzysz?

— Tak — wycharczałam. Krtań miałam obolałą, a głos tak ochrypły, jakby wydobywał się z gardła pełnego błota. — Tak, wierzę!

— Powtórz! — zawołał.

Wciąż trzymał moją szyję w zgięciu łokcia; teraz ścisnął ją z całej siły i chyba trafił na jakiś nerw, bo wrzasnęłam. Nie mogłam się opanować; ból był zbyt potworny. Joe uśmiechnął się szeroko.

— Powtórz, tylko mów szczerze!

— Tak, wierzę ci! — krzyknęłam. — Przysięgam!

Wcześniej zamierzałam udawać, że się go boję, ale nie było potrzeby; naprawdę czułam strach.

— Dobrze — powiedział. — Miło to słyszeć. A teraz przyznaj się, gdzieś schowała forsę. Jeśli nie oddasz wszystkiego co do centa, porachuję ci kości!

— Za szopą — wyjąkałam. Mój głos nie brzmiał już tak, jakbym miała usta pełne błota; przypominał głos Groucha Marxa w prowadzonym przez niego teleturnieju „Stawką jest życie". Co zresztą znakomicie pasowało do sytuacji. Po chwili dodałam, że wsadziłam pieniądze do słoika, który ukryłam wśród jeżyn.

— Typowa baba! — warknął pogardliwie Joe, popychając mnie w stronę schodków. — Na co czekasz? Idziemy po szmal.

Zeszłam na dół i ruszyłam ścieżką wzdłuż domu; Joe szedł

tuż za mną. Było ciemno jak w środku nocy. Kiedy dotarliśmy do szopy, nagle zobaczyłam coś tak niesamowitego, że na moment zapomniałam o wszystkim innym. Zatrzymałam się i wskazałam na niebo nad gęstwiną jeżyn.

— Patrz, Joe! — zawołałam. — Gwiazdy!

I rzeczywiście na niebie świeciły gwiazdy — Wielki Wóz jawił się równie wyraźnie jak w pogodną zimową noc. Z wrażenia aż dostałam gęsiej skórki, ale Joe nie widział w tym nic nadzwyczajnego. Pchnął mnie tak mocno, że prawie upadłam.

— Gwiazdy? Jak cię zdzielę w łeb, to dopiero zobaczysz gwiazdy! Prowadź mnie do forsy!

Więc znów ruszyłam przed siebie. Nasze cienie już dawno roztopiły się w mroku. Duży biały kamień, na którym prawie rok temu siedziałam wieczorem z Seleną, lśnił jakby go oświetlał reflektor. Zawsze lśnił w czasie pełni, ale to światło było inne od księżycowego, Andy, dziwniejsze i bardziej posępne; nie umiem tego lepiej określić. Podobnie jak przy blasku księżyca, miałam kłopoty z oceną odległości: krzaki jeżyn zlewały się w jedną wielką plamę, na której tle tańczyły tysiące świetlików.

Vera nieraz mi mówiła, że nie powinno się patrzeć bezpośrednio na zaćmienie, bo można sobie uszkodzić siatkówki, a nawet oślepnąć. Ale niczym żona Lota, która nie potrafiła się oprzeć pokusie i spojrzała w stronę Sodomy, tak i ja obróciłam się i spojrzałam do góry. To, co zobaczyłam na niebie, pozostało mi na zawsze w pamięci. Bywają całe tygodnie, całe miesiące, kiedy nie myślę o Joem, ale rzadko mija dzień, żebym nie przypomniała sobie, co ujrzałam owego popołudnia, kiedy obejrzałam się przez ramię i zadarłam głowę. Żona Lota przemieniła się w słup soli za karę, że nie patrzyła pod nogi i nie pilnowała własnego nosa, i czasami się dziwię, że nie przyszło mi zapłacić takiej samej ceny.

Zaćmienie nie było jeszcze całkowite, ale już niewiele brakowało. Na ciemnofioletowym tle nieba ujrzałam nad przesmykiem olbrzymią czarną źrenicę, niemal dokładnie otoczoną koronką ognia. Z jednej strony nadal widać było cieniutki rąbek słońca, podobny do kropli płynnego złota wytopionego w wielkim piecu. Czułam, że nie mam prawa patrzeć na coś tak wspaniałego, a jednocześnie nie mogłam oderwać wzroku. Było to... będziecie się śmiać, ale trudno, powiem wam, co mi przyszło do głowy. Miałam wrażenie, że moje wewnętrzne oko opuściło mnie, wzleciało do nieba i spogląda stamtąd w dół, chcąc się przekonać, jak sobie poradzę z Joem. Było znacznie większe niż sądziłam! I o wiele czarniejsze!

Pewnie bym się na nie gapiła, ażbym całkiem oślepła, ale Joe znów mnie pchnął, w dodatku tak mocno, że wpadłam na ścianę szopy. To jakby wyrwało mnie ze snu; ruszyłam w dalszą drogę. Przed oczami miałam wielką niebieską plamę, jaką się widzi, kiedy ktoś zrobi ci zdjęcie fleszem. Jeśli spaliłaś sobie spojówki i przez resztę życia będziesz widziała tę plamę, możesz winić tylko siebie, Dolores, zganiłam się w duchu. Będzie to takie samo piętno jak to, które nosił Kain.

Minęliśmy biały kamień; Joe szedł tuż za mną, trzymając mnie za kołnierz sukienki. Z tej strony, z której zerwało się ramiączko, opadała mi halka. Z powodu mroku i niebieskiej plamy przed oczami wszystko wydawało mi się inne i jakby nie na swoim miejscu. Dach szopy był tylko czarnym zarysem, jakby ktoś wziął nożyczki i wyciął w niebie dziurę podłużnego kształtu.

Joe pchnął mnie w gęstwinę jeżyn; kiedy poczułam na łydce ukłucia kolców, uzmysłowiłam sobie, że zapomniałam włożyć dżinsy. Od razu zaczęłam się zastanawiać, o czym jeszcze mogłam zapomnieć, ale i tak było za późno, żeby cokolwiek zmienić. W ostatnim, gasnącym świetle dojrzałam powiewający w oddali strzęp chustki; pokrywa studni znajdowała się tuż pod tamtym krzakiem. Wyszarpnęłam się Joemu i skoczyłam w jeżyny, gnając przed siebie ile sił w nogach.

— Stój, ty suko! — wrzasnął.

Słyszałam trzask pękających gałązek, kiedy deptał je w pogoni za mną. Poczułam, jak jego dłoń muska kołnierz mojej sukienki; prawie zdołał mnie złapać. Ale ponownie mu się wyszarpnęłam i rzuciłam do przodu. Ciężko mi się biegło, bo kolce czepiały się skraju opadającej halki, aż w końcu urwał się z niej pasek materiału. Miałam tak poranione nogi, że od kolan po kostki ociekały krwią, choć przekonałam się o tym dopiero później, kiedy znalazłam się w domu.

— Wracaj natychmiast! — ryknął Joe.

Tym razem poczułam jego dłoń na ramieniu. Wyrwałam się, więc chwycił za halkę, której koniec wlókł się po ziemi niczym tren sukni ślubnej. Gdyby materiał wytrzymał, Joe przyciągnąłby mnie do siebie niby rybę złapaną na wędkę, ale na szczęście halka była stara, prana ze dwieście razy, i kawałek, za który chwycił, po chwili został mu w ręku. Słyszałam za plecami przekleństwa i sapanie. Słyszałam, jak pędy jeżyn łamią się, pękają i tną ze świstem powietrze, ale prawie nic nie widziałam, bo kiedy wpadliśmy w krzaki jeżyn, zrobiło się ciemno jak w dupie u Murzyna, i w sumie chustka, którą przywiązałam do jednej z gałęzi, na niewiele się zdała. Nagle coś białego zamajaczyło przede mną; nie, nie chustka, lecz pokrywa studni, toteż odbiłam się od ziemi najmocniej, jak umiałam. Ledwo udało mi się przeskoczyć. Ponieważ byłam zwrócona tyłem do Joego, nie widziałam, jak wpada na deski. Usłyszałam tylko głośne KRACH!, a potem wołanie...

Nie, to nie było tak.

Jak się chyba domyślacie, Joe wcale nie zaczął wołać. Wrzasnął raz, jak królik, któremu druciana pętla zacisnęła się wokół nogi. Obejrzałam się i zobaczyłam wielką dziurę na środku pokrywy. Sterczała z niej głowa Joego, który z całej siły próbował się przytrzymać pękniętych desek. Oczy miał wytrzeszczone, wielkie jak gałki u drzwi, ręce zakrwawione, strużka krwi ciekła mu z kącika ust i skapywała po brodzie.

— O Boże, Dolores — wycharczał. — Wpadłem do starej studni. Pomóż mi, szybko, zanim zlecę na dno.

Tkwiłam nieruchomo i po chwili wyraz jego oczu się zmienił. Nagle pojawiła się w nich świadomość tego, co się wydarzyło. Jeszcze nigdy nie bałam się tak jak wtedy, gdy stałam nad studnią wpatrzona w Joego, a na zachód od nas wisiało to czarne słońce. Zapomniałam włożyć dżinsy, Joe nie spadł od razu na dno, tak jak to sobie wyobrażałam... Boże, miałam wrażenie, że wszystko dzieje się inaczej niż powinno.

— Och! Och, ty suko! — Szamotał się, usiłując wczołgać na pokrywę.

Uciekaj, Dolores, pomyślałam w duchu, ale nogi odmówiły mi posłuszeństwa. Zresztą, gdyby Joemu udało się wykaraskać, dokąd mogłabym uciec? W dzień zaćmienia przekonałam się o jednym: że jeśli mieszka się na wyspie i chce się kogoś zabić, nie wolno sfuszerować roboty. W przeciwnym razie nie ma się dokąd zwiewać.

Słyszałam, jak Joe stara się wydostać na powierzchnię; drapał paznokciami deski, aż leciały z nich drzazgi. Ten dźwięk wciąż kojarzy mi się z mrokiem zaćmienia, z czymś równie przerażającym jak to oko — własne oko — które ujrzałam na niebie, z czymś, co się chce odsunąć jak najdalej od siebie. Czasem słyszę go nawet w snach, lecz w snach Joe wygrzebuje się ze studni i dalej mnie goni, choć to się nijak ma do rzeczywistości. W rzeczywistości deska, którą orał pazurami, pękła pod jego ciężarem i zwalił się w dół. Stało się to tak nagle i niespodziewanie, że ledwo wierzyłam własnym oczom: przede mną leżała szara, zapadnięta, prostokątna w kształcie pokrywa z nierówną dziurą o poszarpanych brzegach na środku, a nad nią fruwały świetliki.

Spadając, Joe znów krzyknął. Przez chwilę jego głos odbijał się echem od ścian studni. O tym też wcześniej nie pomyślałam — że spadając, może krzyczeć. Potem rozległ się łoskot i krzyk ucichł. Ucichł od ręki. Tak jak lampa gaśnie, kiedy wyszarpnie się sznur z kontaktu.

Uklękłam na ziemi, objęłam się rękami w pasie i czekałam, co jeszcze będzie się działo. Minęło ileś czasu, sama nie wiem ile, znikły resztki światła. Zaćmienie było całkowite; panował kompletny mrok. Ze studni nadal nie docierał żaden dźwięk, za to szedł od niej jakby lekki podmuch. Nagle poczułam jej zapach — znacie zapach, jaki miewa woda pochodząca z płytkiej studni? Jakby miedzi i błota, niespecjalnie przyjemny. Poczułam właśnie taki zapach i przeszedł mnie dreszcz.

Naderwana halka wystawała mi spod sukienki; prawie dotykała mojego lewego buta. Wsadziłam rękę przez dekolt i zerwałam również prawe ramiączko, a potem pociągnęłam halkę w dół, zdjęłam ją, zwinęłam w kłębek i położyłam obok na ziemi. Zastanawiałam się, którędy obejść studnię, kiedy nagle znów pomyślałam o tej dziewczynce, tej, o której już wam mówiłam, i zobaczyłam ją tak wyraźnie, jakby była tuż przy mnie. Ona też klęczała; zaglądała pod łóżko. Pomyślałam: Taka jest nieszczęśliwa. I bije od niej ten sam charakterystyczny zapach. Zapach miedziaków trzymanych w spoconej dłoni i ostryg. Ale w jej wypadku ta woń nie bierze się ze studni; ma coś wspólnego z jej ojcem.

Wtedy, niespodziewanie, dziewczynka odwróciła się... Dostrzegła mnie, Andy. I wówczas zrozumiałam powód jej smutku; ojciec dobierał się do niej, a ona starała się to ukryć. Nagle zdała sobie sprawę, że ktoś ją obserwuje, że jakaś kobieta, Bóg wie ile kilometrów od niej, ale też na obszarze objętym zaćmieniem — kobieta, która przed chwilą zabiła swojego męża — patrzy jej prosto w twarz.

Przemówiła do mnie, chociaż nie usłyszałam jej głosu uszami — rozległ się jakby w mojej głowie.

— Kim jesteś? — spytała.

Nie wiem, czy bym jej odpowiedziała, ale zanim nawet miałam szansę otworzyć usta, ze studni dobył się przeciągły, przejmujący krzyk:

— Dooo-loooo-reeessss...

Poczułam się tak, jakby krew zastygła mi w żyłach, i jestem pewna, że serce zamarło mi na moment, bo kiedy znów zaczęło bić, musiało nadrobić ze trzy uderzenia — nastąpiły szybko po sobie. Wcześniej podniosłam z ziemi halkę, ale słysząc krzyk, odruchowo rozwarłam palce; wypadła mi z dłoni i zaczepiła się o krzak jeżyn.

— To tylko twoja bujna wyobraźnia, Dolores — powiedziałam do siebie. — Dziewczynka sięgająca pod łóżko po swoje ubranie, a potem krzyk Joego... wyobraziłaś sobie jedno i drugie. Pierwsze to halucynacja, którą wywołał zapach stęchłego powietrza ze studni, a drugie zostało spowodowane nieczystym sumieniem. Joe leży na dnie studni z wgniecioną głową. Nie żyje, i nigdy już nie będzie wadził ani tobie, ani dzieciom.

W pierwszej chwili sama w to nie wierzyłam, ale czas płynął i nie dochodziły mnie żadne dźwięki poza odległym pohukiwaniem sowy. Pamiętam, co pomyślałam: pewnie pyta, dlaczego dziś tak wcześnie musi wyruszać na łowy. Lekki powiew wprawił w ruch jeżyny; liście zaszeleściły. Spojrzałam na gwiazdy lśniące na popołudniowym niebie, potem na pokrywę studni. Wydawała się niemal unosić w mroku, a dziura, przez którą Joe wpadł do środka, przypominała oko. Dwudziestego lipca tysiąc dziewięćset sześćdziesiątego trzeciego roku gotowa byłam wszędzie widzieć oczy.

A potem ze studni znów rozległ się głos.

— Pomóż mi, Dooo-loooo-reeessss...

Jęknęłam i zasłoniłam twarz dłońmi. Na nic się nie zdało wmawianie sobie, że to wyobraźnia lub nieczyste sumienie, bo wiedziałam, że to może być tylko Joe. Miałam wrażenie, że płacze.

— Poooo-móóóóóż mi... BŁAAAAAAAAAAGAM...

Potykając się, okrążyłam pokrywę studni i ścieżką, którą wydeptaliśmy, ruszyłam z powrotem przez jeżyny. Nie wpadłam w panikę, a przynajmniej nie całkiem; wiem to stąd, że zatrzymałam się, aby wziąć odbłyśnik, który miałam w ręce, jak zeszliśmy z ganku. Nie pamiętałam, kiedy go upuściłam, ale nagle ujrzałam go zaczepionego na krzaku. I słusznie, że go tam nie zostawiłam, bo kiedy ten piekielnik doktor McAuliffe przystąpił do dzieła... ale po kolei. No więc zatrzymałam się i wzięłam odbłyśnik, a to najlepszy dowód, że dostatecznie panowałam nad sobą, by wiedzieć, co robię. Czułam jednak, że panika czai się, by ogarnąć i obezwładnić mój umysł, dobrać się do niego niczym głodny kot do pudełka, z którego dolatuje zapach jedzenia.

Zaczęłam myśleć o Selenie i to mi pomogło utrzymać strach na wodzy. Wyobraziłam ją sobie na plaży nad jeziorem Winthrop, w towarzystwie Tani i pięćdziesięciorga dzieci; wszyscy trzymali odbłyśniki wykonane na robotach ręcznych, i obie nastolatki pokazywały maluchom, jak się należy posługiwać sprzętem. Obraz nie był tak wyraźny jak wizja dziewczynki zaglądającej pod łóżko, żeby wyciągnąć szorty i koszulkę, ale wystarczająco wyraźny, żebym słyszała łagodny, kojący głos Seleny uspokajającej wystraszone dzieci. Myślałam o córce, o tym, że będę potrzebna i jej, i chłopcom, kiedy wrócą od ciotki... a jeśli ulegnę panice, po prostu zniknę z ich życia. Po tym, czego się dopuściłam, mogłam liczyć jedynie na siebie.

Weszłam do szopy i na stole warsztatowym Joego znalazłam silną latarkę na sześć baterii. Włączyłam ją, ale się nie zapaliła; pomyślałam, że pewnie baterie się wyczerpały, a Joe, jak to on, nie dał nowych. W dolnej szufladzie stołu trzymałam na wszelki wypadek zapas świeżych baterii, bo w zimie często nie mieliśmy elektryczności. Wyjęłam więc stare i na ich miejsce usiłowałam włożyć sześć nowych. Ale ręce tak mi się trzęsły, że upuściłam wszystkie na podłogę i musiałam szukać ich na kolanach. Za drugim razem udało mi się je wsadzić, ale w pośpiechu niektóre chyba wsunęłam w odwrotną stronę, bo latarka nadal nie świeciła. Niemal byłam gotowa się poddać; przecież słońce i tak miało wkrótce wyjść. Ale nawet za dnia na dnie studni panował mrok; poza tym jakiś głos wewnętrzny powtarzał mi, że nie mam co się spieszyć, bo im dłużej będę wkładała baterie, tym większa szansa, że Joe wyzionie ducha, zanim wrócę do studni.

W końcu latarka się zapaliła. Rzucała tak silny snop światła, że zdołałam dojść do studni, nie raniąc sobie bardziej nóg o splątane pędy jeżyn. Nie miałam najmniejszego pojęcia, ile czasu upłynęło, odkąd Joe wpadł do środka, ale wciąż zalegała ciemność, na niebie w dalszym ciągu migotały gwiazdy, a księżyc prawie całkiem skrywał słońce, więc musiało być przed szóstą.

Mniej więcej w połowie drogi do studni przekonałam się, że Joe jeszcze nie skonał: słyszałam, jak jęczy, woła mnie i błaga, żebym pomogła mu się wydostać. Nie wiem, czy Jolanderowie, Langillowie i Caronowie też by go słyszeli, gdyby byli w domu. Uznałam, że lepiej nie łamać sobie tym głowy; miałam dość innych problemów. Przede wszystkim musiałam zdecydować, co z nim zrobić, a nic mi nie przychodziło na myśl. W dodatku jak tylko próbowałam się skupić, zaraz rozlegał się we mnie wewnętrzny głos: To niesprawiedliwe! To nie tak miało być! Powinien był, cholera jasna, z miejsca wykitować!

— Ratuuunku, Doloooreesss! — wołał głos wydobywający się ze studni. Brzmiał dziwnie płasko i towarzyszył mu podźwięk, zupełnie jakby Joe krzyczał w jaskini. Zapaliłam latarkę, żeby zajrzeć do niego, ale to nic nie dało. Dziura znajdowała się na samym środku pokrywy, więc jedyne, co udało mi się oświetlić, to górną ścianę studni. Zobaczyłam granitowe kamulce porośnięte mchem. W blasku latarki mech wydawał się czarny, trujący.

Joe dostrzegł blask.

— Dolores? — zawołał. — Pomóż mi, na miłość boską! Pogruchotałem sobie kości!

Teraz z kolei on miał taki głos, jakby usta wypełniało mu błoto. Nie odpowiedziałam. Bałam się, że oszaleję, jeśli będę musiała z nim mówić. Odłożyłam latarkę, wyciągnęłam rękę najdalej jak umiałam, chwyciłam koniec jednej z pękniętych desek i szarpnęłam. Odłamała się równie łatwo, co spróchniały ząb.

— Dolores! — zawołał Joe, kiedy usłyszał trzask. — Dzięki Bogu, że jesteś! Dzięki Bogu!

W milczeniu odłamałam następną deskę, potem jeszcze

dwie. Zorientowałam się, że niebo powoli się rozjaśnia i ptaki zaczynają śpiewać, tak jak rano, kiedy wschodzi słońce. Było jednak znacznie ciemniej niż normalnie o tej porze. Gwiazdy zgasły, ale wciąż jeszcze widziałam świetliki uwijające się wokół krzaków jeżyn. Odrywałam kolejne deski, coraz bliżej skraju studni, gdzie klęczałam.

— Dolores! — znów dobiegł mnie głos Joego. — Możesz zatrzymać pieniądze! Wszystkie, co do grosza! I przysięgam na Boga, że już nigdy nie tknę Seleny! Tylko błagam cię, najdroższa, pomóż mi się stąd wydostać!

Oderwałam ostatnią deskę — musiałam mocno szarpnąć, żeby ją oswobodzić z pędów jeżyn — i cisnęłam za siebie. Po czym zaświeciłam latarką do studni.

Snop światła padł na zwróconą do góry twarz Joego; krzyknęłam, bo ujrzałam mały biały owal z dwiema czarnymi dziurami. Przez moment myślałam, że z jakiegoś powodu Joe wepchnął sobie kamienie do oczu. Potem zamrugał i okazało się, że to jednak były jego oczy; patrzyły na mnie. Zapewne widziały tylko ciemny zarys mojej głowy nad jasnym kręgiem światła.

Joe klęczał. Brodę, szyję i przód koszuli miał zakrwawione. Kiedy otworzył usta i krzyknął moje imię, krew buchnęła mu z ust. Upadek połamał mu większość żeber, które powbijały się w jego płuca jak kolce jeżozwierza.

Nie wiedziałam, co robić. Kucałam przy studni, świecąc w dół latarką i czując, jak powraca ciepło dnia — czułam je na karku, ramionach i nogach. Joe podniósł ręce i zamachał nimi, jakby tonął. Nie mogłam znieść tego widoku. Zgasiłam latarkę i cofnęłam się. Usiadłam przy studni i skulona w kłębek dygotałam, ściskając okrwawione kolana.

— Proszę cię! — zawołał, a po chwili znów: — Proszę cię, proszę cię! — i wreszcie: — Proooszęęę cię, Doo-looo-reeessss!

Och, to było straszne, tak straszne, że nawet sobie nie wyobrażacie, i trwało potwornie długo. Myślałam, że oszaleję. Zaćmienie skończyło się, ptaki przestały śpiewać swoje poranne pieśni, świetliki przestały latać (a może po prostu już ich nie widziałam), natomiast łodzie w przesmyku pozdrawiały się syrenami, tak jak to mają w zwyczaju, wydając dwa krótkie dźwięki, jeden tuż po drugim. Joe nie dawał za wygraną, czasami błagał mnie, nazywał najdroższą, obiecywał, co zrobi, jeśli go wyciągnę, przysięgał, że się zmieni, że zbuduje nam nowy dom i kupi mi nowego buicka (wydawało mu się, że właśnie o tym marzę). A potem wymyślał mi i groził, że przywiąże mnie do ściany, wepchnie mi w cipę rozgrzany do czerwoności pogrzebacz i będzie patrzył, jak się skręcam z bólu, zanim mnie w końcu zabije.

W pewnej chwili poprosił, żebym rzuciła mu butelkę szkockiej. Nie do wiary! Chciał jeszcze chlać! A kiedy zorientował się, że nie zamierzam spełnić jego prośby, wrzasnął, że jestem starą, zużytą pizdą.

Wreszcie zaczęło się ściemniać — tym razem zapadał prawdziwy zmierzch, więc musiało być około wpół do dziewiątej, może dziewiąta. Nasłuchiwałam, czy z East Lane nie dochodzi warkot samochodów, ale nikt nie przejeżdżał. Wciąż dopisywało mi szczęście, choć obawiałam się, że wkrótce może się to zmienić.

Po pewnym czasie ocknęłam się i ze zdumieniem zdałam sobie sprawę, że się zdrzemnęłam. Spałam chyba dość krótko, bo niebo nie było jeszcze całkiem czarne, ale znów widziałam migoczące w powietrzu świetliki i znów dobiegło mnie pohukiwanie sowy. Tym razem w jej głosie nie było tego zdziwienia co przedtem.

Przesunęłam się nieco w bok i aż zacisnęłam zęby, bo przeszło mnie bolesne mrowie; klęczałam tak długo, że od kolan w dół nogi zupełnie mi ścierpły. Nie słyszałam żadnych odgłosów ze studni, więc pomyślałam z nadzieją, że może Joe nie żyje, że umarł, kiedy drzemałam. Ale po chwili rozległ się szelest, a potem jęki i płacz. To było najgorsze: świadomość, że płacze, ponieważ każdy ruch sprawia mu tyle bólu.

Oparłam się na lewej ręce i ponownie zaświeciłam do studni.

Teraz, kiedy zapadł już mrok, bardzo nie chciałam zaglądać do środka, ale się zmusiłam. Joemu udało się jakoś wstać; blask latarki odbijał się od kilku mokrych plam wokół jego butów. Przypomniało mi się, jak rożek słońca odbijał się w kawałkach zadymionego szkła, na które spojrzałam, kiedy Joe przestał mnie dusić i upadłam na ganek.

Patrząc w dół, wreszcie uświadomiłam sobie, co się stało — dlaczego Joe zleciawszy dziewięć metrów, nie zabił się na miejscu, a tylko połamał kości. Okazało się, że studnia wcale nie była sucha. Nie, nie napełniła się znów wodą — wtedy utopiłby się jak szczur w beczce z deszczówką — ale na dnie zalegało miękkie błoto, które zamortyzowało upadek. A to, że Joe był pijany, pewnie też mu nie zaszkodziło.

Stał ze spuszczoną głową, kolebiąc się z boku na bok, z rękami opartymi o ściany, żeby nie upaść. A potem zadarł głowę i na mój widok wyszczerzył zęby w uśmiechu. Ten uśmiech sprawił, że ciarki przeszły mnie po grzbiecie, Andy, bo był to uśmiech trupa — trupa z twarzą i koszulą zalaną krwią i z kamieniami zamiast oczu.

Nagle Joe zaczął się wspinać po ścianie studni.

Patrzyłam i nie wierzyłam własnym oczom. Wsunął palce między dwa duże wypukłe kamienie i podciągnął się na tyle, żeby wetknąć czubek buta w szparę poniżej. Chwilę odpoczywał, po czym podniósł rękę i zaczął nią macać ścianę nad głową. Jego ramię wyglądało jak tłusta biała glista. Znalazł kolejną głęboką szczelinę, chwycił się mocno i podniósł drugą rękę. Znów się podciągnął. Kiedy ponownie odpoczywał, zadarł głowę i latarka oświetliła jego twarz; widziałam, jak kawałki mchu porastającego kamień, którego się trzymał, sypią mu się na policzki i ramiona.

Wciąż się uśmiechał.

Czy mogłabym się jeszcze napić, Andy? Nie, nie chcę więcej whisky — na dziś już starczy. Poproszę o szklankę wody.

Dziękuję. Bardzo dziękuję.

Szukał właśnie następnej szczeliny, gdy nagle noga mu się

osunęła. Rozległo się błotniste pacnięcie, kiedy wylądował na tyłku. Wrzasnął i złapał się za klatkę piersiową, tak jak aktorzy w telewizji, kiedy udają, że mają atak serca, a potem głowa opadła mu na pierś.

Nie mogłam tego dłużej znieść. Potykając się, pognałam przez jeżyny do domu. Wbiegłam do łazienki i porzygałam się. Potem poszłam do sypialni i rzuciłam się na łóżko. Drżałam jak osika. A jeśli on wciąż żyje? myślałam. Jeśli będzie żył całą noc, całe dni, pijąc wodę sączącą się spomiędzy kamieni lub z błotnistego dna? Jeśli będzie krzyczał i wzywał pomocy, aż usłyszą go Caronowie, Langillowie albo Jolanderowie i zadzwonią do Garretta Thibodeau? A jeśli ktoś tu jutro przyjdzie — jeden z kumpli od kieliszka albo właściciel kutra z prośbą, aby zreperował mu silnik lub wypłynął z nim w morze — i usłyszy wrzaski dobiegające z krzaków jeżyn? Co wtedy, Dolores?

Słyszałam w głowie inny głos, który odpowiadał na te wszystkie pytania. Prawdopodobnie był to głos mojego trzeciego oka, choć — ironiczny i zarazem suchy — bardziej przypominał głos Very Donovan niż Dolores Claiborne, a jego ton zdawał się mówić: „Całuj mnie w tyłek, jeśli ci się coś nie podoba!".

— Na pewno już skonał, a jeśli nawet jeszcze dyszy, to wkrótce przestanie — twierdził głos. — Umrze z powodu szoku, zimna i dziur w płucach. A jeśli komuś wydaje się wątpliwe, czy można umrzeć z zimna w lipcową noc, to niech sam spędzi kilka godzin dziewięć metrów pod ziemią, leżąc na wilgotnym błocie! Wiem, że to cię dręczy, Dolores, ale uwierz mi, niepotrzebnie się martwisz. Prześpij się trochę, a potem idź i sprawdź. Przekonasz się, czy mam rację.

Nie wiedziałam, czy głos mówi do rzeczy, ale brzmiało to rozsądnie, więc spróbowałam zasnąć. Nadaremnie. Ilekroć zapadałam w sen, zdawało mi się, że słyszę Joego, jak potykając się, idzie wzdłuż szopy w stronę drzwi, i ilekroć coś w domu zaskrzypiało, niemal skakałam pod sufit.

W końcu nie mogłam dłużej wytrzymać. Zdjęłam sukienkę, włożyłam dżinsy i sweter (jak mówi przysłowie, każdy mędrszy po szkodzie), po czym wstąpiłam do łazienki po latarkę, którą zostawiłam na podłodze obok sedesu, kiedy rzygałam. I wyszłam z domu.

Na zewnątrz panował gęsty mrok. Księżyca nie było widać, bo niebo zasnuły gęste chmury. W miarę jak zbliżałam się do krzaków jeżyn za szopą, moje nogi stawały się ciężkie jak z ołowiu. Kiedy wreszcie w świetle latarki ujrzałam pokrywę, już ledwo mogłam iść.

Zmobilizowałam się jednak i podeszłam do skraju studni. Nasłuchiwałam z pięć minut, ale nie słyszałam nic oprócz cykania świerszczy, wiatru poruszającego gałęziami jeżyn i pohukującej w oddali sowy... pewnie tej samej co wcześniej. Aha, od wschodu dolatywał mnie szum fal uderzających o brzeg, ale jest to dźwięk, do którego człowiek mieszkający na wyspie tak przywyka, że po jakimś czasie przestaje go w ogóle słyszeć. Więc stałam przy studni, trzymając latarkę wycelowaną w dziurę w pokrywie i czułam, jak tłusty, kleisty pot oblepia mi ciało; od tego potu zaczęły mnie piec zadrapania po kolcach. Powtarzałam sobie, że powinnam uklęknąć i zajrzeć do środka. Czyż nie dlatego tu przyszłam?

Oczywiście że dlatego, ale gdy już się tu znalazłam, po prostu nie mogłam się zmusić. Drżałam na całym ciele, a z mojego gardła wydobywał się przenikliwy jęk. Serce nie biło mi normalnie, tylko trzepotało raptownie niczym skrzydła kolibra.

A potem biała ręka ubrudzona ziemią, krwią i mchem wysunęła się ze studni i chwyciła mnie za nogę w kostce.

Upuściłam latarkę. Upadła w krzaki na skraju studni. Miałam szczęście, że nie wleciała do środka; dopiero byłabym w tarapatach! Ale nie myślałam ani o latarce, ani o swoim szczęściu, bo przecież i tak moja sytuacja była nie do pozazdroszczenia. Myślałam jedynie o ręce zaciśniętej na mojej nodze i ciągnącej mnie w dół. O niej i o wersecie z Biblii, który dzwonił w mojej głowie niczym wielki żelazny dzwon: „Kto drugiemu dół kopie, wpada weń...".

Krzyknęłam i usiłowałam się cofnąć, ale dłoń nawet nie drgnęła, zupełnie jakby była ze stali. Oczy na tyle przywykły mi do mroku, że widziałam Joego, choć latarka świeciła w inną stronę. Niemal udało mu się wygramolić ze studni. Bóg wie, ile razy spadał na dno, ale wreszcie zdołał się wspiąć prawie na samą górę. I pewnie by wyszedł, gdybym się nie pojawiła.

Jego głowa znajdowała się niespełna pół metra od uszkodzonej pokrywy. Nadal się uśmiechał. Dolna proteza wystawała mu nieco z ust — wciąż to widzę, Andy, tak wyraźnie jak teraz ciebie — więc z uśmiechem na gębie wyglądał jak koń. Niektóre zęby miał czarne od krwi.

— Dooo-looooo-reeessss — wycharczał, nie przestając mnie ciągnąć za nogę.

Wrzasnęłam, upadłam na wznak i szurając tyłkiem po pędach jeżyn, które czepiały się moich dżinsów i głośno pode mną szeleściły, zaczęłam się zsuwać w stronę tej cholernej dziury.

— Dooo-looooo-reeessss, ty ssssuko! — charczał Joe, ale jego głos brzmiał niemal jak śpiew. Pamiętam, że pomyślałam: Jeszcze chwila, a zaśpiewa „Moonlight Cocktail".

Obiema rękami chwyciłam się krzaków; czułam, jak kolce orzą mi ręce do krwi. Wolną nogą usiłowałam kopnąć Joego w głowę, ale wciąż był za nisko; jedynie parę razy musnęłam go piętą po włosach.

— Proooszę, Dooo-looooo-reeessss... — wyszeptał, jakby chciał mnie zaprosić na lody albo do Fudgy's na tańce w stylu country i błagał, żebym się zgodziła.

Dotknęłam tyłkiem deski z brzegu pokrywy i zrozumiałam, że jeśli natychmiast czegoś nie zrobię, spadnę z Joem na dno studni i tak już zostaniemy, spleceni ze sobą na zawsze. A kiedy ludzie nas odnajdą, to takie idiotki jak Yvette Anderson będą mówić, że od razu widać, jak bardzo kochaliśmy się przez całe życie.

To mnie zmobilizowało. Wzięłam się w garść i mocno szarpnęłam nogę do tyłu. Niewiele brakowało, żeby Joemu udało się utrzymać, po chwili jednak jego dłoń zaczęła się ześlizgiwać. Drugą nogą chyba trafiłam go prosto w twarz, bo krzyknął i choć rozpaczliwie próbował zacisnąć palce na mojej stopie, w końcu ją puścił. Czekałam, aż usłyszę łoskot świadczący o tym, że runął na dno — na próżno. Skurwysyn nie dawał za wygraną; gdyby tak samo przykładał się do życia, jak teraz o nie walczył, pewnie nigdy nie mielibyśmy żadnych problemów.

Podniosłam się na kolana i zobaczyłam, jak Joe chybocze się, wygina, lecz wciąż nie spada. Spojrzał na mnie, potrząsnął głową, żeby odrzucić wpadające do oczu zakrwawione kosmyki, i uśmiechnął się. Po czym wyciągnął rękę i uchwycił się brzegu studni.

— Do-lo-res — wyjęczał. — Do-LO-res, Do-LOOO-res, Do-LOOOOO-resss!

I począł wygrzebywać się z dołu.

— Rozwal mu łeb, idiotko — powiedziała nagle Vera Donovan.

Głos Very wcale nie rozległ się w mojej głowie, tak jak głos tej dziewczynki, którą widziałam wcześniej. Rozumiecie? Słyszałam Verę dokładnie tak samo, jak wy słyszycie mnie, i gdybym miała tam ze sobą ten japoński magnetofonik, jestem pewna, że mogłabym ją nagrać i bez trudu odtworzyć potem jej głos. Niech mnie kule biją, jeśli kłamię.

Więc chwyciłam za jeden z kamieni, którymi obramowana była studnia. Joe próbował złapać mnie za nadgarstek, ale zanim zdołał zacisnąć dłoń, wyszarpnęłam i rękę, i kamień. Był to spory kamulec, cały pokryty suchym mchem. Uniosłam go nad głowę. Joe spojrzał do góry. Zdążył już wysunąć łeb ponad otwór studni. Tak się wpatrywał w głaz, że oczy wyszły mu na wierzch. Niewiele się namyślając, z całej siły rzuciłam mu kamień w twarz. Usłyszałam trzask pękającej protezy. Był to dźwięk identyczny z tym, jaki się słyszy, gdy upuszcza się porcelanowy talerz na cegły, na których stoi żelazny piec. Joe znikł, runął na dno wraz z kamieniem.

Wtedy zemdlałam. Nie pamiętam tego, pamiętam tylko, że leżałam na plecach i patrzyłam w niebo. Z powodu chmur nic nie było widać, zamknęłam oczy... a kiedy je znów otworzyłam, na niebie migotało mnóstwo gwiazd. Dopiero po chwili zrozumiałam, co się stało — że straciłam przytomność i że w tym czasie wiatr rozpędził chmury.

Latarka wciąż tkwiła nieopodal w jeżynach i wciąż jasno świeciła. Podniosłam ją i skierowałam w dół. Joe leżał na dnie studni, z głową przekrzywioną nad lewe ramię, z rękami na brzuchu i z rozrzuconymi nogami. Pomiędzy nimi spoczywał kamień, którym go walnęłam.

Przez pięć minut obserwowałam oświetloną postać, żeby się przekonać, czy się nie poruszy. Nie drgnęła, więc wstałam i podreptałam do domu. Musiałam dwa razy zatrzymać się po drodze, bo kręciło mi się w głowie, ale w końcu jakoś dotarłam na miejsce. Udałam się do sypialni i ściągnęłam z siebie ubranie, ciskając je gdzie popadnie. Potem weszłam pod prysznic i przez dobre dziesięć minut stałam pod gorącym strumieniem; nie namydliłam się, tylko stałam z twarzą zwróconą do góry, pozwalając, by rozbryzgiwały się na niej strugi wody. Pewnie bym tam zasnęła, gdyby woda nie zaczęła się ochładzać. Więc umyłam szybko włosy, zanim stała się lodowata, i wyszłam spod prysznicu. Ręce i nogi miałam całe podrapane, gardło nadal mnie potwornie piekło, ale wiedziałam, że od tego nie umrę. Nie zastanawiałam się, co pomyślą inni, już po znalezieniu Joego w studni, kiedy zobaczą te wszystkie zadrapania, a także sińce na mojej szyi. Jakoś nie przyszło mi to wtedy do głowy.

Wciągnęłam koszulę nocną, rzuciłam się na łóżko i zasnęłam natychmiast, mimo że nie zgasiłam światła. Obudziłam się z krzykiem niespełna godzinę później, czując na kostce rękę Joego. Odetchnęłam z ulgą, kiedy zdałam sobie sprawę, że to tylko sen, lecz nagle pomyślałam: A jeśli udało mu się wygramolić? Wiedziałam, że to niemożliwe — załatwiłam go na dobre, kiedy walnęłam go kamieniem i po raz drugi spadł na dno — ale mimo to bałam się, że zaraz wylezie ze studni i będzie próbował się zemścić.

Chciałam poczekać, aż odejdzie mnie strach, jednakże nie byłam w stanie spokojnie leżeć — obraz Joego wspinającego się po ścianie studni stawał się coraz bardziej wyraźny, a serce waliło mi tak mocno, jakby miało pęknąć. W końcu włożyłam tenisówki, złapałam latarkę i w koszuli nocnej pobiegłam sprawdzić. Tym razem doczołgałam się do skraju studni; za nic w świecie nie mogłam się zmusić, żeby do niej normalnie podejść. Za bardzo się bałam, że biała dłoń znów wysunie się z mroku i chwyci mnie za nogę.

Wreszcie poświeciłam w dół. Joe leżał w identycznej pozycji co przedtem, z rękami na brzuchu i głową przekrzywioną na bok. Kamień też tkwił tam, gdzie poprzednio, między nogami Joego. Patrzyłam długo, a kiedy wróciłam do domu, zaczęłam wierzyć, że Joe naprawdę nie żyje.

Wślizgnęłam się pod kołdrę, zgasiłam lampę i wkrótce zapadłam w sen. Pamiętam, że zanim zasnęłam, pomyślałam sobie: Możesz spać spokojnie. Ale nie udało mi się. Obudziłam się po dwóch godzinach przekonana, że ktoś chodzi po kuchni. Że JOE chodzi po kuchni. Usiłowałam zerwać się z łóżka, ale nogi zaplątały mi się w pościel i rymnęłam na podłogę. Podniosłam się i zaczęłam nerwowo szukać pstryczka, żeby zapalić lampę, pewna, że zanim go znajdę, dłonie Joego zacisną się na mojej szyi.

Ale oczywiście nic takiego się nie stało. Włączyłam lampę, po czym obeszłam cały dom. Był pusty. Więc włożyłam tenisówki, chwyciłam latarkę i znów pobiegłam do studni.

Joe wciąż leżał na dnie z rękami na brzuchu i przekręconą w bok głową. Przyglądałam mu się bardzo długo, zanim wreszcie uwierzyłam, że jest zwrócona w tę samą stronę, co wcześniej. W pewnej chwili wydało mi się, że drgnęła mu stopa, ale to był tylko cień. Nie mogłam utrzymać latarki bez ruchu, bo ręce mi dygotały, jakby trzęsła mną febra.

Gdy tak klęczałam, z włosami związanymi do tyłu, w podobnej pozie co Indianka na opakowaniu masła, naszła mnie przedziwna ochota: żeby pochylić się niżej, jeszcze niżej, i wpaść do studni. Znaleźliby nas razem — nie był to wymarzony koniec, jeśli o mnie chodziło — ale przynajmniej nie bylibyśmy spleceni w uścisku... i nie musiałabym się budzić przerażona, że Joe jest ze mną w pokoju, ani co rusz wybiegać i sprawdzać, czy naprawdę nie żyje.

Ponownie usłyszałam głos Very, ale tym razem zadźwięczał w mojej głowie. Wiem to z taką samą pewnością jak to, że poprzednim razem rozległ się koło mojego ucha.

— Rzuć się do łóżka, nie do studni! Wyśpij się, a kiedy się obudzisz, nie będzie już śladu po zaćmieniu. Zobaczysz, że wszystko od razu lepiej wygląda, kiedy świeci słońce.

Była to dobra rada, więc postanowiłam się do niej zastosować. Jednak na wszelki wypadek zamknęłam na zasuwę zarówno drzwi frontowe, jak i kuchenne, a zanim weszłam do łóżka, zrobiłam coś, czego nie robiłam nigdy wcześniej ani nigdy później: oparciem krzesła zablokowałam klamkę. Wstyd mi się do tego przyznać — pewnie się zarumieniłam, bo czuję, że palą mnie policzki — ale te wszystkie zabiegi pomogły: zasnęłam, ledwo przyłożyłam głowę do poduszki. Kiedy otworzyłam oczy, przez okno wpadało światło dzienne. Poprzedniego dnia Vera powiedziała mi, że mogę nazajutrz nie przychodzić do pracy — uznała, że Gail Lavesque i pozostałe dziewczyny poradzą sobie ze sprzątaniem po wielkim przyjęciu, które planowała na wieczór — i było mi to bardzo na rękę.

Wstałam, znów wzięłam prysznic i ubrałam się. Byłam taka obolała, że zajęło mi to pół godziny. Głównie dolegały mi plecy; były moją piętą achillesową od czasu, kiedy Joe zdzielił mnie po nerkach polanem. A chyba dodatkowo coś sobie naciągnęłam, kiedy wyrwałam kamień z obudowy studni i uniosłam wysoko nad głowę, żeby walnąć Joego. W każdym razie łupało mnie w krzyżu jak diabli.

Kiedy się wreszcie ubrałam, usiadłam w słońcu przy kuchennym stole i pijąc kawę, zastanawiałam się co dalej. Niby nie miałam wiele do zrobienia, chociaż sprawy potoczyły się nie całkiem tak, jak planowałam, ale musiałam wszystko dokładnie przemyśleć; gdybym o czymś zapomniała lub coś przegapiła, mogłabym wylądować w więzieniu. Joe St. George nie cieszył się wielką sympatią na Little Tall, więc wiedziałam, że nikt nie będzie miał do mnie żalu o to, co zrobiłam, z drugiej strony za zabicie człowieka, nawet jeśli był to nędzny gnój, nie daje się nikomu medalu i nie urządza na jego cześć bankietu.

Nalałam sobie jeszcze kawy i wyszłam na ganek, żeby ją wypić... i nieco się rozejrzeć. Oba odbłyśniki i jeden oglądacz były z powrotem w torbie, w której Vera mi je dała. Kawałki drugiego oglądacza leżały na sosnowych deskach ganku, tam gdzie się rozbił, kiedy Joe — podrywając się nagle na nogi — strącił go z kolan. Przez chwilę stałam niezdecydowana. W końcu weszłam do kuchni, wzięłam miotłę oraz szufelkę i zamiotłam ganek. Pomyślałam, że skoro tyle ludzi na wyspie wie, jaka jestem porządnicka, byłoby podejrzane, gdybym nie sprzątnęła potłuczonego szkła.

Początkowo zamierzałam mówić, że przez całe popołudnie nie widziałam Joego. Że nie było go, kiedy wróciłam do domu od Very, że zabrał tyłek w troki i się zmył, nie zostawiając mi nawet kartki, i że wylałam butelkę drogiej szkockiej do zlewu, taka byłam wściekła. Gdyby przeprowadzono badania i stwierdzono, że był pijany, kiedy wpadł do studni, nie mogłoby mi to zaszkodzić; przecież mógł się schlać poza domem albo wódą, którą trzymał pod zlewem.

Jedno spojrzenie do lustra uzmysłowiło mi jednak, że to mało przekonująca opowieść; jeśli będę twierdzić, że nie widziałam Joego, ludzie zaczną pytać, kto mi zrobił te sińce na szyi. Co im wtedy powiem? Że Święty Mikołaj? Na szczęście zostawiłam sobie furtkę; wspomniałam Verze, że gdyby Joe się brzydko zachowywał, pozwolę mu się kisić we własnym sosie, a sama pójdę obejrzeć zaćmienie ze Wschodniego Cypla. Nie miałam żadnego konkretnego planu, kiedy z nią rozmawiałam, ale teraz cieszyłam, że tak jej powiedziałam.

Oczywiście nie mogłam się upierać, że poszłam na Wschodni Cypel — prawdopodobnie roiło się tam od ludzi, którzy na pewno by mnie zauważyli — ale Russian Meadow leży w drodze na Wschodni Cypel, jest z niego dobry widok na zachód, i nie było tam żywej duszy. Widziałam to, siedząc na ganku i potem, kiedy zmywałam w kuchni. Nie miałam jedynie pojęcia...

Co, Frank?

Nie, wcale nie przejmowałam się tym, że ciężarówka Joego stoi przed domem. W pięćdziesiątym dziewiątym zatrzymano go kilka razy, kiedy prowadził po pijanemu, i wreszcie zabrano mu na miesiąc prawo jazdy. Edgar Sherrick, który był wtedy na wyspie posterunkowym, przyszedł do nas i powiedział Joemu, że w domu może chlać do nieprzytomności, ale jeżeli jeszcze raz usiądzie pijany za kółkiem, to on, Edgar, weźmie go za frak i zaciągnie przed sędziego, który odbierze mu prawo jazdy na rok. Edgar traktował wszystkich dość wyrozumiale, ale był wyjątkowo cięty na pijanych kierowców, bo w czterdziestym ósmym czy dziewiątym jakiś gość na bani przejechał mu córkę. Joe dobrze o tym wiedział, toteż po rozmowie z Edgarem przestał wsiadać do wozu, jeśli wypił więcej niż kieliszek. Zamierzałam mówić ludziom, że kiedy wróciłam z Russian Meadow i nie zastałam Joego, uznałam, że wpadł po niego któryś z kumpli i pojechali wspólnie świętować zaćmienie.

Nie miałam jedynie pojęcia, co zrobić z butelką. Ludzie wiedzieli, że ostatnio kupowałam Joemu alkohol, ale z tym nie było problemu; sądzili, że kupuję po to, żeby mnie nie bił. Zachodziłam jednak w głowę, gdzie powinna znajdować się butelka, żeby moje zeznania brzmiały wiarygodnie. Może to nie było ważne, a z drugiej strony... Kiedy popełniło się morderstwo, nigdy się nie wie, co może sprawić, że szydło wyjdzie z worka. To najlepszy powód, żeby nikogo nie mordować. Spróbowałam wczuć się w Joego — było to znacznie łatwiejsze, niż się wydaje — i od razu pojęłam, że nigdzie by się nie ruszył, gdyby w butelce została choć kropla alkoholu. Tak, butelka musiała wylądować razem z nim w studni — i rzeczywiście wylądowała... oprócz zakrętki, którą cisnęłam na stertę śmieci, gdzie wcześniej wysypałam kawałki zadymionego szkła.

Idąc w stronę studni z butelką po szkockiej, w której chlupotały resztki, powtarzałam sobie w myśli: Uchlał się jak świnia, ale to mi nie przeszkadzało, bo się tego spodziewałam. Kiedy jednak zacisnął łapy na mojej szyi, jakby wziął ją za rączkę od pompy, zdenerwowałam się, chwyciłam odbłyśnik i wściekła na siebie, że kupiłam mu butelkę whisky, poszłam na Russian Meadow. Jak wróciłam, Joego nie było w domu. Nie wiedziałam, gdzie pojechał ani z kim, ale było mi wszystko jedno. Sprzątnęłam po nim ganek i miałam nadzieję, że gdy wróci, będzie w lepszym humorze. Uznałam, że tak właśnie powinna mówić potulna żona i wtedy nikt się nie będzie czepiał.

Byłam zła, że z powodu głupiej butelki muszę znów iść do studni i oglądać Joego, na co nie miałam najmniejszej ochoty. Ale nie mogłam pozwolić sobie na uleganie nastrojom.

Trochę się martwiłam, w jakim stanie będą krzaki jeżyn, ale okazało się, że wcale nie są tak bardzo podeptane, jak się obawiałam, a część pędów sama podniosła się z powrotem. Pomyślałam sobie, że zanim zgłoszę zaginięcie Joego, nikt nie zauważy różnicy.

Miałam nadzieję, że za dnia studnia nie będzie wyglądała tak przerażająco, jak w nocy. Ale dziura w pokrywie sprawiała jeszcze okropniejsze wrażenie. Ponieważ część desek odciągnęłam na bok, nie przypominała oka, lecz pusty oczodół, z którego dawno wypadło przegniłe oko. Znów poczułam ten wilgotny, miedziany zapach. I stanęła mi w pamięci dziewczynka, którą tak wyraźnie widziałam podczas zaćmienia; ciekawa byłam, jak sobie radzi.

Kusiło mnie, aby zawrócić, przemogłam się jednak i podeszłam do studni bez dalszego ociągania. Chciałam jak najprędzej wszystko załatwić... i mieć już za sobą. Postanowiłam, że od tej chwili będę myśleć wyłącznie o dzieciach i nie oglądać się wstecz.

Schyliłam się i zajrzałam do środka. Joe leżał z rękami na brzuchu i z przekrzywioną głową. Po jego twarzy łaziły robaki; to one sprawiły, że wreszcie na dobre uwierzyłam w śmierć Joego. Wyciągnęłam przed siebie butelkę, trzymając ją przez chustkę — nie chodziło mi o żadne odciski palców, po prostu nie chciałam jej dotykać — i puściłam. Wylądowała w błocie obok Joego, ale nie rozbiła się. Robaki rozpierzchły się, zbiegając mu na koszulę i za kołnierz. Nigdy nie zapomnę tego widoku.

Wstawałam, żeby odejść, bo od tych umykających robaków zebrało mi się na mdłości, ale nagle mój wzrok zatrzymał się na deskach, które poprzedniego dnia odciągnęłam na bok. Nie mogłam ich tak zostawić; na pewno wzbudziłyby czyjeś podejrzenia.

Przez chwilę się nad tym zastanawiałam, a potem uświadomiłam sobie, że ranek mija i ktoś może wpaść, żeby pogadać ze mną o zaćmieniu, o bankiecie na promie albo o przyjęciu u Very, więc uznałam, że trudno, niech się dzieje, co chce, i wrzuciłam deski do studni. Po czym ruszyłam do domu. Szłam powoli, po drodze zbierając zwisające z kolców strzępy mojej sukienki i halki. Później wróciłam i znalazłam jeszcze ze trzy czy cztery strzępy, które przegapiłam za pierwszym razem. Znalazłam też kilka puszystych nitek z flanelowej koszuli Joego, ale te zostawiłam.

— Niech Garrett Thibodeau sam wykoncypuje, skąd się wzięły — powiedziałam do siebie. — Inni też niech pogłówkują. Szybko dojdą do wniosku, że Joe się upił i runął do studni, a ponieważ wiedzą, jaki z niego moczymorda, wszystko będzie przemawiało na moją korzyść.

Zebranych strzępów materiału nie wyrzuciłam na śmieci, tam gdzie wylądowały odłamki szkła i zakrętka od butelki Johnny Walkera, tylko kilka godzin później cisnęłam do ocenu. Przeszłam już przez podwórko i właśnie zamierzałam wejść po stopniach na ganek, kiedy nagle coś mi się przypomniało: że Joe chwycił mnie za halkę, kiedy wlokła się za mną po ziemi. A jeśli nadal miał kawałek w ręce? Jeśli leżąc na dnie studni, trzymał go w zaciśniętej garści?

Zamarłam i mróz przeszedł mnie po plecach... autentyczny mróz. Stałam na stopniach ganku w gorącym lipcowym słońcu i czułam, że lodowate mrowie przenika mnie do szpiku kości, jak to ujął poeta, którego wiersze czytałam w szkole. A potem znów usłyszałam w myślach głos Very:

— Nic na to nie poradzisz, Dolores, więc po prostu nie zawracaj sobie tym głowy.

Rada wydała mi się rozsądna, toteż wspięłam się po schodkach na ganek i weszłam do środka.

Większość przedpołudnia krążyłam po domu; od czasu do czasu wychodziłam na zewnątrz, jakbym szukała... no, sama nie wiem czego. Nie mam pojęcia, co spodziewałam się znaleźć. Może liczyłam, że wewnętrzne oko zauważy coś, czym powinnam się zająć, tak jak te deski przy studni. Ale nic nie rzuciło mi się w oczy.

Około jedenastej wykonałam pierwszy ruch: zadzwoniłam do Gail Lavesque, która sprzątała u Very po przyjęciu. Najpierw pogadałyśmy chwilę o zaćmieniu, a potem spytałam, czy Jej Wysokość bardzo daje im w kość.

— Nie, nie mogę narzekać — odparła. — Głównie dlatego, że nie widziałam jeszcze nikogo oprócz tego łysego gościa z wąsami jak szczotki do zębów. Wiesz, o kim mówię?

Potwierdziłam.

— Pojawił się na dole o wpół do dziesiątej, wyszedł do ogrodu i spacerował wolnym krokiem, jedną ręką podtrzymując głowę, ale przynajmniej zwlókł się z wyra, czego nie mogę powiedzieć o innych. Kiedy Karen Jolander spytała, czy nie chciałby szklanki świeżego soku pomarańczowego, pobiegł w stronę werandy i porzygał się w petunie. Szkoda, że go nie słyszałaś, Dolores... Jedno wielkie BLEEEEE!

Ze śmiechu oczy aż zaszły mi łzami — dawno się tak nie śmiałam.

— Musieli nieźle się bawić, kiedy wrócili z promu — ciągnęła Gail. — Gdybym miała pięć centów za każdego peta, jakiego wyrzuciłam dziś rano — tylko pięć centów, słyszysz — kupiłabym sobie najnowszy model chevroleta. Ale możesz na mnie liczyć: wszystko będzie lśniło, zanim skacowana pani Donovan zejdzie na dół.

— Jestem tego pewna. Ale gdybyś potrzebowała pomocy, to nie krępuj się i dzwoń, dobrze?

Gail roześmiała się.

— Poradzę sobie. Wiem, że cały tydzień harowałaś jak wół; pani Donovan również o tym wie. Nie pokazuj się tu do jutra.

— W porządku. — Na moment umilkłam. Wiedziałam, że Gail spodziewa się usłyszeć zwykłe „do widzenia" i że jak powiem co innego, dobrze zapamięta moje słowa... a właśnie o to mi szło. — Nie było tam przypadkiem Joego? — spytałam.

— Joego? Twojego Joego? — zdziwiła się.

— Ano.

— Nie, nie widziałam go tu. Dlaczego pytasz?

— Nie wrócił na noc do domu.

— Och, doprawdy? — zawołała oburzona i zaciekawiona zarazem. — Pewnie się upił?

— Pewnie tak — potwierdziłam. — Nie, żebym się zbytnio tym przejęła; w końcu zdarzało mu się już zabradziażyć gdzieś całą noc. Zawsze wraca, jak zły szeląg.

Odwiesiłam słuchawkę, zadowolona z siebie, że zasiałam pierwsze ziarno.

Przygotowałam sobie na śniadanie grzanki z żółtym serem, lecz nie byłam w stanie ich zjeść. Zapach sera i przypieczonego pieczywa sprawił, że wzięły mnie mdłości. Łyknęłam dwie aspiryny i położyłam się. Nie wierzyłam, że zasnę, a jednak zapadłam w sen. Kiedy się obudziłam, dochodziła czwarta; najwyższy czas, by zasadzić jeszcze kilka ziaren. Obdzwoniłam przyjaciół Joego — tych, którzy mieli telefony — pytając, czy go nie widzieli. Nie wrócił na noc, mówiłam, i wciąż go nie ma, więc zaczynam się niepokoić. Nikt go nie widział, oczywiście, wszyscy natomiast chcieli wiedzieć, co się stało. Ale jedynie Tommy'emu Andersonowi powiedziałam parę słów — właśnie jemu Joe chwalił się, że przemawia mi do słuchu, a biedny, głupi Tommy we wszystko mu wierzył. Uważałam jednak, żeby nie przesadzić; wspomniałam, że Joe i ja pokłóciliśmy się, więc pewnie poszedł gdzieś wściekły. Wieczorem wykonałam jeszcze kilka telefonów, między innymi do paru osób, z którymi rozmawiałam wcześniej, i ucieszyłam się, kiedy się zorientowałam, że ludzie już plotkują na temat zniknięcia Joego.

Nie spałam dobrze tej nocy; męczyły mnie koszmary. W jednym widziałam Joego. Stał na dnie studni i patrzył do góry; był blady, a po obu stronach nosa miał czarne kręgi, jakby wepchnął sobie do oczu kawałki węgla. Mówił, że jest samotny i prosił, żebym wskoczyła do studni i dotrzymała mu towarzystwa.

Drugi koszmar był gorszy, bo dotyczył Seleny. Miała nie więcej niż cztery latka i ubrana była w różową sukienkę, którą tuż przed śmiercią kupiła jej babcia Trisha. Selena podeszła do mnie na podwórku; zobaczyłam, że trzyma w dłoniach moje nożyczki. Wyciągnęłam po nie rękę, ale tylko potrząsnęła głową.

— To moja wina, więc ja muszę ponieść karę — powiedziała, po czym podniosła nożyczki do twarzy i jednym szybkim ruchem odcięła sobie nos. Ciach!

Upadł na ziemię między jej czarne buciki, a ja obudziłam się z krzykiem. Była dopiero czwarta, ale nie jestem głupia i wiedziałam, że tej nocy już nie zasnę.

O siódmej zadzwoniłam do Very. Tym razem odebrał Kenopensky. Powiedziałam mu, że Vera oczywiście się mnie spodziewa, ale nie mogę przyjść, dopóki się nie dowiem, gdzie się podział mój mąż. Nie ma go już dwie noce, a jeszcze nie zdarzyło mu się tak długo nie wracać do domu, nawet po największym pijaństwie.

W trakcie rozmowy Vera podniosła drugą słuchawkę i spytała, co się dzieje.

— Chyba zgubiłam męża — oświadczyłam.

Nie odezwała się; wiele bym dała, żeby znać wtedy jej myśli. A potem rzekła, że gdyby była na moim miejscu i zgubiła Joego St. George'a, na pewno by się tym nie przejęła.

— Ale mamy troje dzieci, zresztą przywykłam do niego — oznajmiłam. — Przyjdę później, jeśli się zjawi.

— W porządku — zgodziła się. — Jesteś tam jeszcze, Ted?

— Tak, Vero — potwierdził z drugiego aparatu Kenopensky.

— To idź znajdź sobie jakieś męskie zajęcie. Wbij gwóźdź albo coś przewróć, jak wolisz.

— Dobrze. — Rozległ się trzask odkładanej słuchawki.

Vera nie odzywała się jeszcze przez kilka chwil.

— Może miał jakiś wypadek, Dolores — powiedziała w końcu.

— Wcale bym się nie zdziwiła. Przez ostatnie kilka tygodni pił niemal nieprzerwanie, a kiedy w dniu zaćmienia chciałam z nim pomówić o pieniądzach dzieci, chwycił mnie za gardło i o mało nie udusił.

— Na... naprawdę? — Przez moment milczała. — Bądź silna, Dolores.

— Wiem. Postaram się.

— Jeśli będę mogła ci jakoś pomóc, daj znać.

— Dziękuję.

— Nie musisz — mruknęła. — Nie chcę cię stracić. W obecnych czasach potwornie trudno znaleźć kogoś, kto nie wmiatałby śmieci pod dywan.

Albo kogoś, kto pamiętałby, w którą stronę mają być skierowane wycieraczki z napisem WITAMY, pomyślałam, ale nie powiedziałam tego głośno. Znów jej podziękowałam i rozłączyłam się. Odczekałam pół godziny i zadzwoniłam do Garretta Thibodeau. W owym czasie nie mieliśmy na Little Tall własnego komendanta policji; Garrett był zwykłym posterunkowym. Objął funkcję po Edgarze Sherricku, który przeszedł wylew w tysiąc dziewięćset sześćdziesiątym roku.

Powiedziałam, że Joe już drugą noc nie wrócił do domu i zaczynam się martwić. Garrett miał zaspany głos — chyba przed chwilą wstał i ledwo zdążył wypić poranną kawę — ale obiecał, że skontaktuje się z policją stanową na lądzie i popyta ludzi na wyspie. Wiedziałam, że będzie pytał tych samych, z którymi wcześniej rozmawiałam — z niektórymi nawet dwa razy — ale nic mu o tym nie wspomniałam. Garrett bąknął na koniec, że Joe pewnie pojawi się na obiad. Prędzej mi kaktus na dłoni wyrośnie, ty stary pierdoło, pomyślałam sobie, odwieszając słuchawkę. Garrett miał dość rozumu, żeby zliczyć do dziesięciu, ale już policzenie do setki sprawiało mu trudności.

Minął, cholera, aż tydzień, zanim znaleźli Joego; już odchodziłam od zmysłów. Selena wróciła w środę. Zadzwoniłam do niej we wtorek późnym popołudniem i powiedziałam, że ojciec znikł i sprawa zaczyna wyglądać poważnie. Spytałam, czy chce wracać do domu; odparła, że tak. Melissa Caron — matka Tani — pojechała po nią i ją przywiozła. Chłopców nie ściągałam, bo i tak miałam dostatecznie ciężką przeprawę z Seleną. W czwartek — dwa dni przed znalezieniem Joego — podeszła do mnie, kiedy byłam w ogródku warzywnym.

— Mamo, powiedz mi coś — poprosiła.

— Dobrze, kochanie. — Głos chyba miałam spokojny, mimo że domyślałam się, o co mnie spyta. I nie pomyliłam się.

— Czy mu coś zrobiłaś?

Nagle przypomniał mi się mój nocny koszmar — ten, w którym czteroletnia Selena w ślicznej różowej sukience podnosi nożyczki i obcina sobie nos. I pomyślałam... a raczej zaczęłam się w duchu modlić: Boże, pomóż mi okłamać córkę. Proszę cię, Boże. Już o nic więcej Cię nie poproszę, jeśli pomożesz mi tak ją okłamać, że uwierzy w moje słowa i nigdy nie będzie miała żadnych wątpliwości.

— Nie — odparłam. Zdjęłam rękawiczki, które nosiłam do

pracy w ogrodzie, i położyłam ręce na ramionach córki. Patrzyłam jej prosto w oczy. — Nie, kochanie. Był pijany i wściekły i dusił mnie tak mocno, że wciąż mam na szyi ślady, ale nic mu nie zrobiłam. Wyszłam z domu, bo się go bałam. Rozumiesz to, prawda? Rozumiesz i nie potępiasz mnie? Wiesz, co to znaczy się go bać, prawda?

Skinęła głową, ale wciąż nie odrywała oczu od mojej twarzy. Były bardziej granatowe, niż je pamiętałam — miały barwę oceanu tuż przed linią szkwału. Widziałam w wyobraźni połysk nożyc i mały zadarty nosek spadający na ziemię. I powiem wam, co myślę — myślę, że Bóg wysłuchał połowę mej modlitwy. Tak zwykle z Nim bywa. Zeznając później, nie kłamałam równie przekonująco jak podczas rozmowy z Seleną, gdy stałyśmy w upalne lipcowe popołudnie pośród fasoli i ogórków... ale czy mi uwierzyła? Czy uwierzyła ponad wszelką wątpliwość? Choć pragnęłam tego z całej siły, nie jestem o tym przekonana. Myślę, że to właśnie z powodu wątpliwości jej oczy tak pociemniały i są takie do dziś.

— Jedyne, o co mogę mieć do siebie pretensję, to że kupiłam mu butelkę whisky — oświadczyłam. — Chciałam go przekupić, żeby był dla mnie miły. Powinnam była wiedzieć, że nic z tego nie wyjdzie.

Patrzyła na mnie przez długą chwilę, po czym schyliła się i podniosła torbę z ogórkami, które zerwałam.

— Dobrze. Wniosę je do domu — powiedziała.

I ani słowa więcej. Już nigdy nie rozmawiałyśmy na temat Joego, ani zanim go znaleźli, ani później. Pewnie nieraz słyszała, i na wyspie, i w szkole w Jonesport, co ludzie o mnie wygadują, jednakże nigdy więcej nie rozmawiałyśmy o tym, co się stało. Ale od dnia naszej krótkiej rozmowy w ogródku zaczęła odnosić się do mnie z rezerwą. Wtedy pojawiło się pierwsze pęknięcie w murze, którym każda rodzina odgradza się od reszty świata. Od tego czasu wyrwa bezustannie się poszerza. Wprawdzie Selena dzwoni i pisuje regularnie, pod tym względem jest wzorową córką, ale powstał między nami dystans. Jesteśmy jak dwie obce osoby. A przecież to, co zrobiłam, zrobiłam głównie dla niej, nie dla chłopców, czy dla pieniędzy, które ojciec próbował ukraść. Wyprawiłam go na tamten świat, żeby ochronić ją przed nim, a zapłaciłam za to cenę w postaci utraty jej przywiązania i miłości. Mój tata powiedział kiedyś, że Bóg puścił bąka w dniu, w którym stworzył świat, i z biegiem lat coraz częściej przyznaję mu rację. A wiecie, co jest najgorsze? Że życie bywa takie zabawne. Czasem tak zabawne, że człowiek boki zrywa ze śmiechu, choć wszystko wokół niego rozpada się w pył.

Przez długi czas Garrett Thibodeau i kumple, z którymi przesiadywał w zakładzie fryzjerskim, nie wysilali się zbytnio z szukaniem Joego. Już prawie myślałam, że sama będę musiała go znaleźć, niby to przypadkiem, choć wcale mi się ten pomysł nie podobał. Gdyby nie forsa, Joe mógłby leżeć w studni aż po dzień Sądu Ostatecznego. Ale pieniądze były na jego koncie w Jonesport, a ja nie chciałam czekać siedmiu lat, aż zostanie sądownie uznany za zmarłego, żeby odzyskać szmal. Selena miała iść na studia za niespełna dwa lata, więc forsa była potrzebna wcześniej.

Wreszcie ludzie zaczęli przebąkiwać, że może Joe poszedł z butelką za dom do lasu i wpadł w potrzask zastawiony na zwierzynę albo potknął się po pijaku, przewrócił się i rozbił sobie głowę. Garrett twierdził później, że sam wpadł na takie rozwiązanie, ale nie bardzo wierzę, bo znam go jeszcze ze szkoły. Ale mniejsza. W czwartek po południu wywiesił zawiadomienie na drzwiach ratusza i w sobotę rano — tydzień po zaćmieniu — ruszył na poszukiwanie na czele grupy złożonej z czterdziestu kilku mężczyzn.

Ustawili się w szeregu na Wschodnim Cyplu i wolno przeczesywali las, posuwając się tyralierą w kierunku naszego domu. Potem wzięli się za sprawdzanie Russian Meadow — około pierwszej widziałam, jak idą tamtędy, śmiejąc się i dowcipkując, jednak żarty wywietrzały im z głowy i zaczęli kląć, kiedy weszli na nasz teren i coraz bardziej zagłębiali się w gęstwinę jeżyn.

Stałam w drzwiach, ze ściśniętym sercem obserwując zbliżających się mężczyzn. Cieszyłam się, że Seleny nie ma w domu, że poszła odwiedzić Laurie Langill. Ale bałam się, że Garrettowi i jego kumplom wkrótce znudzi się przedzieranie przez kłujące krzaki, powiedzą sobie, że chromolą taką robotę, i zaniechają poszukiwań, zanim dotrą do starej studni. Na szczęście wciąż posuwali się naprzód. Nagle usłyszałam krzyk Sonny'ego Benoit:

— Hej, Garrett! Chodź tutaj! Chodź szybko!

Wiedziałam, że znaleźli Joego, i co ma być, to będzie.

Przeprowadzono, oczywiście, sekcję. Wykonano ją tego samego dnia, co odkryto zwłoki — pewnie jeszcze trwała, kiedy o zmierzchu Jack i Alicja Forbert przywieźli chłopców. Pete płakał, ale chyba nie bardzo rozumiał, co się stało z jego tatą. Jim rozumiał doskonale, więc kiedy odciągnął mnie na bok, byłam pewna, że zapyta o to samo, co Selena, i szykowałam się, żeby okłamać go tak samo, jak ją. Ale chodziło mu o coś zupełnie innego.

— Mamo, czy jeśli będę się cieszył ze śmierci taty, Bóg pośle mnie do piekła?

— Człowiek nie umie kontrolować swoich uczuć, Jim, i Bóg dobrze o tym wie — odparłam.

Rozpłakał się i powiedział coś takiego, że serce mi o mało nie pękło.

— Próbowałem, mamo. Próbowałem ze wszystkich sił, ale on nie dawał mi się kochać!

Objęłam syna i przytuliłam mocno do siebie. Chyba właśnie wtedy sama o mało się nie rozpłakałam — po raz pierwszy od śmierci Joego. Jednakże musicie pamiętać, w jakim byłam stanie: niewiele sypiałam, w dodatku nie wiedziałam, jak się sprawa zakończy.

We wtorek miało się odbyć postępowanie wyjaśniające przed sądem i Lucien Mercier, który w tamtych czasach prowadził jedyny zakład pogrzebowy na Little Tall, wyjaśnił mi, że już w środę będę mogła pochować Joego na cmentarzu Oaks.

Ale w poniedziałek, w przeddzień postępowania, zadzwonił Garrett i powiedział, żebym wpadła do niego do ratusza. Spodziewałam się, że prędzej czy później wezwie mnie na rozmowę i trochę się tego bałam, ale nie miałam wyboru, więc poprosiłam Selenę, żeby dała chłopcom obiad, i poszłam. Garrett nie był sam. Towarzyszył mu doktor John McAuliffe. Mimo że tego też się spodziewałam, poczułam, jak serce podchodzi mi do gardła.

McAuliffe był naszym lekarzem sądowym. Umarł trzy lata później, kiedy pług odśnieżający wpadł na jego garbusa. Po jego śmierci funkcję lekarza sądowego objął Henry Briarton. Gdyby Briarton był lekarzem sądowym w sześćdziesiątym trzecim, czułabym się znacznie spokojniejsza. Briarton ma trochę więcej oleju w głowie niż biedny stary Garrett Thibodeau, ale tylko trochę. Natomiast John McAuliffe... ten to miał łeb na karku.

Był autentycznym, stuprocentowym Szkotem, który pojawił się w tych stronach tuż po drugiej wojnie światowej; brakowało mu jedynie kobzy i spódniczki. Zapewne posiadał obywatelstwo amerykańskie, skoro praktykował jako lekarz i w dodatku pełnił urzędową funkcję, ale mówił zupełnie inaczej niż tutejsi ludzie. Nie żeby to robiło mi jakąkolwiek różnicę; wiedziałam, że muszę sobie z nim poradzić, wszystko jedno, czy jest Amerykaninem, Szkotem, czy pogańskim Chińczykiem.

Miał włosy białe jak śnieg, choć liczył nie więcej niż czterdzieści pięć lat, i niebieskie oczy o tak przenikliwym spojrzeniu, że przypominały świdry. Kiedy na ciebie patrzył, odnosiłeś wrażenie, że widzi wszystko, co się dzieje w twojej głowie, i zapamiętuje twoje myśli w alfabetycznym porządku. Więc gdy ujrzałam go przy biurku Garretta i usłyszałam, jak drzwi na korytarz ratusza zatrzaskują się za mną, wiedziałam, że postępowanie sądowe, które odbędzie się nazajutrz na lądzie, to dziecinna igraszka. Prawdziwe dochodzenie miało się odbyć teraz, w maleńkim pomieszczeniu wydzielonym na posterunek, w którym na jednej ścianie wisiał kalendarz Weber Oil, a na drugiej zdjęcie matki Garretta.

— Przykro mi, że niepokoję cię w tak smutnej dla ciebie chwili, Dolores — zaczął Garrett, pocierając nerwowo ręce; przypominał pana Pease'a z banku. Musiał mieć jednak znacznie więcej odcisków, bo jego dłonie szeleściły, jakby wygładzał deskę drobnoziarnistym papierem ściernym. — Ale doktor McAuliffe chciałby ci zadać kilka pytań.

Widziałam po jego niepewnej minie, kiedy zerkał na doktora, że nie ma pojęcia, o co McAuliffe zamierza pytać, a to mnie przeraziło jeszcze bardziej. Przebiegły Szkot najwyraźniej uznał, że rzecz jest poważna i specjalnie nie podzielił się swoimi wątpliwościami ze starym Garrettem, żeby ten przypadkiem nie spartolił sprawy.

— Proszę przyjąć najgłębsze wyrazy współczucia, pani St. George — zaczął McAuliffe, mówiąc z tym swoim szkockim akcentem.

Był niedużym mężczyzną, ale szczupłym i proporcjonalnie zbudowanym. Nosił nieduże wąsiki, białe jak włosy na jego głowie. Tego dnia miał na sobie trzyczęściowy wełniany garnitur — bo nie tylko gadał inaczej niż tutejsi ludzie, lecz również inaczej się ubierał. Niebieskie oczka niczym świdry wwiercały mi się w czoło i wiedziałam, że wbrew temu, co mówi, wcale mi nie współczuje. Sprawiał wrażenie człowieka, który nie ma współczucia dla nikogo, nawet dla samego siebie.

— Naprawdę ogromnie mi przykro, że spotkała panią taka tragedia — dodał.

A już ci wierzę, pomyślałam. Ostatni raz, kiedy naprawdę było ci przykro, doktorku, to jak korzystałeś z automatu telefonicznego i urwał się sznurek, do którego uwiązałeś monetę. Postanowiłam jednak, że pod żadnym warunkiem nie dam mu poznać, jak bardzo się boję. Może miał coś na mnie, może nie. W końcu mogło się okazać, że kiedy położyli Joego na stole w suterenie miejscowego szpitala i rozwarli mu dłonie, znaleźli w jednej z nich kawałek białej, nylonowej halki. Ale nawet jeśli tak było, to nie zamierzałam dostarczać McAuliffe'owi uciechy i trząść się przed nim jak mysz. Przyzwyczaił się, że ludzie dostawali dygotek, kiedy na nich patrzył; wręcz tego oczekiwał i sprawiało mu to autentyczną przyjemność.

— Dziękuję — powiedziałam.

— Zechce pani usiąść? — rzekł, zupełnie jakby to był jego gabinet, a nie biuro biednego Garretta.

Kiedy usiadłam, spytał, czy może zapalić w mojej obecności. Odparłam, że jeśli o mnie chodzi, ma zielone światło. Zarechotał, jakbym powiedziała coś bardzo zabawnego... ale w jego oczach nie było wesołości. Wydobył z kieszeni wielką czarną fajkę wykonaną z wrzośca i zaczął ją nabijać, ani na moment nie odrywając wzroku od mojej twarzy — nawet wtedy, gdy już wetknął fajkę w zęby i puszczał z niej kłęby dymu. Ciarki przechodziły mnie po grzbiecie, gdy tak siedział, przyglądając mi się poprzez dym, i pomyślałam o latarni morskiej w Battiscan; mówią, że widać ją w nocy na trzy kilometry, nawet kiedy mgła jest tak gęsta, że można ją rozgarniać rękami.

Bałam się, że zacznę się trząść pod tym jego spojrzeniem, bez względu na to, co sobie wcześniej obiecywałam, ale wtem przypomniały mi się słowa Very Donovan:

— Bzdura. Mężowie umierają codziennie, Dolores.

Pomyślałam, ze McAuliffe mógłby się gapić na Verę do usranej śmierci, a ona nic by sobie z tego nie robiła, nawet nie zmieniłaby pozycji na krześle. Ta myśl podziałała na mnie kojąco; przestałam się denerwować, złożyłam dłonie na torebce i czekałam, co dalej.

Wreszcie, kiedy zobaczył, że nie zamierzam paść przed nim na kolana i wyznać, że zamordowałam męża — pewnie zalewając się przy okazji łzami, to dopiero by mu się podobało! — wyjął fajkę z ust i rzekł:

— Powiedziała pani posterunkowemu, że te sińce na szyi to sprawka pani męża.

— Ano — potwierdziłam.

— Że usiedliście razem na ganku, żeby obejrzeć zaćmienie, a potem wybuchła między wami kłótnia.

— Ano.

— Czy mogę spytać, o co wam poszło?

— Niby o pieniądze. A w gruncie rzeczy o picie.

— Przecież sama kupiła pani alkohol, który mąż pił tego dnia, pani St. George! Czyż nie tak?

— Ano. — Miałam ochotę powiedzieć coś więcej, wyjaśnić nieco sytuację, ale ugryzłam się w język. Bo właśnie o to — jak pewnie się orientujecie — chodziło McAuliffe'owi: chciał, żebym gadała sama. I żebym sama, własnym gadaniem, wpakowała się do pierdla.

W końcu zrozumiał, że nie ma na co czekać. Zaczął kręcić młynka palcami, poirytowany, po czym znów wbił we mnie te swoje oczy podobne do morskich latarni.

— Kiedy mąż przestał panią dusić, zostawiła go pani i poszła na Russian Meadow, w stronę Wschodniego Cypla, żeby w spokoju obejrzeć zaćmienie.

— Ano.

Nagle pochylił się do przodu, zaciskając na kolanach swoje drobne dłonie, i spytał:

— Pani St. George, czy wie pani, z jakiego kierunku wiał tego dnia wiatr?

Poczułam się jak owego dnia w listopadzie tysiąc dziewięćset sześćdziesiątego roku, kiedy szukając studni, o mało do niej nie wpadłam — wydało mi się, że słyszę takie samo trzeszczenie i pomyślałam sobie: Tylko ostrożnie, Dolores Claiborne, tylko ostrożnie. Dziś ze wszystkich stron otaczają cię studnie, a ten cholernik orientuje się, gdzie się znajdują.

— Nie — odparłam. — Nie wiem. A skoro nie wiem, skąd wiał wiatr, dzień musiał być bezwietrzny.

— Właściwie wiał tylko lekki wiet... — zaczął Garrett, ale McAuliffe podniósł rękę i przerwał mu w pół słowa.

— Wiał z zachodu — rzekł. — Zachodni wiatr, niech będzie, że lekki, o szybkości jedenastu, może piętnastu kilometrów na godzinę, w porywach dochodzący do dwudziestu pięciu. Nie wydaje się pani dziwne, pani St. George, że stojąc na

Russian Meadow, niespełna kilometr od domu, nie słyszała pani krzyków męża?

Milczałam przez całe trzy sekundy. Postanowiłam, że zanim odpowiem na jakiekolwiek pytanie McAuliffe'a, najpierw wolno policzę w głowie do trzech. Jeśli nie będę się spieszyła, może nie wpadnę w żadną z pułapek, jakie na mnie zastawi. Ale ten wredny Szkot pewnie myślał, że robię ze strachu w gacie, bo pochylił się w moją stronę, a jego niebieskie oczy zapłonęły tak jasno, jakby — nie żartuję — rozgrzały się do białości.

— Nie — odparłam. — Po pierwsze, jedenaście kilometrów na godzinę przy znacznej wilgotności powietrza to zaledwie podmuch. Po drugie, w przesmyku było z tysiąc łodzi, które dawały sobie znaki syrenami. A po trzecie, skąd pan wie, że Joe krzyczał? Przecież pan go, do cholery, nie słyszał.

Wyprostował się, nieco zawiedziony.

— To logiczny wniosek — powiedział. — Wiemy, że upadek nie spowodował śmierci, a z oględzin dokonanych podczas sekcji wynika, że pani mąż był przez dłuższy czas przytomny. Pani St. George, gdyby pani wpadła do nieużywanej studni i zorientowała się, że ma złamaną goleń i kostkę, cztery złamane żebra i naciągnięty nadgarstek, czy nie zaczęłaby pani krzyczeć i wzywać pomocy?

Znów odczekałam trzy sekundy, powtarzając sobie trzy razy w myśli „ładny konik", po czym rzekłam:

— To nie ja wpadłam do studni, doktorze McAuliffe. Wpadł Joe, który tego dnia sporo wypił.

— Tak. Kupiła mu pani butelkę szkockiej, chociaż wszyscy, z którymi rozmawiałem, twierdzą, że nie znosiła pani, kiedy pił, bo robił się wtedy nieprzyjemny i kłótliwy; kupiła mu pani butelkę szkockiej, więc nie tylko sporo wypił, ale wręcz upił się w sztok. Usta miał pełne krwi, koszulę oblepioną krwią aż po pasek spodni. Jeśli uwzględnić ilość krwi, złamane żebra i towarzyszące temu uszkodzenia płuc, czy wie pani, jaki nasuwa się wniosek?

Raz, ładny konik... dwa, ładny konik... trzy, ładny konik.

— Nie.

— Złamane żebra podziurawiły mu płuca. Tego typu urazy zawsze powodują krwawienie, rzadko jednak tak obfite. Można wydedukować, że obfite krwawienie zostało spowodowane przez wielokrotne wzywanie pomocy przez rannego.

Nie zadał mi żadnego pytania, ale znów policzyłam do trzech, zanim się odezwałam.

— Uważa pan, że Joe wzywał pomocy. O to chodzi, tak?

— Nie, proszę pani — odparł. — Ja nie uważam; ja mam absolutną pewność.

Tym razem nie liczyłam.

— Doktorze McAuliffe, czy sądzi pan, że zepchnęłam męża do studni? — spytałam.

Zaskoczyłam go. Jego oczy, podobne do latarni morskich, zamrugały i na kilka chwil jakby straciły blask. Przez moment Szkot bawił się fajką, po czym znów wsadził ją do ust i zaciągnął się dymem, usiłując podjąć decyzję, jak zareagować.

Uprzedził go Garrett. Twarz miał czerwoną jak rzodkiewka.

— Mogę cię zapewnić, Dolores, że nikt nie uważa... to znaczy, nawet nie braliśmy pod uwagę takiej...

— Chwileczkę — przerwał mu McAuliffe. Zbiłam go nieco z pantałyku, ale bez większego trudu odzyskał pewność siebie. — Ja brałem. Musi pani zrozumieć, pani St. George, że do moich obowiązków...

— Och, panie doktorze, niech pan nie zwraca się do mnie tak oficjalnie! — zawołałam. — Skoro oskarża mnie pan o to, że zepchnęłam męża do studni, a potem stałam nad nim bezczynnie, kiedy wzywał pomocy, niech pan po prostu mówi mi Dolores!

Tym razem wcale nie próbowałam zbić go z tropu, Andy, ale udało mi się, i to po raz drugi w ciągu zaledwie dwóch minut. Podejrzewam, że nie peszył się tak często, odkąd skończył studia.

— Nikt pani o nic nie oskarża, pani St. George — powiedział sztywno, a z jego oczu wyczytałam: „przynajmniej jak dotąd".

— I bardzo dobrze — oznajmiłam. — Bo pomysł, że wepchnęłam Joego do studni, jest po prostu kretyński. Joe był cięższy ode mnie o dwadzieścia pięć kilo, a może i więcej, bo w ciągu ostatnich kilku lat przybyło mu sporo sadła. W dodatku nie należał do facetów, którzy oszczędzają pięści, kiedy ktoś im wchodzi w drogę. Byłam jego żoną przez szesnaście lat, więc może mi pan wierzyć. Zresztą wielu ludzi potwierdzi moje słowa.

Joe, oczywiście, nie bił mnie od dawna, ale nigdy nie starałam się rozwiać plotek, że regularnie garbuje mi skórę, i teraz, siedząc przez lekarzem, którego niebieskie oczy wwiercały mi się w czaszkę, cholernie byłam z tego rada.

— Nikt nie twierdzi, że wepchnęła pani męża do studni — oświadczył, wycofując się pospiesznie. Widziałam po jego minie, że wie, co się dzieje, ale nie ma pojęcia, jak do tego doszło. Tak, z twarzy doktora jasno wynikało, że to ja powinnam się cofać przed jego natarciem. — Twierdzę natomiast, że musiał wzywać pomocy. Przez dłuższy czas, może nawet przez kilka godzin, w dodatku dość głośno.

Raz, ładny konik... dwa, ładny konik... trzy.

— No, chyba wreszcie zaczynam rozumieć, o co panu chodzi — rzekłam. — Uważa pan, że Joe przypadkiem wpadł do studni, a ja słyszałam jego krzyki, lecz udałam, że nie słyszę. O to panu chodzi, prawda?

Widziałam po jego twarzy, że dokładnie o to. Widziałam też, że jest wściekły, bo rozmowa przebiega całkiem nie po jego myśli; zawsze dotąd on był górą, a tu... Na jego policzkach pojawiły się dwie jaskrawoczerwone plamy. Ucieszył mnie ten widok, bo chciałam, żeby był wściekły. Z takimi ludźmi jak McAuliffe łatwiej sobie radzić, kiedy wpadają w furię, bo są przyzwyczajeni do tego, że denerwują się inni, podczas gdy oni sami zachowują zimną krew.

— Pani St. George, będzie nam niezmiernie trudno dojść do

czegokolwiek, jeśli zamiast odpowiadać na moje pytania, będzie pani zadawała własne.

— Zamiast odpowiadać na pana pytania? Przecież nie zadał mi pan żadnego, doktorze McAuliffe! — zdziwiłam się, robiąc niewinną minę i otwierając szeroko oczy. — Powiedział pan, że Joe krzyczał... „musiał wzywać pomocy", tak pan to ujął, więc ja po prostu spytałam...

— Dobrze już, dobrze — oznajmił i tak energicznym ruchem położył fajkę na mosiężnej popielniczce Garretta, że rozległo się głośne brzęknięcie. Oczy wciąż mu płonęły ogniem, a oprócz plam na policzkach miał teraz również czerwoną krechę na czole. — Czy słyszała pani, jak wzywa pomocy?

Raz, ładny konik... dwa, ładny konik...

— John, nie widzę powodu, żeby tak męczyć tę biedną kobietę — wtrącił Garrett, wyraźnie zmieszany. Znów udało mu się rozbić koncentrację wymuskanego Szkota; o mało nie roześmiałam się w głos. Byłoby to niewątpliwie na moją niekorzyść, ale ledwo zdołałam się powstrzymać.

McAuliffe odwrócił się szybko do Garretta.

— Umówiliśmy się, że będę prowadził rozmowę po swojemu.

Biedny stary Garrett podskoczył tak gwałtownie, że prawie wywalił się z krzesłem na podłogę.

— Dobrze, dobrze, nie masz co się irytować — mruknął.

McAuliffe ponownie zwrócił się do mnie, gotów powtórzyć pytanie, ale nie pozwoliłam mu na to. I tak miałam dość czasu, żeby zliczyć do dziesięciu.

— Nie — odparłam. — Nie słyszałam nic prócz ludzi na łodziach w przesmyku, którzy włączali syreny i darli się na całe gardło jak banda idiotów, gdy tylko zaczęło się zaćmienie.

Czekał, co jeszcze powiem — jego stara sztuczka: milczał i czekał, aż druga osoba rozpuści język i sama napyta sobie biedy. Narastała cisza, gęsta jak mgła, ale siedziałam z rękami na torebce i nic sobie z tego nie robiłam. McAuliffe patrzył na mnie, ja na niego.

Będziesz ze mną rozmawiać, kobieto, mówiły jego oczy. Powiesz mi wszystko, co chcę usłyszeć... nawet dwa razy, jeśli takie będę miał życzenie.

Nic z tego, koleś, odpowiadały moje oczy. Możesz tak siedzieć i świdrować mnie swoimi niebieskimi ślepiami, aż diabli w piekle zaczną jeździć na łyżwach, ale nie pisnę słowa, dopóki sam nie otworzysz ust i nie zadasz mi kolejnego pytania.

Trwało to, cholera, pewnie z minutę. Mierzyliśmy się wzrokiem — można by rzec, że pojedynkowaliśmy się na spojrzenia — i pod koniec czułam, że słabnę, że chcę coś powiedzieć, choćby spytać, czy matka nie nauczyła go, że niegrzecznie jest się gapić na ludzi. Pierwszy jednak odezwał się Garrett — nie tyle on, co jego brzuch. Rozległo się przeciągłe burczenie: bbbuurrrr.

McAuliffe popatrzył z niechęcią na Garretta, a ten wyciągnął scyzoryk i zaczął sobie czyścić paznokcie. W końcu lekarz wyjął notes z wewnętrznej kieszeni wełnianej marynarki (tak, w lipcu nosił wełnianą marynarkę!), zajrzał do środka, po czym schował go z powrotem.

— Próbował się wydostać — poinformował mnie obojętnym tonem, zupełnie jakby mówił, że jest z kimś umówiony na obiad.

Miałam takie wrażenie, jakby ktoś dźgnął mnie widłami w krzyż, dokładnie tam, gdzie Joe zdzielił mnie polanem, lecz nie dałam nic po sobie poznać.

— Słucham? — zapytałam.

— Tak, tak — kontynuował. — Ściany studni są wyłożone kamieniami i na kilku z nich znaleźliśmy krwawe odciski palców. Najwyraźniej pani mąż zdołał wstać i powoli zaczął się wspinać do góry. Był to iście herkulesowy wysiłek zważywszy na to, że każdy najmniejszy ruch sprawiał mu potworny ból.

— Przykro mi, że cierpiał — powiedziałam. Głos nadal miałam spokojny, a przynajmniej tak mi się zdawało, czułam jednak, że zaczynam się pocić pod pachami; przeraziłam się, że za chwilę pot zrosi mi czoło lub skronie i McAuliffe to zobaczy. — Biedny Joe.

— Rzeczywiście. — Oczy lekarza wwiercały się we mnie jak świdry i błyszczały niczym latarnie. — Biedny... Joe... Sądzę, że dałby radę wydostać się ze studni. Pewnie skonałby wkrótce później, ale tak, zdołałby się wydostać. Coś mu jednak przeszkodziło.

— Co? — spytałam.

— Doznał pęknięcia czaszki. — Oczy lekarza wciąż błyszczały intensywnie, ale jego głos stał się cichy jak mruczenie kota. — Między nogami pani męża znaleźliśmy spory kamień, pani St. George, pokryty jego krwią. A w krwi znaleźliśmy liczne okruchy porcelany. Czy wie pani, o czym to świadczy?

Raz... dwa... trzy...

— Wygląda na to, że kamień rozbił mu nie tylko głowę, ale i sztuczną szczękę — odparłam. — Szkoda. Joe nie lubił się nigdzie pokazywać bez zębów, a teraz nie wiem, czy Lucienowi Mercierowi uda się sprawić, żeby Joe ładnie prezentował się w trumnie.

W trakcie gdy to mówiłam, McAuliffe rozciągnął wargi, więc mogłam się dobrze przyjrzeć jego uzębieniu. Nie potrzebował protez: miał dwa rzędy równych, drobnych zębów. Pewnie myślał, że się uśmiecha, ale ten jego grymas nie przypominał uśmiechu. Nic a nic.

— Zgadza się. Taki właśnie był i mój wniosek: porcelanowe okruchy pochodzą z dolnej protezy. A teraz chciałbym panią o coś spytać, pani St. George. Czy wie pani, jak to się mogło stać, że kamień uderzył pani męża akurat w chwili, kiedy Joe był już prawie u celu?

Raz... dwa... trzy.

— Nie. A pan?

— Tak — oznajmił. — Podejrzewam, że ktoś wyrwał kamień z obudowy studni i z rozmysłem cisnął w zwróconą do góry, umęczoną twarz pani męża.

Po tych słowach zaległa głucha cisza. Bóg mi świadkiem, że chciałam się odezwać, zawołać: „To nie ja! Może ktoś uderzył go kamieniem, ale to nie ja!". Nie mogłam jednak wydusić z siebie słowa, bo znów tam byłam, w gęstwinie jeżyn, ale tym razem ze wszystkich stron otaczały mnie pieprzone studnie.

Więc po prostu siedziałam w milczeniu i spoglądałam na McAuliffe'a, czując, że znów zaczynam się pocić. Miałam ochotę z całej siły zacisnąć dłonie, ale wtedy zbielałyby mi paznokcie... a McAuliffe na pewno by to zauważył. Taką już miał naturę; skierowałby na moje ręce te swoje latarnie morskie i tylko umocniłby się w swoich podejrzeniach. Próbowałam myśleć o Verze — o tym, że ona patrzyłaby na niego jak na kawałek psiego gówna, który przykleił się jej do buta — kiedy jednak Szkot świdrował mnie wzrokiem, nie mogłam się na niczym skupić. Wcześniej miałam niemal wrażenie, że Vera towarzyszy mi podczas przesłuchania. Ale teraz byłam tylko ja i ten mały, wymuskany Szkot grający rolę detektywa z tandetnych powieści (jak się później dowiedziałam, kilkanaście osób z wybrzeża trafiło przez niego do mamra) i czułam, że jeszcze chwila, a otworzę usta i coś palnę. Sama nie wiedziałam co, Andy, i to było najgorsze. Zegar stojący na biurku tykał głośno w zalegającej pokój ciszy.

Już miałam się odezwać, kiedy nagle przemówiła osoba, o której prawie zapomniałam: Garrett Thibodeau. Mówił szybko, nerwowo... Uświadomiłam sobie, że on też nie mógł znieść ciszy i pewnie bał się, że jeśli potrwa choć sekundę dłużej, któreś z nas zacznie krzyczeć, żeby rozładować napięcie.

— Ależ John, przecież ustaliliśmy, że jeśli Joe chwycił za kamień ręką i chciał się podciągnąć, mógł go sam wyrwać, bo...

— Zamknij się! — wrzasnął McAuliffe wysokim, piskliwym głosem, z którego przebijała frustracja.

Uspokoiłam się. Było po wszystkim. Natychmiast zdałam sobie z tego sprawę i ten mały Szkot chyba również. To było tak, jakbyśmy przebywali razem w zaciemnionym pokoju i on łaskotał mnie po twarzy czymś, co brałam za żyletkę... a tu nagle niezdarny stary glina Thibodeau potyka się, wpada na okno, roleta zwija się z trzaskiem, wpuszczając światło, i wtedy okazuje się, że lekarz trzyma w ręce jedynie piórko.

Garrett mruknął pod nosem, że nie ma powodu, aby McAuliffe zwracał się do niego w ten sposób, ale lekarz nie przejął się tym zupełnie. Znów obrócił się w moją stronę i ostrym tonem, jakby udało mu się zapędzić mnie w kozi róg, spytał:

— No więc jak, pani St. George?

Jednakże oboje dobrze wiedzieliśmy, co jest grane. Mógł liczyć tylko na to, że popełnię błąd... ale ja miałam troje dzieci i musiałam o nich myśleć, a jak się ma dzieci, człowiek potrafi być ostrożny.

— Powiedziałam, co wiem. Joe upił się, kiedy czekaliśmy na zaćmienie. Zrobiłam mu kanapkę, myśląc, że jak coś zje, to trochę wytrzeźwieje, ale tak się nie stało. Zaczął krzyczeć, a potem złapał mnie za gardło i potrząsał mną z całej siły, więc uciekłam na Russian Meadow. Kiedy wróciłam, nie było go w domu. Sądziłam, że poszedł gdzieś z jakimś kumplem, tymczasem leżał w studni. Pewnie chciał dojść na skróty do szosy i wtedy wpadł. A może ruszył za mną, bo chciał mnie przeprosić? Nigdy nie dowiem się prawdy... i muszę się z tym pogodzić. — Spojrzałam na niego twardo. — Panu radzę to samo, doktorze McAuliffe.

— Niech pani oszczędzi mi swych rad, pani St. George. — Plamy na policzkach lekarza stały się jeszcze bardziej czerwone. — Czy cieszy się pani, że mąż nie żyje? Proszę odpowiedzieć!

— A co to, na miłość boską, ma do rzeczy? — spytałam. — Jezu Chryste, co za diabeł w pana wstąpił?!

Nie odezwał się; podniósł w milczeniu fajkę i zaczął ją rozpalać. Ręka lekko mu drżała. Nie zadał mi już żadnych więcej pytań. Ostatnie zadał Garrett Thibodeau. Nie McAuliffe — dla niego odpowiedź była nieistotna. Liczyła się jednak dla Garretta, a jeszcze bardziej dla mnie, gdyż wiedziałam, że sprawa wcale się nie zakończy z chwilą, gdy opuszczę ratusz; w pewnym sensie będzie to dopiero początek. Więc ostatnie pytanie i moja odpowiedź były niezmiernie ważne, bo zwykle właśnie słowa, które guzik znaczą w sądzie, są później powtarzane szeptem przez kobiety rozwieszające pranie po dwóch stronach płotu, a także przez rybaków na kutrach, kiedy jedzą drugie śniadanie, oparci plecami o sterówkę. Za takie słowa nie trafia się do mamra, ale można dzięki nim zyskać lub stracić sympatię całego miasteczka.

— Dlaczego, na Boga, dałaś mu butelkę whisky? — zapytał Garrett płaczliwym tonem, podobnym do beczenia kozy. — Co cię podkusiło, Dolores?

— Myślałam, że jak sobie wypije, zostawi mnie w spokoju — odparłam. — Myślałam, że nie będzie się awanturował, tylko posiedzimy sobie i wspólnie obejrzymy zaćmienie.

Nie rozpłakałam się, ale poczułam, że pojedyncza łza spływa mi po policzku. Czasami wydaje mi się, że właśnie dzięki tej jednej łzie mogłam żyć na Little Tall przez następne trzydzieści lat. Gdyby nie ta łza, wygoniliby mnie swoimi szeptami, docinkami, wytykaniem; wierzcie mi, naprawdę mogłoby się to tak skończyć. Wprawdzie jestem silna, ale nie wiem, czy ktokolwiek miałby tyle siły i samozaparcia, żeby wytrzymać trzydzieści lat plotek i anonimowych liścików w stylu „upiekło ci się, podła morderczyni!". Dostałam kilka takich anonimów — domyśliłam się też od kogo, choć teraz, po tylu latach, to już nieistotne — lecz na jesieni, kiedy zaczęła się szkoła, przestały przychodzić. Tak więc można rzec, że zawdzięczam wszystko — resztę mojego życia, nawet obecność tutaj — tej jednej łzie... oraz Garrettowi, który rozpuścił wieść, że jednak nie mam serca z kamienia, bo uroniłam łzę nad losem Joego. Ta łza wcale nie była czymś zaplanowanym, nie myślcie sobie. Po prostu przypomniało mi się, co mówił ten mały, wymuskany Szkot, i zrobiło mi się przykro, że Joe cierpiał. Bez względu na to, jaki był i jak bardzo go nienawidziłam od czasu tej historii z Seleną, nie chciałam sprawić mu tyle bólu. Myślałam, że kiedy wpadnie do studni, zginie na miejscu — przysięgam na wszystkie świętości, Andy, myślałam, że tak będzie.

Biedny stary Garrett Thibodeau poczerwieniał jak burak. Ze stojącego na biurku pudełka wyciągnął kilka chustek do nosa i podał mi je na oślep — unikał mojego wzroku, bojąc się, że ta jedna łza zapowiada potop — po czym zaczął mnie przepraszać za to, że zostałam poddana tak „drastycznemu przesłuchaniu". Pewnie po raz pierwszy w życiu użył tak mądrego słowa, jak „drastyczne".

McAuliffe skwitował jego przeprosiny głośnym prychnięciem, burknął, że wysłucha moich zeznań podczas postępowania wyjaśniającego w sądzie, następnie wstał i wyszedł z pokoju, a raczej wymaszerował, trzaskając drzwiami z taką siłą, że omal nie wyleciała szyba. Garrett poczekał, aż będziemy sami, po czym — wciąż unikając mojego wzroku (było w tym coś wręcz komicznego) — ujął mnie za ramię i wymamrotał coś pod nosem. Nie słyszałam, co mówił, ale podejrzewam, że znów mnie przepraszał. Był człowiekiem o gołębim sercu i nie mógł znieść cudzego nieszczęścia, to mu muszę przyznać... Ale jedno muszę też przyznać mieszkańcom Little Tall: czy gdziekolwiek indziej taki człowiek mógłby być policjantem przez blisko dwadzieścia lat? Czy gdziekolwiek indziej urządzono by mu bankiet pożegnalny, gdy odchodził na emeryturę, i żegnano owacją na stojąco? Wiecie, jakie jest moje zdanie? Że miejsce, w którym człowiek o gołębim sercu może być dobrym policjantem, jest wymarzonym miejscem na spędzenie życia. Serio. Ale jeszcze nigdy nie byłam tak szczęśliwa jak owego dnia, kiedy zamknęłam za sobą drzwi i opuściłam biuro Garretta.

Najcięższą przeprawę miałam za sobą; w porównaniu z nią postępowanie wyjaśniające w sądzie było pestką. McAuliffe zadał mi wiele tych samych pytań, cholernie trudnych, ale umiałam się z nimi uporać i oboješmy o tym wiedzieli. Dobrze, że uroniłam tę jedną łzę, lecz pytania doktora — oraz fakt, że wszyscy widzieli, jaki jest na mnie cięty — przyczyniły się do powstania plotek, które nadal krążą o mnie na wyspie. Ale co tam! Ludzie zawsze będą gadać, bez względu na to, co się naprawdę wydarzyło, nie?

Orzeczenie brzmiało: śmierć na skutek nieszczęśliwego wypadku. McAuliffe był wyraźnie niezadowolony, lecz co miał zrobić? Ponurym głosem, ani razu na mnie nie patrząc, odczytał wyniki oględzin: że Joe wpadł pijany do studni, pewnie długo wzywał pomocy, a kiedy nikt się nie zjawił, próbował sam się wydostać. Udało mu się wspiąć niemal na samą górę, ale chwycił za obluzowany kamień. Kamień spadł na niego i uderzył go tak mocno w głowę, że Joe doznał złamania czaszki (nie wspominając już o złamanej protezie), zleciał na dół i skonał.

Może najważniejsze było to — z czego dopiero później zdałam sobie sprawę — że nikt nie potrafił przypisać mi żadnego solidnego motywu. Ludzie na wyspie (i nie wątpię, że doktor McAuliffe również) uważali, że jeśli ukatrupiłam męża, to dlatego że miałam już dość bicia; dla sądu nie byłby to jednak dostatecznie przekonujący motyw. Jedynie Selena i pan Pease wiedzieli, że mam znacznie istotniejsze powody, ale nikt, nawet ten cwany Szkot, nie wpadł na to, żeby przesłuchać Pease'a. Urzędnik bankowy, oczywiście, nie zgłosił się sam z siebie. Gdyby tak uczynił, nasza rozmowa w Chatty Buoy wyszłaby na jaw, a wtedy przypuszczalnie miałby kłopoty w pracy. Bądź co bądź namówiłam go do obejścia przepisów.

Jeśli chodzi o Selenę... no cóż, wydaje mi się, że postawiła mnie przed własnym sądem. Co jakiś czas czułam na twarzy jej spojrzenie, ciemne, pochmurne, i wyobrażałam sobie, jak pyta mnie w myślach: „Czy mu coś zrobiłaś? Powiedz, mamo. Czy przeze mnie? Czy to ja powinnam ponieść karę?".

Chyba poniosła... i bardzo się tym trapię. Mała wyspiarka, która nie wystawiła nosa poza stan Maine, dopóki w wieku osiemnastu lat nie wyjechała na zawody pływackie do Bostonu, wyrosła na bystrą kobietę, która zrobiła karierę w Nowym Jorku — dwa lata temu był o niej artykuł w „New York

Times", wiedzieliście o tym? Pisuje do różnych pism, a jednak znajduje czas, żeby co tydzień skrobnąć list do matki... Niestety odnoszę wrażenie, że pisze do mnie z poczucia obowiązku, i kiedy dzwoni raz w miesiącu, to też jakby z obowiązku. Prawdopodobnie te rozmowy telefoniczne i listy pełne ploteczek mają uspokoić jej sumienie, że nigdy tu nie przyjeżdża i że w gruncie rzeczy całkiem ze mną zerwała. Tak, Selena poniosła karę; sądzę, że właśnie ona, choć była zupełnie bez winy, zapłaciła najsroższą karę. I płaci nadal.

Ma czterdzieści cztery lata, nie wyszła za mąż, jest za chuda (mówię na podstawie zdjęć, które przysyła) i podejrzewam, że pije — czasem poznaję to po jej głosie, kiedy do mnie dzwoni. Myślę, że między innymi dlatego nie przyjeżdża; nie chce, bym widziała, że pije jak jej tata. A może boi się tego, co mogłaby powiedzieć, gdyby wypiła i miała mnie pod ręką. Lub o co mogłaby spytać.

Ale mniejsza, po co rozgrzebywać stare rany. Upiekło mi się; to było najważniejsze. Gdyby Joe miał polisę ubezpieczeniową albo Pease nie trzymał gęby na kłódkę, pewnie znalazłabym się w tarapatach. Najbardziej zaszkodziłoby mi, gdyby Joe był ubezpieczony na kupę szmalu. Tylko tego brakowało, żeby cwany detektyw przysłany przez agencję ubezpieczeniową połączył siły z cwanym Szkotem, który chodził wściekły jak cholera, że tępa wyspiarka zapędziła go w kozi róg. Gdyby dwóch takich się do mnie dobrało, byłoby ze mną krucho. Oj, krucho.

Co się dalej działo? To, co się zawsze dzieje w takich wypadkach, kiedy zostaje popełnione morderstwo, ale brakuje dowodów. Życie po prostu toczyło się naprzód. Nikt nagle nie wyskoczył z nowymi informacjami, jak to bywa na filmach, ja nikogo więcej nie próbowałam zabić i nie strzelił we mnie żaden piorun. Może Bóg uznał, że szkoda elektryczności, żeby mścić śmierć tak nędznej kreatury jak Joe St. George.

A zatem życie toczyło się naprzód. Wróciłam do Very, do pracy w jej domu. Selena odnowiła stare przyjaźnie, kiedy na jesieni zaczęła się szkoła i czasem słyszałam, jak się śmieje, rozmawiając przez telefon. Mały Pete, kiedy wreszcie zrozumiał, co się stało, mocno przeżył śmierć ojca... Jim też. W dodatku znacznie bardziej, niż się spodziewałam. Stracił na wadze i męczyły go koszmary, ale w następnym roku jakoś doszedł do siebie. Jedyne, co się jeszcze zmieniło w tysiąc dziewięćset sześćdziesiątym trzecim roku, to że wynajęłam Setha Reeda, który zasłonił otwór studni betonową pokrywą.

Pół roku po śmierci Joego sąd okręgowy wydał orzeczenie spadkowe. Nawet nie byłam obecna na rozprawie. Po prostu tydzień później dostałam pocztą zawiadomienie, że cały majątek Joego przechodzi na moją własność — mogłam wszystko sprzedać, wymienić, wrzucić do głębokiej wody. Kiedy się zorientowałam, co mi właściwie zostawił, ostatnie rozwiązanie wydało mi się najrozsądniejsze. Przy okazji odkryłam coś zadziwiającego: kiedy mąż umiera, może być pewien pożytek z tego, że wszyscy jego kumple są takimi samymi durniami jak on. Za dwadzieścia pięć dolców opchnęłam Norrisowi Pinette starą krótkofalówkę, przy której Joe majsterkował od dziesięciu lat, a Tommy'emu Andersonowi sprzedałam trzy gruchoty rdzewiejące na podwórku. Osioł kupił je ode mnie z radością, a ja za tę forsę zafundowałam sobie chevroleta z pięćdziesiątego dziewiątego roku; trochę hałasowały w nim zawory, ale poza tym był całkiem na chodzie. Podjęłam też pieniądze z konta Joego i ponownie założyłam dzieciom książeczki, żeby miały pieniądze na studia.

Aha, jeszcze jedno. W styczniu tysiąc dziewięćset sześćdziesiątego czwartego roku zaczęłam znów używać panieńskiego nazwiska — Claiborne. Nie obwieściłam tego z fanfarami, ale nie zamierzałam przez resztę życia nosić nazwiska Joego. Chciałam się go pozbyć, tak jak pies puszki, którą ktoś przywiązał mu sznurkiem do ogona. Można rzec, że sama przecięłam sznurek... lecz wierzcie mi, pozbycie się męża kosztowało mnie o wiele, wiele więcej niż pozbycie się jego nazwiska.

Zresztą wcale się nie spodziewałam, że pójdzie mi łatwo; mam sześćdziesiąt pięć lat, a chyba już od pięćdziesięciu wiem, że życie człowieka sprowadza się przede wszystkim do tego, że musi dokonywać wyborów oraz płacić rachunki, kiedy nadchodzi pora. Czasem decyzje, jakie się podejmuje, są cholernie nieprzyjemne, ale nie wolno siedzieć z założonymi rękami — zwłaszcza jak ma się dzieci, które nie mogą same o sobie decydować. W takich wypadkach trzeba wybrać najmniejsze zło, a potem płacić cenę. Ceną, jaką zapłaciłam, było wiele bezsennych nocy albo nocy, gdy budziłam się z koszmarnych snów zlana zimnym potem, a także dźwięk, jaki prześladuje mnie od trzydziestu lat: dźwięk, który się rozległ, kiedy kamień uderzył Joego w twarz, roztrzaskując mu czaszkę i protezę — dźwięk podobny do tego, jaki rozbrzmiewa, gdy upuści się porcelanowy talerz na cegły przy piecu. Czasami ten dźwięk mnie budzi, czasami właśnie przez niego nie mogę zasnąć, czasami słyszę go w biały dzień. Zamiatam u siebie ganek, poleruję srebra Very albo zasiadam do obiadu przed telewizorem, żeby obejrzeć program Oprah, kiedy nagle go słyszę. I to całkiem wyraźnie. Albo słyszę łoskot, który się rozległ, kiedy Joe spadł na dno. Lub głos Joego wydobywający się ze studni:

— Doo-looo-reeessss...

Pewnie te odgłosy nie różnią się tak bardzo od tego, co widziała Vera, kiedy krzyczała o drutach wychodzących ze ścian lub o kotach kurzu pod łóżkiem. Bywało, że kładłam się obok niej i trzymając ją, myślałam o dźwięku, jaki się rozległ, kiedy kamień uderzył Joego, a potem zamykałam oczy i widziałam, jak porcelanowy talerz upada na cegły i rozbija się w drobny mak. Wtedy przytulałam Verę jak rodzoną siostrę albo jak drugą siebie. Leżałyśmy w łóżku, każda z własnym strachem, i wreszcie obie zapadałyśmy w sen — ona ze mną, żeby nie widzieć kotów kurzu, a ja z nią, żeby nie słyszeć odgłosu tłukącego się talerza. Czasem tuż przed zaśnięciem myślałam sobie: Właśnie tak, Dolores. Właśnie tak płacisz za to, że urodziłaś się jędzą. Ale niech ci się nie wydaje, że gdybyś urodziła się inna, nie musiałabyś płacić, bo czasem to życie powoduje, że kobieta staje się jędzą. Kiedy wokół jest ciemno i ponuro, a ty jedna możesz sprawić, żeby zabłysło światło nadziei, musisz być jędzą. Ale za jaką cenę. Za jaką straszną cenę.

Andy, czy mógłbyś mi znów nalać łyczek z tej swojej butelczyny? Obiecuję, że nie pisnę nikomu słówka.

Dziękuję. I tobie również, Nancy Bannister, że cierpliwie znosisz paplaninę gadatliwej starej baby. Jak twoje palce? Nie bolą cię jeszcze?

Nie? To dobrze. Nie trać otuchy; wiem, że strasznie długo mielę ozorem, ale powoli się zbliżam do tego, co was najbardziej interesuje. Najwyższa pora, bo już późno i jestem piekielnie zmęczona. Całe życie haruję jak wół, ale nie pamiętam, żebym kiedykolwiek była tak utrudzona jak teraz.

Wywieszałam wczoraj rano pranie... Boże, to było zaledwie wczoraj! A wydaje mi się, jakby minęło z sześć lat... Vera miała akurat jeden ze swoich lepszych dni. Dlatego wszystko potoczyło się tak niespodziewanie i częściowo dlatego tak się zdenerwowałam. W lepsze dni zwykle załaziła mi za skórę, ale rzadko zachowywała się jak kompletna wariatka.

Byłam na dole na podwórzu z boku domu, a ona siedziała w wózku przy oknie na piętrze, jak za dawnych lat nadzorując moją pracę.

— Sześć spinaczy, Dolores! — wrzeszczała od czasu do czasu. — Sześć spinaczy na każde prześcieradło! Ani się waż dawać cztery, bo patrzę!

— Tak, i pewnie żałujesz, że nie jest o dwadzieścia stopni zimniej i nie wieje wiatr o sile pięciu stopni Beauforta!

— Co? — rozdarła się. — Co takiego powiedziałaś, Dolores Claiborne?

— Powiedziałam, że pewnie ktoś rozrzuca gnój w ogrodzie, bo mocno mi dziś zalatuje gównem!

— No, no, Dolores, myślisz, że pozjadałaś wszystkie rozumy?! — wołała kruchym, łamliwym głosem.

Zachowywała się mniej więcej tak samo jak zawsze, gdy przejaśniało się jej nieco w łepetynie. Wiedziałam, że może zacząć rozrabiać, ale nie przejmowałam się na zapas — po prostu cieszyłam się, że jest w miarę normalna. Prawdę mówiąc, przypomniały mi się dawne czasy. Przez ostatnie trzy czy cztery miesiące miała umysł drętwy jak palec, w który niechcący walnęło się młotkiem, więc miło było, że jest znów dawną sobą... przynajmniej na tyle, na ile w ogóle mogła stać się dawną Verą, sami rozumiecie.

— Nie, Vero — zawołałam do niej. — Gdybym była rozumna, dawno rzuciłabym w cholerę tę pracę.

Spodziewałam się, że coś mi odkrzyknie, ale nie odezwała się. Więc dalej rozwieszałam prześcieradła, pieluchy, ręczniki i resztę. A potem, choć kosz wciąż był wypełniony do połowy, przestałam. Miałam jakieś złe przeczucie. Sama nie wiem, dlaczego ani kiedy zdałam sobie z tego sprawę. Po prostu nagle coś mnie tknęło. I najdziwniejsza myśl przeleciała mi przez głowę: Ta dziewczynka znajduje się w tarapatach... ta, którą widziałam w dniu zaćmienia i która widziała mnie. Już wyrosła, jest prawie w wieku Seleny, i znajduje się w strasznych tarapatach.

Obróciłam się i spojrzałam do góry, niemal licząc, że zobaczę tę małą w jasnej sukience w paski i z różową szminką na ustach, teraz już wyrośniętą, lecz nie zobaczyłam nikogo, a to mi nie pasowało. Nie pasowało, gdyż Vera powinna tkwić w oknie, prawie do połowy wychylona, żeby widzieć, czy używam odpowiedniej liczby spinaczy. Ale jej nie było i nie mogłam tego zrozumieć, bo sama posadziłam ją na wózku i dopchnęłam do okna, jak chciała, a potem zablokowałam koła hamulcem.

I nagle rozległ się krzyk.

— Dooo-loooo-reeessss!

Ciarki przeszły mnie po grzbiecie, Andy, kiedy to usłyszałam! Zupełnie jakby Joe wrócił. Przez moment nie mogłam ruszyć się z miejsca. A potem Vera znów zaczęła krzyczeć, i tym razem rozpoznałam jej głos.

— Do-loo-reeesss! Koty kurzu! Są wszędzie! O mój Boże! O mój Boże! Do-loo-reeess, pomóż mi! Ratunku!

Odwróciłam się, żeby rzucić się biegiem do domu, ale potknęłam się o ten cholerny kosz z praniem i wpadłam na prześcieradła, które właśnie rozwiesiłam. Jakoś tak się w nie zaplątałam, że szamotałam się dłuższą chwilę, zanim udało mi się wreszcie oswobodzić. Wydawało mi się, że prześcieradła mają ręce i próbują mnie nimi udusić albo złapać i przytrzymać. Przez cały ten czas Vera krzyczała, a mnie się przypomniał sen, w którym widziałam głowę z kurzu o długich, krzywych zębach. Tyle że teraz głowa miała twarz Joego, a oczy były ciemne i puste, jakby ktoś wepchnął w obłok kurzu dwa kawałki węgla.

— Dolores, błagam, chodź szybko! Błagam, pospiesz się! Koty kurzu! KOTY KURZU SĄ WSZĘDZIE!

Potem krzyki Very przeszły w wycie. To było straszne. Nawet w najgorszych snach nikt by się nie spodziewał, że tłuste stare babsko potrafi wyć tak głośno. Zupełnie jakby była syreną obwieszczającą pożar, powódź i koniec świata.

Jakoś oswobodziłam się z prześcieradeł, a gdy wstawałam, pękło mi ramiączko halki, tak samo jak w dniu zaćmienia, kiedy Joe o mało mnie nie udusił, zanim wreszcie uporałam się z nim na dobre. Znacie to uczucie, jakie nachodzi człowieka, kiedy mu się zdaje, że już raz gdzieś był i z góry wie, co powie każdy z obecnych? Właśnie takie miałam wrażenie, w dodatku niewiarygodnie silne, jakby ze wszystkich stron otaczały mnie duchy i muskały niewidzialnymi palcami.

I wiecie co? Te duchy jakby pokrywał kurz.

Pognałam do kuchni, a stamtąd schodami ile sił w nogach pomknęłam na górę. Vera cały czas wyła i wyła. Halka zaczęła mi opadać; kiedy dotarłam na półpiętro, obejrzałam się, przekonana, że Joe pędzi za mną i próbuje chwycić jej skraj.

Potem spojrzałam przed siebie i zobaczyłam Verę. Zwrócona do mnie tyłem, człapała korytarzem, drąc się wniebogłosy. Na siedzeniu koszuli nocnej miała wielką brunatną plamę, bo narobiła pod siebie — tym razem nie złośliwie czy żeby mi zaleźć za skórę, ale ze strachu.

Jej wózek zaklinował się w drzwiach sypialni. Musiała zwolnić blokadę kół, kiedy ujrzała to, co ją tak przeraziło. Zawsze dotąd, ilekroć ogarniał ją paniczny strach, pozostawała na miejscu i tylko wzywała pomocy; zapewne wiele ludzi wam powie, że o własnych siłach nawet nie była w stanie przejechać paru metrów na wózku. Ale wierzcie mi, wczoraj zdobyła się nie tylko na to. Najpierw odblokowała koła, obróciła wózek, przejechała przez pokój, a potem, kiedy wózek ugrząsł w drzwiach, podniosła się z niego i podreptała przed siebie korytarzem.

Przez chwilę stałam jak wryta, patrząc na oddalającą się Verę i zastanawiając się, cóż tak strasznego mogła dojrzeć, że zerwała się z wózka i zaczęła uciekać, choć czasy chodzenia dawno miała za sobą. Zmory, które ją prześladowały, nazywała kotami kurzu, ale co wtedy naprawdę widziała?

Nagle zorientowałam się, że zmierza prosto do frontowych schodów.

— Vera! — wrzasnęłam. — Nie wygłupiaj się, bo spadniesz! Stój!

Po czym rzuciłam się pędem w jej stronę. Po raz drugi miałam wrażenie, że obie uczestniczymy w sytuacji, która już się kiedyś wydarzyła, ale tym razem ja odgrywam rolę Joego, bo chcę dogonić uciekającą postać i ją złapać.

Nie wiem, czy mnie nie słyszała, czy w swojej biednej skołowanej głowie ubzdurała sobie, że jestem przed nią, a nie za nią. Znów krzyknęła:

— Dolores, ratuj! Pomóż mi, Dolores! Koty kurzu!

I zaczęła człapać szybciej.

Była już niemal na końcu korytarza. Przemknęłam obok drzwi sypialni i walnęłam się w kostkę o podnóżek wózka — spójrzcie, wciąż mam siniec. Biegłam ile sił w nogach, rycząc „Vera, stój! Stój!”, aż bolało mnie gardło.

Doszła do schodów i wysunęła przed siebie jedną nogę. Bez

względu na to, co bym zrobiła, nie zdołałabym jej uratować — najwyżej pociągnęłaby mnie za sobą i spadłybyśmy razem — ale w takim momencie człowiek nie ma czasu myśleć o konsekwencjach. Skoczyłam, żeby ją złapać akurat w chwili, kiedy opuściła nogę, natrafiła na powietrze i zaczęła się pochylać do przodu. Mignęła mi jej twarz. Nie sądzę, by Vera zdawała sobie sprawę, że ma przed sobą schody i zaraz spadnie, choć oczy wychodziły jej na wierzch ze strachu. Nieraz widziałam na jej twarzy podobne przerażenie, lecz nigdy o takim stopniu natężenia; mogę was jednak zapewnić, że nie był to strach przed upadkiem. Ona lękała się tego, co jest za nią, nie przed nią.

Wyciągnęłam rękę. Przez ułamek sekundy czułam między palcami skrawek nocnej koszuli Very, wyślizgnął mi się jednak z szelestem cichszym od szeptu.

— Dooo-loooo... — krzyknęła Vera, po czym dobiegł mnie głośny, solidny łoskot.

Na samo wspomnienie tego dźwięku krew zamarza mi w żyłach; identyczny łoskot rozległ się, kiedy Joe spadł na dno studni. Vera zaczęła toczyć się po schodach, a potem usłyszałam nieprzyjemny trzask. Jak gdyby ktoś złamał patyk na podpałkę. Ujrzałam, że z boku głowy Very tryska krew; więcej nie chciałam nic widzieć. Obróciłam się tak szybko, że zahaczyłam jedną stopą o drugą, potknęłam się i osunęłam na kolana. Patrzyłam w przeciwną stronę korytarza, w kierunku sypialni, i nagle krzyknęłam. Bo zobaczyłam Joego. Tak samo wyraźnie, jak teraz widzę ciebie, Andy. Przez kilka sekund widziałam jego ulepioną z kurzu twarz, która szczerzyła do mnie zęby spod zaklinowanego w drzwiach wózka, i oczy, które gapiły się przez otwory między szprychami koła.

A potem Joe znikł i usłyszałam jęczenie i płacz.

Nie mogłam uwierzyć, że Vera przeżyła upadek; wciąż nie mogę w to uwierzyć. Oczywiście Joe też nie zginął od razu, ale był mężczyzną w sile wieku, a ona słabą staruszką po kilku drobnych i przynajmniej trzech poważnych wylewach. Poza tym na schodach nie było błota, które złagodziłoby upadek, tak jak w wypadku Joego.

Nie chciałam do niej schodzić, nie chciałam widzieć, co sobie połamała i jak mocno krwawi, ale nie miałam wyboru; oprócz mnie nie było nikogo w domu. Kiedy wstawałam (musiałam chwycić się kuli na poręczy schodów i podciągnąć, bo nogi miałam jak z waty), nadepnęłam butem na skraj własnej halki. Drugie ramiączko pękło, więc uniosłam nieco sukienkę, żeby ściągnąć halkę... i znów poczułam się jak przed laty przy studni. Pamiętam, że spojrzałam na łydki, by sprawdzić, czy nie są przypadkiem podrapane do krwi przez kolce jeżyn, ale oczywiście nie były.

Czułam się jak w malignie. Jeśli kiedykolwiek byliście obłożnie chorzy, z wysoką gorączką, to wiecie, co mam na myśli; świat niby wciąż jest ten sam, a zarazem jakiś bardzo dziwny. Zupełnie jakby cały obrócił się w szkło i za nic nie można się chwycić, bo wszystko jest śliskie. Tak się właśnie czułam, kiedy stałam u szczytu schodów, trzymając się kurczowo poręczy i spoglądałam w dół na Verę.

Leżała mniej więcej w połowie schodów, z obiema nogami pod sobą, skręconymi tak, że prawie nie było ich widać. Krew ciekła po boku jej biednej starej twarzy. Kiedy zeszłam do niej, potykając się i czepiając poręczy, jakby to było koło ratunkowe, jedno z oczu Very przekręciło się w moją stronę. Patrzyła na mnie jak zwierzę schwytane w potrzask.

— Dolores — szepnęła. — Ten skurwysyn nie dawał mi spokoju przez te wszystkie lata.

— Ciiii. Nic nie mów.

— A właśnie, że tak — rzekła, zupełnie jakbym jej zaprzeczyła. — Och, ale był z niego łajdak. Łajdak i zbereźnik.

— Schodzę na dół. Zadzwonię po lekarza.

— Nie. — Podniosła rękę i złapała mnie za nadgarstek. — Nie chcę lekarza. Nie chcę szpitala. Koty kurzu... są nawet tam. Są wszędzie!

— Nic ci nie będzie, Vero — powiedziałam, oswobodzając rękę. — Leż spokojnie, nie ruszaj się, a nic ci nie będzie.

— Dolores Claiborne twierdzi, że nic mi nie będzie! — stwierdziła zgryźliwym tonem, jakim mówiła przed wylewami, zanim pomieszało jej się w głowie. — Cóż to za ulga poznać fachową opinię!

Słysząc po tylu latach ten uszczypliwy ton, poczułam się, jakby mi wymierzono policzek. Szok sprawił, że opuścił mnie strach i po raz pierwszy naprawdę spojrzałam jej w twarz, tak jak się patrzy na osobę, która dokładnie wie, co mówi i czego chce.

— Jestem jedną nogą na tamtym świecie i obie doskonale o tym wiemy. Chyba mam złamany kręgosłup.

— Nie możesz być tego pewna, Vero — rzekłam, ale już się tak nie rwałam, żeby dzwonić po lekarza. Domyślałam się, o co mnie zaraz poprosi i wiedziałam, że nie odmówię. Byłam dłużniczką Very od owego deszczowego dnia sześćdziesiątego drugiego roku, kiedy to siedziałam na jej łóżku i beczałam z fartuchem na głowie, a Claiborne'owie zawsze spłacają długi.

Kiedy znów się odezwała, mówiła tak samo jasno i logicznie jak trzydzieści lat temu, gdy Joe jeszcze żył i dzieciaki z nami mieszkały.

— Muszę zdecydować, czy wolę umrzeć we własnym domu czy w obcym szpitalu. W szpitalu trwałoby to za długo. Chcę umrzeć teraz, Dolores. Mam już dość patrzenia na twarz mojego męża, która pojawia się w rogach pokoju, kiedy jestem słaba i wszystko mi się miesza w głowie. Mam dość patrzenia, jak w blasku księżyca wyciągają dźwigiem corvette z kamieniołomu, mam dość patrzenia, jak woda wylewa się z otwartego okna od strony pasażera...

— Vero, nie wiem, o czym mówisz...

Podniosła dłoń i machnęła niecierpliwie, tak jak robiła to dawniej; potem ręka opadła jej z powrotem na schody.

— Mam dość sikania po nogach i zapominania, pół godziny po wyjściu gościa, kto mnie odwiedził. Chcę mieć to wszystko za sobą. Pomożesz mi?

Uklękłam koło niej, podniosłam rękę, która opadła na schody, i przytuliłam do piersi. Myślałam o dźwięku, który się rozległ, kiedy kamień uderzył Joego w twarz — o dźwięku porcelanowego talerza tłuczącego się w drobny mak o cegły przy piecu. Zastanawiałam się, czy jeśli znów go usłyszę, nie postradam zmysłów. A nie miałam wątpliwości, że dźwięk będzie identyczny, bo po pierwsze, kiedy Vera wołała moje imię, jej głos brzmiał jak głos Joego; po drugie, upadła na schody — łamiąc się na kawałki niczym kryształ strącony na podłogę przez niezdarną służącą — z takim samym łoskotem jak on na dno studni; a po trzecie, moja halka leżała na szczycie schodów, kupka białego nylonu z zerwanymi ramiączkami, dokładnie jak kiedyś. Gdybym pomogła Verze wyzionąć ducha, dźwięk znów byłby taki sam jak wtedy, gdy dobiłam Joego; wiedziałam o tym. Tak, tak. Wiedziałam o tym równie dobrze jak o tym, że East Lane kończy się rozklekotanymi schodami prowadzącymi w dół Wschodniego Cypla.

Trzymając jej dłoń, myślałam o świecie, w którym złym mężczyznom przytrafiają się nieszczęśliwe wypadki, a dobre kobiety przeobrażają się w jędze. Patrzyłam w bezradne oczy Very utkwione w mojej twarzy, widziałam krew z rozciętej głowy ściekającą po głębokich zmarszczkach na policzku, podobnie jak wiosenny deszcz spływa ze zbocza bruzdami zaoranej ziemi.

— Jeśli tego chcesz, Vero, pomogę ci — oświadczyłam.

Rozpłakała się. Był to jedyny raz, gdy miała jasny i sprawny umysł, abym widziała ją płaczącą.

— Tak, właśnie tego chcę. Niech cię Bóg wynagrodzi, Dolores.

— Nie martw się — powiedziałam. Podniosłam jej starą, pomarszczoną rękę do ust i pocałowałam.

— Pospiesz się, Dolores. Jeśli naprawdę chcesz mi pomóc, pospiesz się, proszę.

Zanim nam obu zabraknie odwagi, zdawały się mówić jej oczy.

Znów pocałowałam rękę Very, po czym położyłam ją delikatnie na jej brzuchu i wstałam. Tym razem bez trudu, bo odzyskałam już władzę w nogach. Zeszłam na dół i udałam się do kuchni. Zanim wyszłam rano rozwiesić pranie, naszykowałam wszystko potrzebne do pieczenia chleba, między innymi wielki, ciężki wałek do ciasta, wykonany z szarego, żyłkowanego marmuru. Leżał na blacie obok żółtego pojemnika na mąkę. Podniosłam wałek, wciąż czując się jak we śnie lub w malignie, i wróciłam przez salon do holu. Idąc przez salon, w którym Vera trzymała cenne bibeloty, myślałam o tym, jak oszukiwałam ją z odkurzaczem i jak jej udało się mnie nabrać. Ciągle wycinała mi jakiś nowy numer... w końcu dlatego tu dziś jestem, no nie?

Ruszyłam po schodach, ściskając wałek za drewnianą rączkę. Wiedziałam, że kiedy dojdę tam, gdzie Vera leży z głową zwróconą w dół i nogami podwiniętymi pod siebie, nie mogę się zatrzymać; że jeśli przystanę choć na moment, wówczas nie zrobię tego, co jej obiecałam. Nie było o czym więcej gadać. Po prostu musiałam opaść szybko na kolano i z całej siły walnąć ją w głowę marmurowym wałkiem. Może będzie to wyglądało, jakby rozbiła głowę spadając ze schodów, może nie, ale tak właśnie planowałam postąpić.

Kiedy uklękłam przy niej, zobaczyłam, że nie muszę nic robić; sama sobie poradziła, tak jak z większością rzeczy w życiu. Albo kiedy brałam wałek z kuchni, albo kiedy wracałam przez salon, zamknęła oczy i usnęła na zawsze.

Usiadłam obok, położyłam wałek na schodach, wzięłam jej rękę i przycisnęłam do swoich kolan. Są takie sytuacje w życiu, kiedy zapomina się o upływie czasu i nie wie się, jak długo coś trwa. Tak było wtedy. Nie wiem, jak długo siedziałam przy Verze. Nie wiem, czy coś mówiłam. Zdaje się, że tak — chyba dziękowałam jej, że odeszła sama, że nie kazała mi spłacać długu, że nie musiałam przeżywać wszystkiego jeszcze raz; ale może dziękowałam jej tylko w myślach i nie mówiłam nic na głos. Pamiętam, jak przyłożyłam jej rękę do swojego policzka, a potem ją pocałowałam. Pamiętam, jak patrzyłam na jej otwartą dłoń i myślałam sobie, jaka jest różowa i czysta. Większość linii papilarnych zatarła się, więc wyglądała jak dłoń małego dziecka. Wiedziałam, że powinnam wstać i gdzieś zadzwonić, powiadomić o tym, co się stało, ale czułam się zmęczona — potwornie zmęczona. Łatwiej było mi siedzieć i trzymać ją za rękę.

Nagle rozległ się dzwonek u drzwi. Gdyby nie ten dzwonek, pewnie długo bym tam jeszcze siedziała. Ale wiecie, jak to jest, kiedy słyszy się dzwonek — człowiek reaguje, choćby nie wiem co. Wstałam i wolno, jakby mi przybyło dziesięć lat (naprawdę czułam się dziesięć lat starsza), ruszyłam w dół po schodach, cały czas trzymając się poręczy. Wciąż mi się wydawało, że świat jest jakby ze szkła, więc starałam się iść bardzo ostrożnie, żeby się nie poślizgnąć i nie pokaleczyć. W końcu puściłam poręcz i podreptałam przez hol do frontowych drzwi.

Na zewnątrz stał Sammy Marchant w czapce listonosza idiotycznie zsuniętej na tył głowy — pewnie głupek myśli, że nosząc tak czapkę, wygląda jak gwiazda rocka. W prawej ręce trzymał zwykłą pocztę, w lewej jedną z tych dużych, miękkich kopert, które przychodziły co tydzień z Nowego Jorku; nadane listem poleconym zawierały informacje dotyczące spraw finansowych Very. Finansami Very zajmował się gość nazwiskiem Greenbush; nie pamiętam, czy wam o tym wspominałam.

Wspominałam? To dobrze. Tak długo gadam, że już nie wiem, co mówiłam, a co nie.

Czasami pocztą poleconą przychodziły dokumenty, które Vera musiała podpisać, i zwykle robiła to sama, a ja jej tylko podtrzymywałam rękę, żeby zbytnio nie drżała; bywało jednak, zwłaszcza kiedy Vera się źle czuła, że podpisywałam się za nią. Nie było to nic trudnego i ani razu się nie zdarzyło, żeby ktoś kwestionował złożony przeze mnie podpis. Zresztą przez ostatnie trzy, cztery lata podpis Very był po prostu nieczytelnym bazgrołem. Więc jeśli chcecie, możecie mnie również oskarżyć o fałszerstwo.

Gdy tylko otworzyłam drzwi, Sammy wyciągnął w moją stronę kopertę, żebym ją wzięła i pokwitowała odbiór. Ale kiedy na mnie spojrzał, wybałuszył oczy i aż cofnął się o krok. Nie tyle nawet cofnął, co odskoczył do tyłu, jak w nowoczesnym tańcu — co akurat do Sammy'ego Marchanta całkiem mi pasowało.

— Nic pani nie jest, pani Claiborne? — zapytał. — Ma pani zakrwawione ubranie!

— To nie moja krew — powiedziałam głosem tak spokojnym, jakbym odpowiadała na pytanie, co oglądałam w telewizji. — To krew Very. Spadła ze schodów. Nie żyje.

— Chryste Panie! — zawołał, po czym obszedł mnie i wbiegł do domu; torba listonosza podskakiwała mu na biodrze. Nie przyszło mi do głowy, żeby go nie wpuszczać, a zresztą, co by to dało, gdybym mu zagrodziła drogę?

Ruszyłam za nim wolnym krokiem. Minęło uczucie, że wszystko jest ze szkła, za to wydawało mi się, że nogi mam z ołowiu. Kiedy doszłam do pierwszego stopnia, Sammy był już w połowie schodów i klęczał przy Verze. Zanim ukląkł, zrzucił z ramienia torbę, która spadła niżej; listy, rachunki i katalogi wysyłkowe L.L. Beana posypały się na wszystkie strony.

Wspinałam się po schodach, z trudem dźwigając nogi ze stopnia na stopień. Jeszcze nigdy nie byłam taka zmęczona. Nawet po zabiciu Joego czułam się mniej wyczerpana niż wczoraj rano.

— Nie żyje, nie ma co do tego dwóch zdań — stwierdził Sammy, oglądając się za siebie.

— Wiem. Przed chwilą sama ci to powiedziałam.

— Myślałem, że ona nie może chodzić — rzekł. — Zawsze mi pani mówiła, że ona nie może chodzić.

— Najwyraźniej się pomyliłam. — Czułam się jak ostatnia idiotka, słysząc własne słowa, ale co, do diabła, miałam powiedzieć? W pewnym sensie było mi o wiele zręczniej rozmawiać z Johnem McAuliffe'em niż z tym biednym głupkiem Sammym Marchantem, bo przynajmniej dokonałam tego, o co McAuliffe mnie podejrzewał. Natomiast kiedy jest się niewinnym, jest się zdanym na prawdę, a ta czasem brzmi wręcz kretyńsko.

— A to co? — spytał Sammy, wskazując wałek do ciasta, który zostawiłam na schodach, kiedy poszłam otworzyć drzwi.

— A na co ci wygląda? — burknęłam. — Na klatkę dla ptaków?

— Wygląda na wałek do ciasta.

— Trafiłeś w dziesiątkę — oznajmiłam. Miałam wrażenie, że własny głos dociera do mnie z oddali, jakby rozlegał się z całkiem innego miejsca niż to, w którym stoję. — Taki dziś z ciebie bystrzak, że jeszcze zadziwisz nas wszystkich i dostaniesz się na studia.

— Ale co wałek do ciasta robi tu, na schodach? — spytał i nagle dostrzegłam jego spojrzenie.

Sammy ma dopiero dwadzieścia pięć lat, ale jego ojciec był jednym z tych, którzy szukali i znaleźli Joego; zdałam sobie sprawę, że Duke Marchant pewnie wychował Sammy'ego i resztę swojej głupawej czeredki w przekonaniu, że Dolores Claiborne St. George załatwiła swojego starego. Przed chwilą wspomniałam, że kiedy jest się niewinnym, jest się zdanym na prawdę; patrząc na Sammy'ego zrozumiałam, że im mniej tej prawdy wyjawię, tym lepiej dla mnie.

— Byłam akurat w kuchni; brałam się do robienia chleba, kiedy Vera spadła ze schodów.

Nie wiem, czy wiecie, ale kłamstwa, które mówi ktoś niewinny, nie są zaplanowane; osoby niewinne nie zastanawiają się godzinami, co będą zeznawać — w przeciwieństwie do osób winnych. Po śmierci Joego, na przykład, długo obmyślałam swoją wersję zdarzeń, zanim w końcu powiedziałam, że poszłam na Russian Meadow i że od tego czasu nie widziałam męża, aż do dnia wystawienia jego zwłok w zakładzie pogrzebowym Merciera. W każdym razie ledwo wyrwało mi się kłamstwo o robieniu chleba, wiedziałam, że wynikną z tego kłopoty. Ale gdybyś widział, Andy, jak Sammy na mnie patrzył — podejrzliwie i zarazem ze strachem — może też byś skłamał. Wyprostował się i zaczął się obracać w moją stronę, gdy nagle zamarł, gapiąc się w górę schodów. Również tam spojrzałam. Na podłodze leżała halka.

— I co, pewnie zdjęła halkę, zanim spadła ze schodów? — powiedział, znów kierując na mnie wzrok. — Albo zanim skoczyła. Czy jak to się tam stało. Tak, pani Claiborne?

— Nie, halka jest moja.

— Skoro piekła pani chleb w kuchni — mówił bardzo wolno — to co pani bielizna robi na piętrze?

Nic nie mogłam wymyślić. Sammy zszedł na niższy stopień, potem na następny; schodził równie wolno jak przed chwilą mówił, cały czas trzymając się poręczy i nie odrywając ode mnie oczu. Nagle zrozumiałam w czym rzecz: chciał się ode mnie oddalić. Bał się, czy nie przyjdzie mi do głowy zepchnąć go ze schodów tak jak — jego zdaniem — zepchnęłam Verę. Wtedy zdałam sobie sprawę, że nie upłynie wiele wody, a będę siedzieć tu, gdzie teraz siedzę, i tłumaczyć ci się, Andy, ze wszystkiego.

Raz ci się upiekło, Dolores Claiborne, i z tego, co tata opowiadał nam o twoim mężu, spotkała go zasłużona kara. Ale jaką krzywdę wyrządziła ci ta biedna staruszka, która żywiła cię, zapewniała ci dach nad głową i jeszcze płaciła pensję? mówiły jego oczy, w dodatku tak wyraźnie, jakby Sammy wypowiadał swoje myśli na głos.

Mówiły również, że jeśli taka kobieta jak ja pchnie kogoś raz i jej się upiecze, to potem — jeżeli tylko będzie miała powód — znów może kogoś popchnąć, a nawet zrobi to na pewno. Jeśli samo popchnięcie jej nie wystarczy, żeby osiągnąć cel, bez najmniejszych skrupułów sięgnie po jakiś ciężki przedmiot. Na przykład, po marmurowy wałek do ciasta.

— To nie twoja sprawa, Sam Marchant — oświadczyłam. — Lepiej wracaj do roboty. Ja muszę zadzwonić po karetkę. Tylko pozbieraj listy i rachunki, bo jak ludzie ich nie popłacą, nadawcy dobiorą ci się do tyłka.

— Pani Donovan nie jest potrzebna karetka, a ja nie zamierzam się stąd nigdzie ruszać — powiedział, schodząc dwa stopnie niżej i nie spuszczając ze mnie oczu. — Zamiast po karetkę, niech pani lepiej zadzwoni do Andy'ego Bissette'a.

No i jak wiecie, tak właśnie postąpiłam. Sammy Marchant stał nieopodal, patrząc, jak rozmawiam przez telefon. Kiedy odłożyłam słuchawkę, pozbierał rozsypane listy (co rusz zerkając przez ramię, jakby chciał się upewnić, czy nie skradam się, żeby zdzielić go wałkiem), a potem stanął u dołu schodów i warował jak pies, który zdybał przestępcę. Nic nie mówił i ja również milczałam. Przyszło mi do głowy, że mogłabym przejść przez jadalnię i kuchnię do tylnych schodów, wbiec na górę i usunąć halkę. Ale co by to dało? Przecież Sammy ją widział, nie? A wałek do ciasta i tak wciąż leżał obok Very...

Wkrótce ty, Andy, zjawiłeś się z Frankiem, a jakiś czas później pojechałam do naszego nowego komisariatu policji i złożyłam zeznania. Ponieważ było to zaledwie wczorajszego popołudnia, pamiętasz, co mówiłam, prawda? Nie wspominałam ani słowem o halce, a kiedy spytałeś o wałek do ciasta, odparłam, że sama dobrze nie wiem, skąd się wziął na schodach. Tylko tyle umiałam powiedzieć, zupełnie jakby mózg odmówił mi posłuszeństwa i jakbym miała na czole tabliczkę: GŁÓWKA NIE DZIAŁA.

Kiedy podpisałam zeznania, wsiadłam do samochodu i wróciłam do domu. Wszystko odbyło się szybko i spokojnie — chodzi mi o składanie zeznań — więc niemal uwierzyłam, że nie mam się co martwić. Bo przecież jej nie zabiłam; naprawdę sama spadła ze schodów. Powtarzałam to sobie cały czas i zanim skręciłam na podjazd przed chałupą, prawie zdołałam się przekonać, że wszystko będzie w porządku.

Ten stan pewności trwał krótko — ulotnił się, gdy doszłam do kuchennych drzwi. Tkwiła tam, przypięta pinezką, niewielka kartka papieru. Były na niej ślady potu, jakby została wyrwana z notesu, który jakiś facet długo nosił w tylnej kieszeni spodni. TYM RAZEM CI SIĘ NIE UDA — nabazgrał ktoś. Tylko tyle. Ale to i tak dużo, nie uważacie?

Weszłam do środka i otworzyłam okna w kuchni, żeby pozbyć się stęchłego zapachu. Jest to zapach, którego nie cierpię, a który od dawna unosi się w całym domu i żadne wietrzenie nie pomaga. Częściowo bierze się stąd, że rzadko bywam u siebie, bo mieszkam, a przynajmniej dotąd mieszkałam u Very, a częściowo — lub może przede wszystkim — stąd, że dom jest martwy... tak samo martwy jak Joe i mały Pete.

Domy też żyją. Czerpią życie od ludzi, którzy w nich mieszkają; naprawdę w to wierzę. Nasza nieduża parterowa chałupa przeżyła śmierć Joego i rozstanie ze starszymi dziećmi, kiedy wyjechały na studia. Selena dostała się do Vassar, gdzie przyznano jej pełne stypendium (pieniądze odłożone na naukę, o które tak się martwiłam, wydała na ubrania i podręczniki), a Jim zdecydował się na pobliski University of Maine w Orono. Dom przetrwał nawet wieść z Sajgonu, że mały Pete zginął, kiedy w baraku nastąpił wybuch. Wydarzyło się to wkrótce po jego przyjeździe do Wietnamu i niespełna dwa miesiące przed końcem tego całego cyrku. Widziałam w telewizji u Very, jak ostatnie helikoptery odlatują z dachu ambasady amerykańskiej; płakałam i płakałam. Mogłam sobie pozwolić na łzy i nie bać się ironicznych komentarzy, bo Vera akurat wybrała się do Bostonu na wielkie zakupy.

Ale po pogrzebie małego Pete'a dom umarł. Ostatni żałobnicy wyszli i zostaliśmy sami: ja, Selena oraz Jim. Jim mówił o polityce. Dostał pracę jako kierownik urzędu miejskiego w Machias — całkiem nieźle jak na chłopaka świeżo po studiach — i za rok czy dwa zamierzał startować do stanowego senatu.

Selena opowiadała o zajęciach, jakie prowadzi w Albany Junior College — było to zanim przeniosła się do Nowego Jorku i zaczęła utrzymywać wyłącznie z pisania. Nagle ucichła. Sprzątałyśmy właśnie talerze ze stołu; od razu coś wyczułam. Obróciłam się szybko i zobaczyłam, jak łypie na mnie tymi swoimi ciemnymi oczami. Wiecie pewnie, że czasem rodzicom udaje się czytać w myślach dzieci, ale ja nie musiałam nic czytać; i bez tego wiedziałam, o czym córka myśli. Nie zapomniała. Dojrzałam w jej oczach te same pytania, co dwanaście lat temu, kiedy podeszła do mnie, gdy stałam pośród fasoli i ogórków w ogródku warzywnym: „Czy mu coś zrobiłaś?". „Powiedz, czy przeze mnie?" i: „Jak długo będę jeszcze ponosiła karę?".

Podeszłam do niej, Andy, i objęłam ją mocno. Ona też mnie objęła, ale miałam wrażenie, że stoi jakoś tak sztywno — jakby kij połknęła — i właśnie wtedy poczułam, że życie ulatuje z domu. To było jak ostatni oddech umierającego. Myślę, że Selena również poczuła. Jim nie. Jim do dziś umieszcza zdjęcie domu na swoich ulotkach reklamowych — chałupa ma świadczyć o jego prostym pochodzeniu, i rzeczywiście podoba się wyborcom — bo nie wie, że dom umarł; nie wie, bo tak naprawdę nigdy go nie kochał. Zresztą dlaczego miał kochać, na miłość boską? Dla Jima dom był miejscem, do którego wracał po szkole, miejscem, gdzie ojciec wciąż mu dokuczał, przezywając go wymoczkiem i molem książkowym. Już prędzej uważał za swój dom Cumberland Hall, akademik, w którym mieszkał jako student.

Stara chałupa na East Lane była jednak domem dla mnie, a także dla Seleny. Myślę, że moja kochana córka mieszkała tu jeszcze długo po tym, jak strząsnęła ze stóp pył naszej wyspy; myślę, że mieszkała tu we wspomnieniach... w sercu... w snach. I w nocnych koszmarach.

A stęchłego zapachu nie sposób się pozbyć.

Usiadłam przy jednym z otwartych okien, żeby przez chwilę pooddychać świeżym morskim powietrzem, ale potem coś mnie naszło i uznałam, że powinnam zamknąć drzwi na klucz. Drzwi frontowe zamknęłam bez trudu, ale zasuwa na drzwiach kuchennych zacięła się; nawet nie chciała drgnąć. Dopiero gdy wpuściłam do środka kilka kropli oliwy, udało mi się ją przesunąć. Po prostu zardzewiała. Choć zdarzało się, że przez pięć czy sześć dni pod rząd nie wychodziłam od Very, nie pamiętam, kiedy ostatni raz zamykałam dom na klucz.

Ogarnęło mnie przygnębienie. Poszłam do sypialni, położyłam się i zakryłam głowę poduszką; robiłam tak jako dziecko, kiedy odsyłano mnie do łóżka za karę, że byłam niegrzeczna. I zaczęłam ryczeć. Płakałam jak bóbr. Aż trudno uwierzyć, że można mieć w sobie tyle łez. Płakałam nad Verą, Seleną i małym Pete'em; płakałam chyba nawet nad Joem. Ale przede wszystkim płakałam nad sobą. Płakałam, aż nos mi się cały zatkał i rozbolał mnie brzuch. Wreszcie zasnęłam.

Kiedy się obudziłam, było ciemno i dzwonił telefon. Wstałam i ruszyłam po omacku do salonu. Podniosłam słuchawkę; ledwo powiedziałam „halo", gdy odezwał się kobiecy głos.

— To morderstwo nie ujdzie ci płazem. Chyba o tym wiesz. Jeśli prawo cię nie ukarze, ukarzemy cię my. Nie jesteś taka mądra, jak ci się wydaje. Nie chcemy, Dolores Claiborne, żeby na naszej wyspie żyła morderczyni, i są wśród nas dobrzy chrześcijanie, którzy zadbają o to, byś się stąd wyniosła.

W pierwszej chwili myślałam, że nadal śpię, taka byłam skołowana. Zanim wreszcie zdałam sobie sprawę, że to wcale nie sen, kobieta zdążyła odwiesić słuchawkę. Skierowałam się do kuchni, żeby zaparzyć kawę albo wziąć butelkę piwa z lodówki, kiedy ponownie zaterkotał telefon. Znów dzwoniła jakaś kobieta, ale inna niż poprzednio. Zaczęła mi tak paskudnie ubliżać, że szybko odłożyłam słuchawkę. Miałam ochotę ponownie się rozpłakać, ale się opanowałam. Zamiast tego wyłączyłam telefon. Poszłam do kuchni i wzięłam piwo, ale jakoś mi nie smakowało, więc w końcu prawie całe wylałam do zlewu. Najchętniej wypiłabym odrobinę szkockiej, ale od śmierci Joego nie trzymam w domu ani kropli mocnych trunków.

Nalałam sobie szklankę wody, jednak odrzucił mnie jej zapach — zapach miedziaków noszonych przez cały dzień w spoconej dziecięcej dłoni. Przypomniała mi się tamta noc pośród krzaków jeżyn, kiedy od studni zaleciał mnie identyczny zapach, a to z kolei przypomniało mi dziewczynkę w pasiastej sukience i o ustach pociągniętych różową szminką. Rano przemknęło mi przez myśl, że jest już dorosłą kobietą i znajduje się w tarapatach. Zaczęłam się zastanawiać, gdzie przebywa i co się z nią dzieje. Choć może się to wam wydać dziwne, nie przyszło mi do głowy wątpić, czy naprawdę istnieje; wiem, że tak. Akurat tego nie kwestionowałam nigdy.

Ale mniejsza; znów odchodzę od tematu, a moja gęba, niczym piesek za swoją panią, leci tam, gdzie myśli. Wracając do wody z kranu... smakowała mi nie bardziej niż chluba browaru Budweisera — nawet dwie kostki lodu nie mogły zabić zapachu miedziaków — więc w końcu nalałam sobie oranżady, którą trzymam w lodówce dla bliźniaków Jima, po czym usiadłam przed telewizorem i obejrzałam jakąś głupią komedię. Na kolację podgrzałam sobie gotowe mrożone danie, ale ponieważ nie miałam apetytu, zsunęłam wszystko z talerza do kubła na śmieci. Wzięłam jeszcze oranżady, wróciłam do salonu i znów usiadłam przed telewizorem. Jedna komedia się skończyła i zaczęła następna, ale miałam wrażenie, że niczym się od siebie nie różnią. Pewnie dlatego, że w ogóle nie potrafiłam się skoncentrować.

Nie próbowałam wymyślić, co ze sobą począć; czasem lepiej nic nie planować wieczorem, bo wtedy umysł często bywa najmniej sprawny. Ilekroć wpadnie się na jakiś pomysł po zachodzie słońca, dziewięć razy na dziesięć trzeba rano zastanawiać się od początku. Więc tylko siedziałam, a kiedy skończyły się wiadomości lokalne i rozpoczął program Carsona, znów zasnęłam.

Miałam sen. Byłam w nim ja i Vera, z tym że Vera wyglądała jak przed wielu laty, kiedy jeszcze żył Joe, a nasze dzieci, jej i moje, ledwo odrosły od ziemi. W tym śnie Vera myła talerze, a ja je wycierałam. Ale nie robiłyśmy tego w kuchni, tylko przy żelaznym piecu u mnie w salonie. I to było najdziwniejsze, bo Vera nigdy mnie nie odwiedziła — ani razu przez całą naszą znajomość.

Znajdowała się jednak u mnie w tym śnie. Talerze — nie moje stare, ale jej nowy komplet firmy Spode — leżały w plastikowej misce, którą umieściłyśmy na piecu. Gdy tylko Vera kończyła myć talerz, podawała go mnie, ale każdy wysuwał mi się z rąk i rozbijał o cegły, na których stoi piecyk.

— Musisz bardziej uważać, Dolores — mówiła. — Kiedy zdarzają się wypadki, człowiek musi być ostrożny, bo może wszystko sknocić.

Obiecywałam jej, że będę się pilnować, że będę się starać, ale kolejny talerz znów wyślizgiwał mi się z palców, po nim następny i następny.

— Kiepsko ci idzie — oświadczyła w końcu. — Zobacz, wszystko knocisz!

Spojrzałam w dół, ale zamiast porozbijanych talerzy, na cegłach leżały szczątki protezy Joego i kawałki kamienia.

— Nie podawaj mi więcej, Vero — poprosiłam, wybuchając płaczem. — Wycieranie talerzy przerasta moje siły. Może jestem za stara, sama nie wiem, ale nie chcę potłuc wszystkich!

Ale podawała mi je dalej, ja zaś je upuszczałam, a dźwięk, który się rozlegał, kiedy się tłukły o cegły, stawał się coraz głośniejszy, aż wreszcie bardziej przypominał salwy armatnie niż odgłos, jaki wydają kruche porcelanowe naczynia, gdy uderzają o coś twardego i pękają. Nagle zorientowałam się, że śnię, a te hałasy nie mają nic wspólnego z moim snem. Podskoczyłam tak gwałtownie, że o mało nie spadłam z fotela na podłogę. Znów usłyszałam ten dźwięk i tym razem poznałam, że to wystrzał ze strzelby.

Wstałam i podeszłam do okna. Drogą przejeżdżały dwie półciężarówki. W skrzyni pierwszej znajdowała się jedna osoba, w skrzyni drugiej dwie. Wszystkie trzy miały strzelby i co kilka sekund któraś strzelała w niebo. Widziałam błyski, po których zaraz rozlegało się głośne „bum". Widziałam również, że faceci (bo chyba byli to faceci) chwieją się na wszystkie strony, a oba pojazdy jadą zygzakiem, i domyśliłam się, że zarówno pasażerowie, jak i kierowcy są pijani w trzy dupy. Jedną z półciężarówek rozpoznałam...

Słucham?

Nie, Andy, nie powiem — dość, że sama mam kłopoty. Nie

zamierzam robić komuś koło pióra dlatego, że trochę sobie postrzelał po pijaku. Chyba jednak nie rozpoznałam żadnego z pojazdów.

W każdym razie otworzyłam okno, kiedy przekonałam się, że strzelają tylko do wiszących nisko chmur. Pomyślałam, że pewnie zawrócą przy pagórku, tam gdzie jest polana, i tak też się stało. Jedna z półciężarówek omal nie ugrzęzła w błocie; to dopiero byłby numer!

Wracali, waląc w klaksony, gwiżdżąc i wrzeszcząc jak najęci. Zwinęłam w trąbkę dłonie, przyłożyłam do ust i zawołałam ile sił w płucach:

— Wynoście się! Ludzie chcą spać o tej porze!

Chyba ich porządnie wystraszyłam tym krzykiem, bo jeden pojazd skręcił tak gwałtownie, że prawie wpadł do rowu, a facet stojący w skrzyni drugiej półciężarówki (tej, co to mi się zdawało, że ją rozpoznałam) poleciał do przodu i niemal przekoziołkował przez szoferkę. Mam niezłe płuca i umiem zrobić z nich użytek; naprawdę mało kto potrafi ryczeć głośniej ode mnie.

— Spierdalaj z Little Tall, ty wredna morderczyni! — zawołał któryś, i znów wypalili parę razy w niebo. Ale chcieli mi tylko pokazać, jacy z nich chojracy, bo już nie zawrócili. Słyszałam, jak oddalają się w kierunku miasteczka oraz — idę o zakład — tego cholernego baru, który otwarto przed dwoma laty. Strzelały im rozklekotane tłumiki, a silniki wyły, gdy redukowali biegi na zakrętach; dorośli faceci, kiedy popiją sobie i wsiądą do samochodów, zachowują się jak smarkacze.

Mój nastrój uległ całkowitej zmianie. Już się nie bałam i raz na zawsze odeszła mi ochota do płaczu. Byłam potwornie wściekła, choć nie aż tak, bym nie potrafiła jasno myśleć albo nie rozumiała, dlaczego ludzie postępują w ten sposób. Może wściekłość mogłaby mnie zaślepić, ale przypomniałam sobie spojrzenie Sammy'ego Marchanta, kiedy klęczał na schodach i patrzył to na wałek, to na mnie — jego oczy były ciemne jak ocean za linią burzy, podobnie jak oczy Seleny tamtego dnia w ogrodzie.

Wiedziałam, że będę musiała tu wrócić, Andy, ale dopiero kiedy ci faceci odjechali, zrozumiałam, że nie mogę nic przemilczać ani zatajać, że muszę powiedzieć wszystko, jak na spowiedzi. Położyłam się do łóżka i spałam spokojnie do za kwadrans dziewiąta. Od dnia ślubu nie spałam tak długo. Pewnie chciałam dobrze wypocząć, żeby potem móc gadać przez całą pieprzoną noc. Zamierzałam przyjść tu natychmiast po wstaniu — im szybciej wypije się gorzkie lekarstwo, tym lepiej — ale coś mnie zatrzymało w domu. Gdyby nie to, znacznie wcześniej opowiedziałabym wam całą tę historię.

Wykąpałam się i zanim jeszcze ubrałam, włączyłam z powrotem telefon. Noc się skończyła, wiedziałam już, że nie śnię, że wszystko dzieje się na jawie. I jeśli ktoś zadzwoni, żeby mi nawymyślać, to nie pozostanę dłużna, nawrzucam mu od anonimowych tchórzy i łajdaków. I rzeczywiście, ledwo naciągnęłam pończochy, zaterkotał telefon. Podniosłam słuchawkę, gotowa puścić wiąchę, ale kobiecy głos spytał:

— Halo? Czy mogłabym mówić z panią Dolores Claiborne?

Domyśliłam się, że to międzymiastowa, bo w słuchawce rozlegał się charakterystyczny pogłos.

— Przy aparacie — powiedziałam.

— Tu Alan Greenbush — oznajmiła moja rozmówczyni.

— Dziwne — rzekłam, nie bawiąc się w żadne grzeczności. — Przecież Alan to męskie imię.

— Dzwonię z jego biura — wyjaśniła takim tonem, jakby jeszcze nigdy w życiu nie słyszała równie głupiej odzywki. — Proszę sekundę poczekać. Zaraz przełączę pana Greenbusha.

Jej telefon zaskoczył mnie, więc w pierwszej chwili nie skojarzyłam, o kogo chodzi — nazwisko wydało mi się znajome, ale nie wiedziałam skąd.

— A w jakiej sprawie? — zapytałam w końcu.

Nastąpiła cisza, jakby kobieta nie była upoważniona do udzielania żadnych wyjaśnień, ale w końcu powiedziała:

— O ile mi wiadomo, sprawa dotyczy pani Very Donovan. Proszę zaczekać, dobrze?

Wreszcie skojarzyłam: Greenbush przysyłał Verze te wszystkie grube koperty nadawane listem poleconym.

— Ano — powiedziałam.

— Słucham?

— Ta, zaczekam.

— Dziękuję.

Rozległ się trzask. Stałam w bieliźnie, ze słuchawką przy uchu, i czekałam. Wydawało mi się, że piekielnie długo, ale oczywiście trwało to zaledwie kilka chwil. Przyszło mi do głowy, czy nie wykryli, że podpisywałam się za Verę, fałszowałam jej podpis. Było to dość prawdopodobne, bo choć się mówi, że nieszczęścia chodzą parami, zwykle jak się jedno przydarzy, następne obłażą człowieka jak robactwo.

— Pani Claiborne? — odezwał się wreszcie męski głos.

— Tak, Dolores Claiborne — potwierdziłam.

— Wczoraj wieczorem zadzwoniła do mnie policja z Little Tall i powiadomiła o zgonie Very Donovan. Ponieważ skontaktowali się ze mną dość późno, postanowiłem zatelefonować do pani dopiero dziś rano.

Miałam ochotę mu powiedzieć, że mieszkańcy wyspy nie mają tak wyszukanych manier i dzwonią bez względu na porę, ale ugryzłam się w język.

Chrząknął, po czym rzekł:

— Pięć lat temu otrzymałem od Very Donovan list, w którym pozostawiła mi instrukcje, że w ciągu dwudziestu czterech godzin od jej zgonu mam przekazać pani pewne informacje dotyczące jej majątku. — Znów chrząknął. — Aczkolwiek później wielokrotnie rozmawiałem z panią Donovan przez telefon, były to ostatnie pisemne instrukcje, jakie od niej dostałem. — Mówił suchym, monotonnym tonem; bałam się, że będzie tak gadać bez końca.

— Przejdźże wreszcie do sedna, człowieku! — zawołałam. — Oszczędź mi długiego wstępu i mów, o co chodzi!

— Mam przyjemność poinformować panią, że jeśli nie liczyć drobnego zapisu na rzecz domu dla sierot Mali Wędrowcy Nowej Anglii, jest pani jedyną spadkobierczynią pani Donovan.

Zaniemówiłam z wrażenia; jedyne, o czym myślałam, to jak Verze udało się z czasem rozgryźć mój wybieg z odkurzaczem.

— Otrzyma pani dzisiaj telegram potwierdzający moje słowa — kontynuował. — Cieszę się, że mogłem panią osobiście zawiadomić; pani Donovan pozostawiła bardzo wyraźne polecenia w tej sprawie.

— Ano, jej polecenia zawsze były wyraźne — przyznałam.

— Niewątpliwie odejście pani Donovan bardzo panią zasmuciło, podobnie jak nas wszystkich, ale musi pani wiedzieć, że jest pani teraz niezmiernie bogatą kobietą. Gdyby pani czegokolwiek potrzebowała, proszę pamiętać, że równie chętnie będę służył pani pomocą jak pani Donovan. Oczywiście zadzwonię powiadomić panią o przebiegu postępowania spadkowego, ale nie przewiduję żadnych problemów ani opóźnienia. Prawdę rzekłszy...

— Chwileczkę, nie tak prędko — powiedziałam, a raczej wychrypiałam, bo zupełnie zaschło mi w gardle. Mój głos przypominał rechot żaby w wyschłej sadzawce. — O jakiej sumie mówimy?

Oczywiście wiedziałam, Andy, że Vera ma pieniądze, choć przez ostatnie kilka lat nosiła tylko flanelowe koszule nocne i jadała wyłącznie zupy Campbella i pożywki dla dzieci Gerbera. Znałam jej dom, widziałam samochody i czasami zerkałam okiem na te papiery, które przychodziły w miękkich kopertach, kiedy je podpisywałam. Niektóre dotyczyły rozporządzeń akcjami, a jeśli ktoś sprzedaje dwa tysiące akcji firmy Upjohn i kupuje cztery tysiące akcji elektrowni w dolinie Missisipi, to chyba nie grozi mu przeprowadzka do przytułku dla ubogich.

Nie myślcie, że pytałam o pieniądze po to, żeby natychmiast wystąpić o karty kredytowe albo zaszaleć i zamówić co się da z katalogu Searsa. Broń Boże! Chodziło mi o coś zupełnie innego. Wiedziałam, że z każdym dolarem, który mi zostawiła, wzrośnie liczba osób przekonanych, że ją zamordowałam — i chciałam się zorientować, ilu przybędzie mi wrogów. Podejrzewałam, że zostawiła mi sześćdziesiąt, może siedemdziesiąt tysięcy... choć pewnie mniej, bo przecież Greenbush wspomniał, że istnieje też zapis na rzecz sierocińca.

Coś jeszcze nie dawało mi spokoju — jakaś niejasna myśl tłukła mi się po głowie niczym natrętna mucha. Coś było nie tak. Ale nie mogłam sobie uprzytomnić co, podobnie jak nie od razu skojarzyłam, kim jest Greenbush, kiedy sekretarka wymieniła jego nazwisko.

Powiedział coś, czego do końca nie zrozumiałam. Jakby ble-ble-ble-rzędu-trzydziestu-milionów-dolarów.

— Mógłby pan powtórzyć? — poprosiłam.

— Po odliczeniu podatków, kosztów sądowych i innych powinna pani otrzymać sumę rzędu trzydziestu milionów dolarów.

Dłoń na słuchawce ścierpła mi, tak jak to się czasem dzieje w nocy. Człowiek budzi się i zdaje sobie sprawę, że spał z ręką pod sobą — nie ma w niej czucia, a zarazem czuje mrowienie. W stopach też czułam mrowienie i nagle znów wydało mi się, że cały świat jest ze szkła.

— Przepraszam bardzo. — Chociaż mówiłam jasno i zrozumiale, odnosiłam wrażenie, że nie ma żadnego związku między ruchem moich ust a dźwiękiem, który się z nich wydobywa. Zupełnie jakby moje wargi trzepotały się chaotycznie niczym okiennice na wietrze. — Mamy nie najlepsze połączenie. Wydało mi się, że wspomniał pan coś o milionie. — Po czym roześmiałam się, żeby mu pokazać, że wiem, jakie to absurdalne, ale gdzieś w duchu chyba wiedziałam, że wcale nie jest, bo jeszcze nigdy w życiu nie śmiałam się równie sztucznie. — Hy-hy-hy.

— Bo istotnie wspomniałem o milionie — rzekł Greenbush. — Wspomniałem nawet o trzydziestu milionach.

I wiecie co? Pewnie parsknąłby śmiechem, gdyby nie to, że pieniądze przypadły mi w udziale w związku ze śmiercią Very Donovan. Był podniecony — jego głos brzmiał sucho i monotonnie, ale facet był podniecony jak cholera. Myślę, że czuł się jak John Bearsford Tipton, ten bogacz, który kiedyś rozdawał po milion dolarów w programie telewizyjnym. Greenbush chciał prowadzić moje sprawy — to oczywiście nie ulegało wątpliwości, bo dla takiego gościa jak on forsa jest tym, czym kolejka elektryczna dla dziecka, byłby więc niepocieszony, gdyby kto inny obracał pieniędzmi Very — ale przede wszystkim sprawiało mu frajdę słuchać, jak się jąkam i zacinam.

— Nie rozumiem — powiedziałam tak słabym głosem, że sama ledwo go słyszałam.

— Wyobrażam sobie, jak pani się czuje. To rzeczywiście ogromna suma pieniędzy, więc chwilę potrwa, zanim pani się przyzwyczai.

— A tak naprawdę, to ile tego jest? — spytałam i jak Boga kocham, tym razem parsknął śmiechem. Gdyby był koło mnie, Andy, chyba kopnęłabym go w tyłek.

— Trzydzieści milionów dolarów.

Miałam wrażenie, że ręka nie tyle mi ścierpła, co zgłupiała i zaraz upuści słuchawkę. Ogarnął mnie strach. Czułam się tak, jakby ktoś wślizgnął się do mojej głowy i wywijał w kółko stalowym kablem. Powtarzałam w myślach „trzydzieści milionów dolarów", ale były to tylko słowa. Kiedy usiłowałam sobie wyobrazić, co one oznaczają, jedyny obraz, jaki pojawił mi się w głowie, przypominał rysunki z komiksów z Kaczorem Sknerą, które Jim czytywał małemu Pete'owi, kiedy ten miał cztery czy pięć lat. Ujrzałam ogromny skarbiec pełen monet i banknotów, lecz zamiast Kaczora Sknery w okrągłych binoklach balansujących na dziobie, depczącego po forsie łapami w getrach, widziałam siebie, w domowych kapciach, robiącą to samo. A potem obraz rozpłynął się i przypomniałam sobie Sammy'ego Marchanta, jak przenosił wzrok z wałka na mnie i z powrotem na wałek. Jego oczy wyglądały dokładnie tak samo jak Seleny owego dnia w ogródku warzywnym: były ciemne i pełne pytań. Następnie przypomniała mi się kobieta, która zadzwoniła powiedzieć, że dobrzy chrześcijanie nie mają ochoty żyć na jednej wyspie z morderczynią. Cóż ona i jej przyjaciółki pomyślą, kiedy dowiedzą się, że zarobiłam na śmierci Very trzydzieści milionów dolarów! I to sprawiło, że wpadłam w panikę.

— Nie może mi pan tego zrobić! — zawołałam zdenerwowana. — Słyszy pan? Nie zmusi mnie pan do wzięcia tych pieniędzy!

Tym razem on powiedział, że chyba mnie nie dosłyszał — że połączenie szwankuje gdzieś na linii. Wcale się nie zdziwiłam. Jeśli taki facet jak Greenbush słyszy, że ktoś nie chce przyjąć trzydziestu milionów, jedyne, co mu przychodzi do głowy, to że nawala telefon. Otworzyłam usta, by mu powtórzyć, żeby zabrał ten szmal w cholerę, oddał wszystko domowi dla sierot Mali Wędrowcy Nowej Anglii, kiedy nagle zrozumiałam, co tu jest nie tak. Ta myśl uderzyła mnie z taką siłą, jakby mi spadła na głowę tona cegieł.

— Donald i Helga! — wrzasnęłam niczym uczestnik gry telewizyjnej, który w ostatniej sekundzie przypomina sobie prawidłową odpowiedź.

— Słucham? — spytał trochę niepewnie.

— Jej dzieci! — zawołałam. — Syn i córka! To im się należą pieniądze, nie mnie! Oni są jej najbliższą rodziną, a ja tylko służącą!

Nastąpiła długa cisza; już myślałam, że połączenie zostało przerwane, i bynajmniej się tym nie zmartwiłam. Prawdę mówiąc, czułam się tak, jakbym za chwilę miała zemdleć. Zamierzałam odłożyć słuchawkę, kiedy Greenbush powiedział jakimś takim płaskim, dziwnym tonem:

— Więc pani nie wie.

— Niby o czym? Wiem, że Vera miała syna imieniem Donald i córkę imieniem Helga! Wiem, że byli za dumni, żeby odwiedzić matkę, chociaż ich pokoje zawsze na nich czekały.

Ale chyba nie machną ręką na szmal, który należy im się po jej śmierci!

— Więc pani nie wie — powtórzył. A potem, jakby pytał siebie, a nie mnie, rzekł: — Czy to możliwe, żeby po tylu latach pracy u Very Donovan o niczym pani nie wiedziała? Czy to możliwe? Czy Kenopensky nic pani nie powiedział? — I zanim zdołałam wtrącić słowo, sam zaczął udzielać sobie odpowiedzi. — Tak, oczywiście, że to możliwe. Jeśli pominąć wzmiankę, jaka ukazała się nazajutrz w miejscowej gazecie, pani Donovan dopilnowała, żeby sprawa nie nabrała rozgłosu... trzydzieści lat temu, jeśli ktoś miał pieniądze, takie rzeczy były do załatwienia. Chyba nawet nie ukazał się ani jeden nekrolog. — Urwał, po czym zawołał z bezbrzeżnym zdumieniem, jak człowiek, który odkrywa coś nowego i niespodziewanego o kimś, kogo znał całe życie: — Mówiła o nich, jakby nadal żyli! Przez te wszystkie lata!

— Co pan wygaduje za brednie?! — Czułam się, jakbym w brzuchu miała windę, która raptownie opada w dół, a jednocześnie różne rzeczy, różne drobne rzeczy, zaczęły mi się układać w całość. Wcale tego nie chciałam, ale nic nie mogłam poradzić. — Jasne, że mówiła o nich, jakby żyli! A jak miała mówić? Przecież Donald prowadzi firmę zajmującą się handlem nieruchomościami w Arizonie; Golden West Associates! A córka projektuje sukienki w San Francisco... Gaylord Fashions!

Tylko że Vera ciągle czytała opasłe romanse historyczne w miękkich oprawach, które zawsze miały na okładce kobiety w wydekoltowanych sukniach całujące się z mężczyznami o nagich torsach, z serii „Golden West" — nazwa ta widniała u góry każdej książki. I nagle przypomniałam sobie, że Vera urodziła się w niewielkiej miejscowości Gaylord w stanie Missouri. Miałam nadzieję, że może się mylę, że może urodziła się w Galen albo Galesburg, a zarazem wiedziałam, że jednak mam rację. No ale Helga mogła nazwać swoją firmę odzieżową na cześć miasteczka, w którym urodziła się jej matka... tak przynajmniej usiłowałam sobie wmówić.

— Pani Claiborne — zaczął wolno Greenbush, dość niepewnym głosem — mąż pani Donovan zginął w nieszczęśliwym wypadku, kiedy Donald miał piętnaście lat, a Helga trzynaście...

— Wiem! — zawołałam, jakbym chciała go przekonać, że skoro wiem o tym, wiem o wszystkim.

— ...i wkrótce później bardzo popsuły się stosunki między panią Donovan a jej dziećmi.

O tym również wiedziałam. Pamiętałam, jak ludzie dziwili się, że dzieci są takie ciche, kiedy pierwszego czerwca tysiąc dziewięćset sześćdziesiątego pierwszego roku przyjechały spędzić wakacje na wyspie, i jak kilka osób wspomniało, że właściwie nigdy nie widuje się ich razem z matką, choć pan Donovan zginął w wypadku przed rokiem; zwykle tragedie sprawiają, że między ludźmi zacieśniają się więzy... choć może w przypadku ludzi z miasta dzieje się inaczej. A potem przypomniałam sobie jeszcze coś, coś, o czym Jimmy DeWitt opowiedział mi tamtego roku jesienią.

— Potwornie się pokłócili w restauracji, tuż po czwartym lipca — rzekłam. — Chłopiec i dziewczynka wyjechali nazajutrz. Pamiętam, że ten jej fagas... to znaczy Kenopensky... zawiózł ich na ląd tą ogromną motorówką, którą wtedy mieli.

— Tak — przyznał Greenbush. — Tak się składa, że wiem od Teda Kenopensky'ego, o co wybuchła kłótnia. Donald zrobił na wiosnę prawo jazdy i pani Donovan dała mu w prezencie urodzinowym samochód. Helga uparła się, że też chce samochód. Vera, czyli pani Donovan, usiłowała wytłumaczyć córce, że to idiotyczny pomysł, że samochód nie zda się jej na nic, skoro nie ma prawa jazdy, a prawa jazdy nie dostanie, dopóki nie skończy piętnastu lat. Helga odpowiedziała, że piętnaście lat to wymóg w Maryland, ale nie w Maine, gdzie wystarczy czternaście... dokładnie tyle, ile wówczas miała. Czy tak rzeczywiście jest w Maine, pani Claiborne, czy mała to sobie ubzdurała?

— Tak było — odparłam. — Zdaje się, że potem też podnieśli do piętnastu. Panie Greenbush, jaki wóz kupiła Vera synowi na urodziny... corvette?

— Tak. Skąd pani o tym wie, pani Claiborne?

— Chyba widziałam kiedyś zdjęcie — oznajmiłam, ale prawie nie słyszałam własnego głosu. Słyszałam, co mówiła Vera, kiedy leżała na schodach: „Mam dość patrzenia, jak w blasku księżyca wyciągają dźwigiem corvette z kamieniołomu, mam dość patrzenia, jak woda wylewa się z otwartego okna od strony pasażera...".

— Dziwię się, że trzymała zdjęcie wozu — oświadczył Greenbush. — Donald i Helga zginęli w tym samochodzie. Stało się to w październiku sześćdziesiątego pierwszego roku, niemal równo rok po śmierci ich ojca. Jeśli się nie mylę, prowadziła dziewczynka.

Jeszcze coś mówił, ale ledwo go słuchałam, Andy — byłam zbyt zajęta wypełnianiem białych plam i robiłam to tak sprawnie, że chyba musiałam wiedzieć, że dzieci Very nie żyją... gdzieś w głębi duszy musiałam o tym wiedzieć od samego początku. Greenbush mówił, że byli pijani i jechali corvette z szybkością ponad stu sześćdziesięciu kilometrów na godzinę, kiedy dziewczyna nie wyrobiła się na zakręcie i wóz stoczył się do zalanego kamieniołomu; powiedział, że prawdopodobnie oboje już nie żyli, kiedy dwuosobowy sportowy wóz opadł na dno.

Dodał również, że był to wypadek, ale może wiem ciut więcej o wypadkach od niego.

Może Vera też wiedziała i może od początku zdawała sobie sprawę, że ich sprzeczka w restauracji ma gówno wspólnego z tym, czy Helga zrobi prawo jazdy w stanie Maine czy nie; jak się chce psa uderzyć, zawsze się kij znajdzie. Kiedy doktor McAuliffe spytał, o co się posprzeczałam z Joem, odpowiedziałam, że niby o pieniądze, ale w gruncie rzeczy szło o picie. Przekonałam się, że to, o co ludzie się kłócą, często bywa tylko pretekstem, bo tak naprawdę chodzi im o coś całkiem innego; podobnie i tamtego lata kością niezgody między matką i dziećmi mogło być to, co przydarzyło się rok wcześniej Michaelowi Donovanowi.

Vera ze swoim fagasem zabiła męża, Andy. Nie powiedziała mi tego wprost, ale wyraźnie dała do zrozumienia. Nigdy nie pociągnięto jej do odpowiedzialności, ale członkowie rodziny często dysponują informacjami, o których prawo się nie dowiaduje. Myślę o Selenie... ale to samo pewnie dotyczyło Donalda i Helgi Donovanów. Zastanawiałam się, jak patrzyli na matkę tego lata w sześćdziesiątym pierwszym roku, zanim posprzeczali się w restauracji Harborside i na zawsze opuścili Little Tall. Usiłowałam sobie przypomnieć, jakie mieli oczy, kiedy na nią patrzyli, czy takie jak Selena, kiedy patrzyła na mnie. Nie pamiętam. Może z czasem sobie przypomnę, ale chyba sami rozumiecie, dlaczego specjalnie mi na tym nie zależy.

Szesnastoletni gówniarz jest za młody, stanowczo za młody, żeby prowadzić samochód; a dać takiemu urwisowi jak Donald sportowy wóz, to jakby samemu szukać nieszczęścia. Vera była na tyle inteligentna, że dobrze o tym wiedziała, i musiała potwornie się bać; może i nienawidziła męża, ale syna kochała bardziej niż własne życie. Nie mam co do tego wątpliwości. A jednak sprezentowała mu wóz. Z reguły umiała postawić na swoim, a jednak kiedy Donald był w przedostatniej klasie liceum i pewnie dopiero zaczynał się golić, dała mu do zabawy to niebezpieczne cacko, które on pozwolił prowadzić siostrze. Myślę, że dała mu je z powodu poczucia winy, Andy. Mam nadzieję, że dlatego, a nie ze strachu. Choć mogło się i tak zdarzyć, że dwoje bogatych dzieciaków szantażowało matkę, żeby kupowała im, co chcą, bo wiedziały coś o śmierci ojca. Naprawdę mam nadzieję, że nie to było przyczyną... ale kto wie; chyba rozumiecie sami, że mogło tak być. W świecie, w którym facet miesiącami stara się zaciągnąć do łóżka własną córkę, wszystko jest możliwe.

— Więc nie żyją — powiedziałam do Greenbusha. — Nie żyją oboje...

— Tak — potwierdził.

— Nie żyją od ponad trzydziestu lat.

— Tak — potwierdził znów.

— A wszystko, co mi Vera o nich mówiła, to kłamstwa...

Ponownie chrząknął — sądząc po naszej rozmowie, facet nie potrafi powiedzieć trzech zdań bez czyszczenia sobie gardła — a kiedy się odezwał, po raz pierwszy w jego głosie usłyszałam coś ludzkiego.

— A co o nich mówiła, pani Claiborne?

Kiedy zaczęłam się nad tym zastanawiać, Andy, zdałam sobie sprawę, że mówiła mi bardzo wiele, poczynając od lata sześćdziesiątego drugiego roku, gdy pojawiła się na wyspie o dziesięć kilo chudsza niż przed rokiem i o dziesięć lat postarzała. Pamiętam, jak mówiła, że Donald z Helgą pewnie przyjadą na sierpień, więc żebym sprawdziła, czy mamy płatki owsiane Quaker, bo zawsze jedzą je na śniadanie. Pamiętam, jak wróciła w październiku — właśnie tamtej jesieni Kennedy i Chruszczow przymierzali się do wysadzenia świata — i oznajmiła, że od tej pory znacznie częściej będę ją widywać.

— Donalda i Helgę też — dodała, ale w jej głosie było coś dziwnego, Andy... i w oczach również...

Głównie w oczach, pomyślałam sobie, stojąc tak ze słuchawką w ręce. Na przestrzeni lat jej usta mówiły mi różne rzeczy o tym, gdzie dzieci chodzą do szkoły, co porabiają, jak im się układa w życiu osobistym (Donald ożenił się i miał dwoje dzieci, Helga się rozwiodła), nagle jednak zrozumiałam, że od lata tysiąc dziewięćset sześćdziesiątego drugiego roku oczy Very cały czas mówiły mi tylko jedno: że dzieci nie żyją. Tak... chociaż może nie były całkiem martwe. Może nie były całkiem martwe, dopóki jedna chuda, przeciętna z wyglądu gospodyni mieszkająca na wyspie przy wybrzeżu stanu Maine wierzyła, że wciąż żyją.

Potem skoczyłam myślami w przód do lata sześćdziesiątego trzeciego roku, kiedy zabiłam Joego — do lata, w którym nastąpiło zaćmienie. Vera dostała hopla na punkcie zaćmienia nie tylko dlatego, że był to wyjątkowy fenomen, który miał się więcej nie powtórzyć za naszego życia. Bynajmniej. Podniecała się zaćmieniem, bo wierzyła, że Donald i Helga przyjadą je obejrzeć. Mówiła o tym bez przerwy, aż do znudzenia. Świadomość, że nie żyją, która wcześniej wyzierała z jej oczu, jakby znikła na wiosnę i na początku lata tego roku.

Wiecie, co myślę? Że gdzieś od marca do połowy lipca tysiąc dziewięćset sześćdziesiątego trzeciego roku Vera Donovan była szalona. Przez te kilka miesięcy naprawdę wierzyła, że jej dzieci wciąż żyją. Wymazała z pamięci obraz corvette wyciąganej z kamieniołomu; zmusiła się do zapomnienia o ich śmierci. Siłą woli przywróciła ich do życia. Chociaż nie, niezupełnie tak. Z a ć m i ł a świadomość ich śmierci, co sprawiło, że dla niej zmartwychwstali.

Zbzikowała i chciała taka pozostać — może żeby mieć z powrotem dzieci, może żeby ukarać samą siebie, może chodziło o jedno i drugie — ale była zbyt zdrowa psychicznie, aby jej się udało. Jakieś osiem, dziesięć dni przed zaćmieniem wszystko zaczęło się psuć. Pamiętam ten okres, jakby to było wczoraj, bo służba uwijała się, czyniąc przygotowania do wyprawy promem i do przyjęcia, które miało nastąpić wieczorem. Przez cały czerwiec i na początku lipca Vera była w szampańskim humorze, ale mniej więcej w tym czasie, kiedy pozbyłam się z domu dzieci, wszystko zmieniło się na gorsze. Vera zaczęła się zachowywać jak Królowa Kier z „Przygód Alicji w Krainie Czarów": wrzeszczała na każdego, kto choćby mrugnął okiem, zwalniając służące za byle przewinienie. Chyba właśnie wtedy się poddała, przestała przywracać dzieci do życia. Od tamtej pory miała pełną świadomość, że nie żyją. Mimo to wydała planowane przyjęcie. Wyobrażacie sobie, ile to wymagało odwagi? Jakiego hartu ducha?

Pamiętam jeszcze coś, co powiedziała — było to parę godzin po tym, jak wstawiłam się za wylaną z pracy Karen Jolander. Podeszła do mnie, kiedy szykowałam się do wyjścia. Byłam pewna, że mnie też wyrzuci na zbity pysk. Zamiast tego dała mi torbę ze sprzętem do oglądania zaćmienia i przeprosiła mnie, co jej się naprawdę nie zdarzało. A potem stwierdziła, że czasem kobieta musi być bezduszną jędzą: „Czasem trzeba być bezduszną jędzą, żeby dać sobie radę w życiu. Czasem tylko to daje ci siłę...”.

Ano tak, pomyślałam. Kiedy nie ma się nic, przynajmniej z tego jednego można czerpać siłę. Przynajmniej z tego.

— Pani Claiborne? — powiedział mi do ucha głos; prawie zapomniałam, że wciąż trzymam w ręce słuchawkę. — Jest tam pani jeszcze? Pani Claiborne?

— Jestem — odparłam. Kiedy Greenbush spytał, co mi Vera mówiła o dzieciach, wróciłam wspomnieniami do dawnych smutnych czasów... ale nie bardzo sobie wyobrażałam, żebym mogła to wszystko opowiedzieć jakiemuś facetowi z Nowego Jorku, który nie ma najmniejszego pojęcia o tym, jak my tu żyjemy na Little Tall. I jak Vera żyła na Little Tall. Gość pewnie zna się jak mało kto na akcjach firmy Upjohn i elektrowni w dolinie Missisipi, ale gówno wie o drutach wychodzących ze ścian.

Albo o kotach kurzu.

— Spytałem, co Vera pani mówiła... — zaczął.

— Mówiła, żebym posłała ich łóżka i trzymała zapas płatków owsianych Quaker w spiżarni — odparłam. — Mówiła, że wszystko musi być gotowe, bo w każdej chwili mogą przyjechać.

I była to prawda, Andy; nie cała prawda, ale Greenbush nie musiał wiedzieć nic więcej.

— To zdumiewające! — oświadczył, a ja miałam wrażenie, jakbym słuchała przemądrzałego lekarza, który obwieszcza: „To rak mózgu!”.

Gadaliśmy chwilę dłużej, ale nie bardzo kojarzę, co jeszcze mówiłam. Na pewno powiedziałam mu znów, że nie chcę tych pieniędzy, ani jednego centa. Ze sposobu, w jaki się do mnie zwracał — serdecznie, jakby usiłując dodać mi otuchy — domyśliłam się, że kiedy rozmawiał z tobą, Andy, nie powtórzyłeś mu plotek, które Sammy Marchant rozgłasza o mnie na prawo i lewo. Zapewne uznałeś, że nic Greenbushowi do tego, przynajmniej na razie.

Pamiętam, że powiedziałam, aby dał wszystko temu domowi sierot, a on odparł, że nie może. Wyjaśnił, że ja jedna będę w stanie to uczynić, już po zakończeniu postępowania spadkowego (ale największy idiota poznałby po jego głosie, że absolutnie nie wierzy, bym tak postąpiła, kiedy wreszcie zrozumiem, ile dziedziczę), on natomiast, choćby się skichał, nie ma prawa rozporządzać forsą.

Obiecałam, że zadzwonię do niego, gdy tylko będę miała „jaśniejszy obraz całej sprawy", jak to ujął, i odłożyłam słuchawkę. Po czym przez długi czas nie ruszałam się z miejsca — chyba ponad kwadrans. Byłam przerażona. Czułam, że ze wszystkich stron otaczają mnie pieniądze, przyklejają się do mnie jak do lepu, który mój tata zawieszał w wygódce, kiedy byłam mała. Bałam się, że jak tylko drgnę, przykleją się jeszcze mocniej i owiną wokół mnie tak ciasno, że już nigdy się od nich nie uwolnię.

Kiedy wreszcie się ruszyłam, zupełnie zapomniałam o tym, że zamierzałam udać się do komisariatu i pomówić z tobą, Andy. Prawdę mówiąc, nie pamiętałam nawet o tym, że jestem do połowy ubrana. W końcu wciągnęłam sweter i stare dżinsy, chociaż sukienka, którą sobie wcześniej przygotowałam, czekała na łóżku (i pewnie nadal czeka, chyba że ktoś włamał się do środka i wyładował na niej złość, którą planował wyładować na mnie). Wsunęłam na nogi stare kalosze i byłam gotowa.

Obeszłam biały kamień między szopą a krzakami jeżyn, zatrzymując się na chwilkę, by popatrzeć na kolczaste gałązki i posłuchać, jak szeleszczą na wietrze. Dostrzegłam przez nie betonową pokrywę studni. Kiedy na nią patrzyłam, poczułam dreszcze, jak kiedy rozbiera człowieka grypa albo silne przeziębienie. Następnie polazłam na skróty na Russian Meadow, a potem na sam cypel przy końcu East Lane. Stałam tam przez moment, pozwalając, żeby wiatr znad oceanu zepchnął mi do tyłu włosy i obmył mnie swoim powiewem, tak jak to zawsze robi, po czym zeszłam w dół po schodach.

Nie rób takiej zafrasowanej miny, Frank — zejście wciąż jest zagrodzone sznurem i tablica z ostrzeżeniem nadal tam wisi, ale po tym wszystkim, co przeżyłam, niestraszne mi były rozklekotane schody.

Zeszłam aż na sam dół, po schodach biegnących zygzakiem to w lewo, to w prawo. Kiedyś znajdowała się tam przystań, którą — jak wiecie — starzy ludzie zwą Simmons Dock, ale nie ma już po niej śladu, jeśli nie liczyć kilku słupów i dwóch żelaznych pierścieni, umocowanych do granitowej skały, od których płatami odchodzi rdza. Wyglądają tak, jak pewnie wyglądałyby oczodoły w czaszce smoka, gdyby takie stworzenia naprawdę istniały. Kiedy byłam mała, Andy, wiele razy łowiłam ryby z przystani, i myślałam, że ona zawsze tu będzie, ale prędzej czy później morze wszystko pochłania.

Usiadłam na najniższym stopniu, majtając w powietrzu nogami w kaloszach, i siedziałam tak przez bite siedem godzin. Nastąpił odpływ, a potem i przypływ, zanim wreszcie sobie poszłam. Z początku próbowałam myśleć o tych pieniądzach, ale nijak nie umiałam ogarnąć rozumem tak ogromnej sumy. Może ludzie, którzy od dziecka tarzają się w szmalu, potrafią to bez trudu, ale mnie zupełnie nie szło. Ilekroć próbowałam, widziałam Sammy'ego Marchanta, jak patrzy najpierw na wałek, a potem na mnie. I tylko z tym jednym kojarzyła mi się — i nadal kojarzy — forsa Very: z podejrzliwym spojrzeniem Sammy'ego Marchanta, kiedy patrzył na mnie pociemniałymi oczami i mówił: „Myślałem, że nie może chodzić. Zawsze mi pani mówiła, że ona nie może chodzić".

Potem pomyślałam o Donaldzie i Heldze.

— Dasz się nabrać raz, zmądrzeć szybko czas — powiedziałam na głos, siedząc z nogami tak blisko wody, że tryskała na nie piana z rozbryzgujących się fal. — Dasz się nabrać dwa razy, jesteś cymbał bez skazy.

Vera jednak nie nabrała mnie do końca... nie nabrały mnie jej oczy.

Pamiętam, jak kiedyś — gdzieś pod koniec lat sześćdziesiątych — uświadomiłam sobie, że ani razu nie widziałam Donalda i Helgi, odkąd fagas Very odwiózł ich na ląd owego lipcowego dnia w sześćdziesiątym pierwszym roku. I tak to mną wstrząsnęło, że złamałam wieloletnią zasadę, żeby nigdy o nich nie wspominać, chyba że Vera pierwsza coś powie.

— Jak się mają twoje dzieci, Vero? — zapytałam; słowa po prostu same wyskoczyły mi z ust, zanim miałam czas pomyśleć; przysięgam na Boga, że tak właśnie było. — Powiedz, jak im się wiedzie?

Pamiętam, że siedziała wtedy w fotelu w salonie przy jednym z wykuszowych okien i robiła na drutach; kiedy usłyszała moje pytanie, przerwała pracę i podniosła głowę. Tego dnia słońce mocno świeciło; na twarz Very padła wiązka jasnych, rozjarzonych promieni i coś w jej wyglądzie tak mnie przeraziło, że w pierwszym odruchu o mało nie krzyknęłam. Dopiero kiedy mi przeszła ochota do krzyku, zrozumiałam, że zlękłam się oczu Very. Na rozświetlonej promieniami twarzy wyglądały jak dwie czarne, głęboko osadzone kule. Jak oczy Joego, kiedy patrzył na mnie z dna studni... jak czarne kamyki albo bryłki węgla wepchnięte w białe ciasto. Przez moment miałam wrażenie, że widzę widmo. A potem Vera przesunęła nieco głowę i wyglądała jak dawniej, może tylko jakby zbyt dużo wypiła poprzedniego wieczoru. Jeśli rzeczywiście za dużo wypiła, nie byłby to pierwszy raz.

— Sama nie wiem, Dolores — odparła. — Nie utrzymujemy stosunków.

Tylko tyle powiedziała, ale to wystarczyło. Wszystkie historie, które opowiadała mi o dzieciach — teraz wiem, że zmyślone — nie mówiły tak wiele, jak te trzy słowa: „Nie utrzymujemy stosunków". Siedząc na Simmons Dock, rozmyślałam nad tym, jak okrutnie brzmią. Na ich dźwięk ciarki przechodzą mnie po plecach.

Siedziałam i dumałam nad dawnymi czasy, aż w końcu przestałam wspominać i odeszłam z miejsca, gdzie spędziłam większość dnia. Uznałam, Andy, że wszystko mi jedno, w co uwierzysz i w co inni uwierzą. Bo wszystko się skończyło, rozumiesz? Dla Joego, dla Very, dla Michaela Donovana, dla Donalda i Helgi... a także dla Dolores Claiborne. Wszystkie mosty między przeszłością a teraźniejszością zostały spalone. Czas też jest przesmykiem, wierzcie mi, takim samym jak przesmyk między naszą wyspą i lądem, ale jedyny prom, jaki może go przebyć, to pamięć. Jednakże wspomnienia są jak statek-widmo: jeśli człowiek chce, żeby znikły, z czasem się rozpływają.

Mniejsza z tym. Ale zabawne, jaki w końcu sprawy przybrały obrót, prawda? Pamiętam, co kołatało mi po głowie, kiedy wracałam na górę po rozklekotanych schodach — dokładnie to samo co wtedy, gdy ręka Joego wysunęła się ze studni i niemal wciągnęła mnie do środka: „Kto drugiemu dół kopie, wpada weń...". Tak, kiedy uchwyciłam się starej, spękanej balustrady i zaczęłam wspinać z powrotem (niepewna, czy tym razem schody też utrzymają mój ciężar), wydało mi się, że właśnie stało się to, co — jak wiedziałam — musiało się stać. Tyle że wpadnięcie do dołu zajęło mi znacznie dłużej niż Joemu.

Vera również miała dół, który na nią czekał... Przynajmniej za jedno jestem wdzięczna losowi: nie musiałam śnić, tak jak ona, że moje dzieci wróciły do życia... chociaż czasem, kiedy rozmawiam przez telefon z Seleną i słyszę, jak jej się zlewają słowa, to sama nie wiem, czy ktokolwiek z nas ma szansę uciec od bólu i smutków życia. Nie udało mi się jej nabrać, Andy — jestem cymbał bez skazy.

Trudno, zacisnę zęby tak, by to wyglądało na uśmiech — zresztą zawsze tak robiłam — i zniosę wszystko, co los ma dla mnie w zanadrzu. Staram się pamiętać, że przynajmniej dwoje z trójki moich dzieci nadal żyje i powodzi im się znacznie lepiej, niż mogłam oczekiwać, kiedy przyszły na świat, i pewnie znacznie lepiej, niż by im się powodziło, gdyby ich łachmyta ojciec nie miał nieszczęśliwego wypadku dwudziestego lipca tysiąc dziewięćset sześćdziesiątego trzeciego roku. Życie to nie zagadka, do której łatwo znaleźć odpowiedź, więc jeśli kiedykolwiek zapomnę zanosić dzięki za to, że moja córka i jeden z synów żyją, podczas gdy oboje dzieci Very zginęło, będę musiała tłumaczyć się z grzechu niewdzięczności, kiedy wreszcie stanę przed obliczem Wszechmogącego. A wcale mi się to nie uśmiecha. I tak mam dość na sumieniu — zbyt wiele grzechów obciąża moją duszę. Słuchajcie; nawet jeśli nie uwierzyliście w każde moje słowo, uwierzcie, kiedy mówię, że wszystko, co zrobiłam, zrobiłam z miłości... z miłości, jaką matka darzy swoje dzieci. To najsilniejsza miłość na świecie i najbardziej niebezpieczna. Największą jędzą na ziemi jest matka przerażona o swoje potomstwo.

Kiedy doszłam na szczyt schodów i stanęłam na pomoście przy przeciągniętym sznurze, patrząc w stronę morza, przypomniał mi się sen, w którym Vera podawała mi talerze, a ja je upuszczałam. Myślałam o dźwięku, który rozległ się, kiedy kamień uderzył Joego w twarz, i o tym, jak te odgłosy były podobne.

Ale głównie myślałam o Verze i o sobie — dwóch jędzach żyjących od lat pod jednym dachem na kawałku skały u wybrzeży Maine. Myślałam o tym, jak te dwie jędze spały ze sobą, kiedy starsza była wystraszona, i jak spędzały całe dni w wielkim domu, dojadając jedna drugiej. Myślałam o tym, jak mnie Vera oszukała, a potem ja ją, i jak bardzo każda z nas się cieszyła, kiedy udawało jej się wygrać rundę. Myślałam o tym, co się działo, kiedy Verę osaczały koty kurzu, jak krzyczała i dygotała niby małe zwierzątko na widok drapieżnika, który chce je rozszarpać na strzępy. Kładłam się wówczas w jej łóżku, obejmowałam ją i czułam, że drży niczym naczynie z delikatnego szkła, które ktoś potrącił trzonkiem noża. Czułam na szyi jej łzy, głaskałam ją po rzadkich, suchych włosach i szeptałam:

— Ciii, kochana... ciii. Te paskudne koty kurzu już sobie poszły. Jesteś bezpieczna. Osłonię cię.

Ale nauczyłam się jednego, Andy; one nigdy nie znikają. Naprawdę nigdy. Wydaje ci się, że już się ich pozbyłaś, że wymiotłaś wszystkie i nie ma ani jednego, ale one wracają. Wyglądają jak twarze, zawsze wyglądają jak twarze osób, których nie chcesz więcej widzieć, czy to we śnie, czy na jawie.

Myślałam o Verze, o tym, jak leżała na schodach, mówiąc, że jest zmęczona i chce mieć wszystko za sobą. I stojąc w mokrych kaloszach na rozklekotanym pomoście, zrozumiałam, dlaczego wybrałam te schody, schody tak przegniłe, że nawet największe łobuzy nie przychodzą się na nich bawić po szkole lub kiedy uciekają na wagary. Otóż ja też byłam zmęczona. Całe życie żyłam według swoich zasad. Nigdy nie wymigiwałam się od pracy ani nie wykręcałam się od zrobienia czegoś, co należało zrobić, choćby to było nie wiem jak nieprzyjemne. Vera miała rację: czasem kobieta musi być bezduszną jędzą, żeby dać sobie radę w życiu, ale wierzcie mi, bycie jędzą to też ciężka praca. Byłam okropnie zmęczona i podobnie jak Vera, chciałam mieć wszystko za sobą. Nagle przyszło mi na myśl, że przecież mogę znów zejść po schodach i tym razem nie zatrzymać się na najniższym stopniu... decyzja należy do mnie.

A potem znów usłyszałam głos Very. Słyszałam ją tak, jak owego wieczoru przy studni — nie w głowie, ale jakby szeptała mi do ucha. I przysięgam, zdjął mnie jeszcze większy strach niż wtedy, bo przynajmniej w sześćdziesiątym trzecim roku Vera żyła.

— Czyś ty oszalała, Dolores? — spytała wyniosłym tonem, zupełnie jakby mówiła „całuj mnie w tyłek". — Zapłaciłam wyższą cenę niż ty, znacznie wyższą, niż ktokolwiek jest w stanie sobie wyobrazić, a żyłam z tym, co się wydarzyło. Zrobiłam nawet coś więcej. Kiedy pozostały mi już tylko koty kurzu i sny o tym, jak mogłoby wyglądać moje życie, zaakceptowałam je. Koty kurzu... No cóż, może mnie i wykończyły, ale żyłam z nimi przez wiele lat, zanim im się udało. A teraz ciebie dręczą problemy. Jeśli całkiem straciłaś odwagę, jaką miałaś choćby tego dnia, kiedy mi wypaliłaś, że zwolnienie tej Jolander jest podłym postępkiem, to idź. Zejdź i skacz. Bo bez swojej odwagi, Dolores Claiborne, jesteś po prostu jeszcze jedną głupią starą babą.

Cofnęłam się i rozejrzałam wkoło, ale na Wschodnim Cyplu, ciemnym, wilgotnym od bryzy, która nasyca powietrze w wietrzne dni, nie było nikogo prócz mnie. Ani żywego ducha. Stałam jeszcze chwilę, patrząc na chmury wędrujące po niebie — lubię je obserwować, kiedy mkną tak cicho i swobodnie, hen w górze — a potem odwróciłam się i ruszyłam do domu.

Po drodze kilka razy przystanęłam, żeby odpocząć, bo po tylu godzinach siedzenia na zimnych, mokrych schodach rozbolał mnie krzyż. Ale jakoś doczłapałam na miejsce. Kiedy weszłam do środka, łyknęłam trzy aspiryny, wsiadłam do samochodu i przyjechałam prosto tutaj.

I to wszystko.

Widzę, Nancy, że nagrałaś chyba z dziesięć tych maleńkich kaset; pewnie twój przemyślny magnetofonik już ledwo dyszy, co? Ja też opadam z sił, ale przyszłam tu opowiedzieć o wszystkim i wreszcie opowiedziałam, a każde moje słowo, każde cholerne słowo, to szczera prawda. Zrób ze mną, co uważasz, Andy; ja zrobiłam swoje i czuję wewnętrzny spokój. A to jest najważniejsze, tak mi się przynajmniej wydaje — być w zgodzie z samym sobą i wiedzieć, kim się jest. Ja to wiem: jestem Dolores Claiborne, której za dwa miesiące stuknie sześćdziesiąt sześć lat, która całe życie głosowała na demokratów i od urodzenia mieszka na wyspie Little Tall.

Zanim, Nancy, wciśniesz STOP i zatrzymasz to swoje urządzenie, chcę jeszcze powiedzieć dwie rzeczy. W ostatecznym rozrachunku najbardziej sprawdzają się jędze... a jeśli chodzi o koty kurzu i inne majaki: całujcie mnie w dupę!

WYCINKI PRASOWE

Z wychodzącego w Ellsworth „American"
z 6 listopada, 1992 (str. 1):

WYSPIARKA OCZYSZCZONA Z ZARZUTÓW

Na rozprawie wyjaśniającej przeprowadzonej w dniu wczorajszym w Machias, Dolores Claiborne, mieszkanka wyspy Little Tall i wieloletnia opiekunka pani Very Donovan, także zamieszkałej na Little Tall, została zwolniona od jakiejkolwiek odpowiedzialności w związku ze śmiercią pani Donovan. Celem rozprawy było ustalenie, czy śmierć pani Donovan nastąpiła w wyniku niedbalstwa lub czynu kryminalnego. Domniemania dotyczące roli panny Claiborne podsycała wiadomość, że pani Donovan, która podobno cierpiała na uwiąd starczy, pozostawiła swojej opiekunce, a zarazem gospodyni, lwią część majątku. Według niektórych źródeł wartość majątku przekracza sumę dziesięciu milionów dolarów.

Z bostońskiego „Globe" z 20 listopada, 1992 (str. 1):

Radosne Święto Dziękczynienia w Somerville

SIEROCINIEC OTRZYMAŁ ANONIMOWY DAR:
30 MILIONÓW DOLARÓW

Wczoraj późnym popołudniem oszołomiony zarząd domu dla sierot Mali Wędrowcy Nowej Anglii ogłosił na naprędce zwołanej konferencji prasowej, że w tym roku, za sprawą prezentu w postaci trzydziestu milionów dolarów pochodzącego od anonimowego dawcy, Gwiazdka zawitała do liczącego sto pięćdziesiąt lat sierocińca nieco wcześniej niż zazwyczaj.

— Powiadomił nas o tym niezwykłym darze Alan Greenbush, renomowany nowojorski prawnik i dyplomowany księgowy — powiedział wyraźnie podniecony Brandon Jaegger, przewodniczący rady nadzorczej sierocińca. — To na pewno nie jest żaden dowcip, choć darczyńca — czy może raczej nasz dobry anioł — pragnie pozostać anonimowy. Nie muszę chyba mówić, jak bardzo się wszyscy cieszymy.

Jeśli wiadomość o wielomilionowym darze potwierdzi się, nieoczekiwany prezent będzie najwyższą sumą, jaką jakakolwiek instytucja charytatywna w stanie Massachusetts otrzymała od 1938 roku, kiedy to...

Z „The Weekly Tide" z 14 grudnia, 1992 (str. 16):

Nowinki z Little Tall pióra Wścibskiej Netty

Pani Lottie McCandless wygrała w zeszły piątek główną gwiazdkową nagrodę w bingo w Jonesport — $ 240, a to oznacza mnóstwo gwiazdkowych prezentów! Wścibska Netty aż pozieleniała z zazdrości! Ale żarty na bok, gratulacje, Lottie!

Philo, brat Johna Carona, przyjechał z Derry pomóc Johnowi uszczelnić jego łódź „Deepstar" stojącą w suchym doku. W tym świątecznym okresie warto pamiętać o braterskiej miłości, prawda, chłopcy?

Jolene Aubuchon, mieszkająca z wnuczką Patrycją, skończyła w zeszły czwartek układać łamigłówkę z dwóch tysięcy kawałków, przedstawiającą Górę Świętej Heleny. Jolene oświadczyła, że dla uczczenia swoich dziewięćdziesiątych urodzin, które wypadają w przyszłym roku, ułoży łamigłówkę przedstawiającą plafon Kaplicy Sykstyńskiej, składającą się z pięciu tysięcy kawałków! Wielkie brawa, Jolene! Wścibskiej Netty i całej redakcji „Tide" imponuje twój styl!

W tym tygodniu Dolores Claiborne będzie robić zakupy na jedną osobę więcej! Wiedziała, że syn Jim, jeden z filarów partii demokratycznej, zamierza przybyć z rodziną, żeby odpocząć od pracy w senacie stanowym i spędzić święta Bożego Narodzenia na wyspie, ale teraz okazuje się, że córka, znana dziennikarka Selena St. George, również przyjedzie, i to po raz pierwszy od dwudziestu lat! Dolores oświadczyła, że jest „wniebowzięta". Kiedy Wścibska Netty usiłowała się dowiedzieć, czy będą omawiać najnowszy artykuł Seleny w „Atlantic Monthly", Dolores odparła z uśmiechem: „Na pewno nie zabraknie nam tematów do rozmowy".

I jeszcze nasza kronika powracających do zdrowia: Netty dowiedziała się, że Vincent Bragg, który złamał rękę podczas meczu futbolowego w październiku...

październik 1989 — luty 1992